LES CAHIERS DES DIX

LES DIX

Fauteuil No 1: Gérard Malchelosse (1935)
Philippe Sylvain (1969)

Fauteuil No 2: Victor Morin (1935)
Louis-Philippe Audet (1959)
Lucien Campeau, s.j. (1979)

Fauteuil No 3: Aegidius Fauteux (1935)
Léo-Paul Desrosiers (1941)
Luc Lacourcière (1967)

Fauteuil No 4: E.-Z. Massicotte (1935)
Raymond Douville (1948)

Fauteuil No 5: Francis-J. Audet (1935)
Jean Bruchési (1943)
Jean-Charles Bonenfant (1963)
Claude Galarneau (1978)

Fauteuil No 6: Mgr Olivier Maurault (1935)
Abbé Armand Yon (1966)
Pierre Savard (1979)

Fauteuil No 7: Pierre-Georges Roy (1935)
Antoine Roy (1953)
Robert-Lionel Séguin (1963)
Benoît Lacroix, o.p. (1982)

Fauteuil No 8: Mgr Albert Tessier (1935)
Séraphin Marion (1962)

Fauteuil No 9: Aristide Beaugrand-Champagne (1935)
Jacques Rousseau (1951)
André Vachon (1970)

Fauteuil No 10: Montarville Boucher de la Bruère (1935)
Maréchal Nantel (1940)
Léon Trépanier (1954)
Sylvio LeBlond (1970)

Membre
correspondant: Dom Guy-M. Oury, o.s.b.

No 43

LES CAHIERS DES DIX

1983

La Société des Dix
Québec

Les Éditions La Liberté
3020, chemin Ste-Foy
Sainte-Foy   G1X 3V6

Couverture: Jocelyn Walsh

Composition et mise en pages: Helvetigraf, Québec

ISBN: 2-89084-943-0

PRÉFACE

Depuis 1979, la Société des Dix était demeurée silencieuse. Son 42e Cahier était le dernier qu'elle avait publié. Ce silence et son absence sur les rayons des librairies étaient attribuables à une situation financière qui ne nous permettait pas de songer à une reprise immédiate de la publication de nos Cahiers.

Mais depuis lors des circonstances plus favorables nous ont permis de reprendre espoir. L'une de ces circonstances fut la convention que nous avons signée récemment avec les Éditions La Liberté. Notre fonds a été transféré à leur dépôt de Sainte-Foy, et c'est désormais cette maison d'édition qui pourvoit à la diffusion et à la vente de nos publications. L'intendance étant assurée, nous avons mis en chantier un 43e Cahier.

Ce Cahier sera dans le digne prolongement de ceux qui l'ont précédé. Il s'ouvre par des hommages rendus à trois de nos confrères qui depuis 1979 nous ont quittés et dont le décès a attristé tous leurs amis et la confrérie historienne: Louis-Philippe Audet, l'abbé Armand Yvon et Robert-Lionel Séguin.

Puis, dans un ordre approximativement chronologique, se succèdent les neuf articles de ce Cahier. Si l'on déroge, cette fois-ci, à la règle des dix articles réglementaires, c'est que le R.P. Benoît Lacroix, o.p., qui nous fait l'honneur de s'agréger à notre groupe en succédant à R.-L. Séguin, a une excuse légitime de ne pas nous présenter son texte: la date toute récente de son élection ne lui accordait pas les loisirs nécessaires à la rédaction de son travail. Mais il nous assure que ce n'est que partie remise!

«Les *Mémoires d'Allet* rendus à leur auteur» fait le point sur l'énigme qu'a posée l'attribution de ces Mémoires au sul-

picien Antoine d'Allet. Avec son érudition coutumière, le spécialiste renommé de l'histoire du régime français qu'est
Lucien Campeau, s.j., décrypte cette énigme en reproduisant
avec l'apparat critique le plus sûr le texte de ces Mémoires.

Mise au point également décisive est le travail de André
Vachon sur «Les quatre érections canoniques de la paroisse de
Québec (1664-1684)», partie essentielle du plan de Mgr de
Laval de bâtir son Église autour du Séminaire de Québec.

Avec Raymond Douville, nous sommes toujours au dix-
septième siècle. Cette fois-ci, l'historien se penche sur la petite
histoire, mais une histoire un peu spéciale, puisqu'il s'agit de
celle des célibataires, auxquels les historiens, et davantage les
généalogistes, s'intéressent bien peu, et pour cause: «... ils
n'auraient pas participé à la prospérité démographique»!
Mais l'on verra, dans le cas de Thimothée Josson et de Jacques Loyseau dit Grandinière, que ces obscurs colons ont fait
leur part dans «l'épanouissement et l'enrichissement de la
colonie».

La biographie de Philippe-Louis Badelart, écrite par
Sylvio LeBlond, fait la jointure entre le régime français et le
régime anglais, puisque ce chirurgien, arrivé au Canada en
1757, fait prisonnier à la bataille des Plaines d'Abraham,
choisit de demeurer au Canada après la Conquête. Fondé sur
d'érudites recherches, ce travail révèle des détails inédits sur la
profession médicale telle qu'elle était pratiquée à la fin du dix-
huitième siècle.

Claude Galarneau, par son étude sur «Les métiers du
livre à Québec (1764-1859)», nous fait pénétrer dans le monde
des imprimeurs, des relieurs et des lithographes. C'est
l'amorce du grand ouvrage que l'auteur prépare sur l'histoire
de l'imprimerie au Québec depuis le milieu de dix-huitième
siècle. Ici il en fait une première évaluation pour la ville de
Québec, «berceau de l'imprimerie et longtemps la première
ville imprimante du Canada».

«L'affaire Maria Monk» nous transporte à Montréal, où les religieuses de l'Hôtel-Dieu furent l'objet, vers 1837, à la suite d'un factum publié à New York, d'attaques calomnieuses qui marquèrent le sommet de la campagne de diffamation que des nativistes américains menèrent contre l'Église catholique aux États-Unis durant la plus grande partie du dix-neuvième siècle.

Notre doyen Séraphin Marion, qui eut le privilège de connaître intimement Lionel Groulx, surtout durant les périodes de recherches de l'historien montréalais aux Archives publiques, soutient que «le racisme répugnait» à son ami et qu'il se doit de réfuter ceux qui «scrutent aujourd'hui les écrits de l'abbé Groulx afin d'y découvrir du racisme».

C'est par une étude fortement documentée sur «L'implantation du scoutisme au Canada français» que Pierre Savard aborde sa collaboration aux *Cahiers des Dix*. L'auteur démontre «comment un mouvement, né dans la Grande-Bretagne impérialiste, et lancé en sus par un général protestant», finit par «séduire des responsables de l'éducation au Canada français entre 1920 et 1940, en un temps où le confessionnalisme et le nationalisme imprégn(aient) plus que jamais les idéologies et les pratiques». Les lecteurs constateront que notre confrère éclaire, avec sa maîtrise habituelle, toute une tranche peu connue de notre proche histoire.

Enfin, Luc Lacourcière nous présente à l'occasion du centenaire de la naissance de Marius Barbeau, la version inédite d'un conte de la collection de son maître intitulée «Les Animaux (et le Géant) déjoués par l'homme».

Les membres de la Société des Dix sont heureux de reprendre le cours de leurs publications, que des circonstances adverses les avaient obligés d'interrompre pendant un certain temps. Ils espèrent que la fidélité de leurs lecteurs leur permettra de poursuivre une carrière qui débutait à Montréal il y a déjà tout près d'un demi-siècle. Sans fausse modestie, les Dix constatent que leur apport à la discipline historique a été loin d'être négligeable, si l'on observe la constance des chercheurs à se référer à leurs études, et que bien peu de périodiques dans notre milieu peuvent se targuer d'une longévité comparable à celle de leurs cahiers, dont le premier numéro paraissait en 1936.

Philippe Sylvain
secrétaire de la Société des Dix.

Louis-Philippe Audet
(1903-1981)

Notre ami Louis-Philippe Audet décédait le jeudi 2 avril 1981 au centre hospitalier de l'Université Laval, à Sainte-Foy, Québec, ayant réalisé une longue et fructueuse carrière d'éducateur et d'historien.

Il avait vu le jour à Sainte-Marie-de-Beauce, le 16 novembre 1903. Distingué très jeune par son parent, l'abbé Arthur Maheux, qui voyait en lui, à la suite de ses succès à l'école primaire et au collège de sa ville natale, un futur prêtre qui le rejoindrait comme professeur à l'Université Laval, l'adolescent, au lieu de se diriger vers le Séminaire de Québec, comme l'y invitait l'abbé Maheux, préféra retrouver, à Québec puis à Montréal, les éducateurs qui avaient marqué durablement ses années beauceronnes, les Frères des Écoles chrétiennes. Louis-Philippe s'engageait alors dans une voie dont il ne devait plus dévier. L'enseignement à tous les niveaux, par la parole et par la plume, allait pour toujours accaparer les pensées et les activités d'un esprit avide de connaître et de communiquer à autrui le fruit de ses recherches.

Successivement professeur d'école normale puis d'enseignement secondaire à l'Académie de Québec, préfet des études à la même institution, il ne tarda pas, ayant conquis une licence ès sciences et un doctorat en pédagogie, à aborder l'enseignement universitaire, d'abord à l'École d'agriculture de Sainte-Anne-de-la-Pocatière, puis à l'École de pédagogie et d'orientation et à l'École supérieure de commerce de l'Université Laval. Sa carrière comme professeur universitaire, il la poursuivit à l'Université de Montréal, à la Faculté des sciences de l'éducation, jusqu'à l'âge de la retraite, en 1970.

Non content de se livrer passionnément à la recherche pour nourrir un enseignement qui abordait un filon encore relativement peu exploité chez nous, celui de l'histoire de l'éducation au Québec, Louis-Philippe Audet se découvrit des capacités d'administrateur dans divers postes rattachés au gouvernement provincial, surtout dans des fonctions où il pouvait déployer les qualités de l'éducateur chevronné qu'il était, comme par exemple surintendant des cours de culture populaire, secrétaire de la direction générale des études de l'enseignement spécialisé, enfin secrétaire, pendant trois ans, de la Commission royale d'enquête sur l'éducation dans la province de Québec, communément appelée la Commission Parent.

À un enseignement universitaire et à des fonctions qui eussent suffi à meubler les journées d'un homme moins laborieux, Louis-Philippe Audet joignit le labeur de l'écritoire. Ce labeur s'orienta dans deux directions différentes: les sciences naturelles et l'histoire de l'éducation au Québec.

Son goût pour l'histoire naturelle naquit lorsque le hasard d'une rencontre le mit en contact avec ce savant qui fut un animateur exceptionnel dans notre milieu, le Frère Marie-Victorin. Dans son discours de réception à la Société royale, le 2 novembre 1957, Audet fit l'éloge de celui qu'il considérait comme son «premier maître» et rappelait qu'un an avant le décès de Marie-Victorin, il lui avait consacré «une étude de ses idées pédagogiques, étude que le maître avait considérée comme un hommage non équivoque d'attachement et de sincère admiration». Au cours de son allocution, il s'écriait:

«Marie-Victorin nous apporte un message qu'il nous faut retenir: la science, les arts, la vie, tout est là, à la portée de la main, qui sollicite notre attention amoureuse, notre étude tenace et désintéressée; consentons l'effort qui s'impose pour que notre vie soit riche et pleine, grâce à un travail persévérant et à des loisirs féconds.»

Cette leçon, Audet l'avait déjà mise en œuvre, comme en témoignent quelques-uns de ses livres: *la Chanson du bonheur, le Chant de la forêt, Ceux qui nous servent, la Cité des animaux,* sans compter plus de six cents articles qu'il rédigea, de 1932 à 1964, pour le journal *l'Action,* articles qui constituent la chronique fidèle des activités des Cercles des jeunes naturalistes pour cette période.

Mais son œuvre principale, c'est assurément dans ses ouvrages sur l'histoire de l'éducation au Québec qu'elle réside. Invité par l'abbé Alphonse-Marie Parent, alors secrétaire général de l'Université Laval, à donner un cours sur le développement du système scolaire québécois à l'École de pédagogie de l'Université Laval, Audet se rendit vite compte qu'il lui fallait entreprendre de vastes recherches dans un secteur important de notre histoire collective mais négligé jusque-là par les historiens, si l'on excepte Gosselin et Groulx. À partir de 1950 parurent régulièrement les six tomes du *Système scolaire de la Province de Québec* auxquels s'ajouta, en 1964, l'*Histoire du Conseil de l'Instruction publique.* Bousculant un certain nombre d'idées reçues, la parution de ces ouvrages souleva parfois d'âpres polémiques que l'auteur ignora, préférant par-dessus tout, à des vues partisanes et passionnées, la vérité historique telle qu'elle s'était imposée à son esprit lucide et impartial. L'essentiel des aperçus de ces ouvrages, dont des chapitres avaient déjà paru dans les *Mémoires de la Société royale du Canada* et dans les *Cahiers des Dix,* fut repris en une synthèse de deux tomes, qu'il publia en 1971 sous le titre: *Histoire de l'enseignement au Québec, 1968-1970.* Couronnement d'une vie de recherches, cet ouvrage restera comme l'œuvre du pionnier que fut Louis-Philippe Audet dans l'histoire de la pédagogie québécoise. C'est l'hommage que lui rendit l'équipe du périodique *Éducation Québec,* dans son numéro de septembre 1980. L'Université McGill lui avait déjà décerné, au même titre, un doctorat honorifique le 8 juin 1976.

Toutefois l'ardent travailleur, en dépit d'accidents de santé qui se répétaient, ne se résignait pas à déposer sa plume. Il pensa qu'il lui serait accordé le temps nécessaires à la rédaction d'une biographie du Dr Jean-Baptiste Meilleur, qui fut le premier surintendant de l'éducation au Bas-Canada, de 1842 à 1855. Une documentation considérable n'attendait plus que d'être mise en œuvre, mais cette fois-ci la maladie s'aggravant, impitoyablement, mit un terme définitif à son activité intellectuelle.

Pour réaliser son œuvre écrite, l'historien eut la chance de trouver en son épouse Jacqueline une collaboratrice efficace et assidue, comme il le reconnaît dans le témoignage de gratitude qui s'inscrit au frontispice de sa dernière publication. Madame Audet fut également le témoin privilégié des sentiments d'une totale résignation chrétienne avec laquelle son mari accepta son sort, et l'infirmière qui adoucit dans la mesure du possible les souffrances d'une longue et mutilante maladie.

Ses obsèques, présidées par son frère, Mgr Lionel Audet, évêque auxiliaire de Québec, attirèrent dans l'église de Saint-Michel-de-Sillery un groupe nombreux de parents et d'amis venus apporter le réconfort de leur présence à sa famille et un hommage ultime à l'éducateur et à l'historien que fut Louis-Philippe Audet.

Philippe Sylvain

L'abbé Armand Yon (1895-1981)

À peine un mois après le décès d'un de ses membres émérites en la personne de Louis-Philippe Audet, la Société des Dix subissait un autre deuil cruel: l'abbé Armand Yon, qui avait succcédé en 1966 à Mgr Olivier Maurault, décédait à son tour le 1er mai 1981. Il avait atteint l'âge vénérable de 86 ans, étant né dans le quartier et la paroisse de Saint-Jacques de Montréal le 16 janvier 1895.

Armand Yon descendait par son père, l'industriel Armand Yon, de Jean Guyon du Buisson, arrivé à Québec en 1634. Depuis 1774, la famille avait adopté le diminutif de Yon. Par sa mère, Denise Belle, il se rattachait à une lignée de notaires, dont l'ancêtre, Jean-Denis Bel, s'était engagé comme fantassin dans le régiment de Languedoc, avait participé, à partir de 1755, aux campagnes militaires canadiennes et s'était établi comme cultivateur à la Rivière-du-Loup (aujourd'hui Louiseville) après 1759. L'abbé Yon, dans son étude «La queste des aïeux ou comment on établit sa généalogie», publiée en 1967 dans le numéro 32 des *Cahiers des Dix,* raconte par le menu les démarches qui lui permirent de retrouver les traces de cet ancêtre dans le Jura, à Marnoz, où il était né le 16 mai 1735.

Comme bien d'autres destinés à survivre à un âge avancé, Armand Yon eut une enfance maladive au cours de laquelle il fut administré deux fois. Ayant appris le rudiment à l'Académie Viger, il entrait, en 1905, comme externe au Mont-Saint-Louis, où, suivant son propre témoignage, ses études furent «agréables et brillantes». En guise de gratitude à l'endroit de ses anciens professeurs, il publia en 1938 un historique du Mont-Saint-Louis à l'occasion du cinquantenaire de l'institution. En juin 1914, diplômé du cours scientifique «avec tous les honneurs», comme il songeait au sacerdoce, il s'inscrivit à des cours particuliers de latin et de grec, fit sa rhétorique à Saint-Jean (Iberville), sa première année de philosophie au collège Sainte-Marie, puis entra au grand séminaire et fut ordonné prêtre le 10 juin 1922.

La rencontre de l'oratorien français Pierre Sanson, qui était venu prêcher une station de carême à Montréal, fut décisive sur l'orientation de sa vie. En septembre 1923, il partait pour l'Europe, entrait à l'Oratoire et terminait à Rome, au séminaire pontifical du Latran, des études de théologie et de philosophie par l'obtention du grade de docteur en philosophie.

Professeur au célèbre collège oratorien de Juilly, Armand Yon n'oubliait pas la patrie qu'il avait quittée. Ses loisirs et ses vacances, il les consacrait à la rédaction d'un roman, dont la lecture de *Maria Chapdelaine* lui avait donné l'idée. Un an avant son départ pour l'Europe, il avait passé ses vacances à Marsoui ou Marsouins. Conquis par le pittoresque du paysage et l'amabilité de la population, il avait décidé d'y situer l'épisode gaspésien d'*Au diable vert,* qui parut à Paris, en 1928, dans la collection que dirigeait l'abbé Félix Klein aux éditions Spes.

La critique accueillit ce roman avec assez d'indulgence, à l'exception, suivant les termes de Yon, de «l'abattage que (lui) administra l'ineffable Beaudé», alias Henri d'Arles dans *l'Action française* d'octobre 1928, dont le compte rendu vraiment peu amène ne fut sans doute pas étranger à la nouvelle orientation que prit la carrière d'Armand Yon: délaissant le roman, il jeta son dévolu sur l'histoire.

De retour au Canada durant la seconde guerre mondiale, il fit paraître en 1946, chez Fides, une étude alertement écrite sur *L'Abbé H.-A. Verreau, éducateur, polémiste, historien.* Lorsqu'il regagna la France après le conflit, il inscrivit à la Sorbonne un sujet de thèse de doctorat d'État: *Les Canadiens français jugés par les Français de France (1830-1914).* Le professeur Pierre Renouvin avait accepté d'être son patron de thèse. Mais des charges d'enseignement et un ministère sacerdotal accaparant ne lui permirent pas de mener jusqu'à la soutenance des recherches qu'il poursuivait avec toute l'assiduité que lui assuraient de trop rares loisirs. De retour, définitivement cette fois, au Québec en 1964, l'abbé Yon commença à en publier de larges extraits dans la *Revue d'histoire de l'Amérique française.* Enfin, en 1975, dans la collection «Vie des Lettres québécoises» des Presses de l'Université Laval, il faisait paraître *Le Canada français vu de France (1830-1914),* un volume de 235 pages. C'était une œuvre de pionnier, que de jeunes historiens n'ont pas tardé à piller, sans toujours reconnaître leur dette à leur prédécesseur, tout en lui reprochant de «nombreuses failles» bibliographiques, un «manque de rigueur méthodologique» et «l'absence d'un plan véritablement euristique» (Sylvain Simard).

Élu à la Société des Dix en 1966, l'abbé Yon amorça sa collaboration à nos *Cahiers* par un travail qui suscita beaucoup de curiosité: il s'agissait de la carrière peu banale du Beauceron Héliodore Fortin (1889-1934), «Grand Résurrecteur», qui, après avoir pris comme compagne la sœur du romancier français Maurice Constantin-Weyer, établit à Paris un nouveau culte qui lui attira un certain nombre d'adeptes, et dont la stèle funéraire au cimetière de Pantin rappelle le souvenir. Les études qui suivirent portèrent sur la vie et la carrière canadienne d'un frère de Fénelon, le sulpicien François de Salignac-Fénelon, *Maria Chapdelaine* en son temps, la «dolce vita» en Nouvelle-France de 1740 à 1758, Asseline de Ronval, le premier touriste en Nouvelle-France. L'abbé Yon termina en beauté sa collaboration aux *Cahiers des Dix* par une biographie fortement documentée et pratiquement définitive de «Monseigneur de Laubérivière, cinquième évêque de Québec (1740)». Comme il me l'écrivait lui-même, le 6 février 1978, ce travail lui avait attiré des appréciations «toutes élogieuses», y compris celles de «la famille».

Cette esquisse rapide de la carrière ne peut donner qu'une idée imparfaite de l'homme qu'était l'abbé Yon. De forte taille, les traits bien dessinés et la figure avenante, il avait vraiment grande allure lorsque, ayant fait sa connaissance à Paris, je le vis déambuler dans la rue, coiffé du chapeau ecclésiastique et revêtu d'une cape dont les pans s'agitaient au vent. À nos réunions annuelles des Dix, il enchantait le groupe par ses propos pleins d'humour, les traits spirituels qui émaillaient sa conversation et les anecdotes dont il avait fait une ample collection au cours d'une vie de lecture et de voyages qui l'avaient mené aux quatre coins de la planète. Le prêtre, d'une piété sincère mais non ostentatoire, s'inquiétait de certaines conséquences de la Révolution tranquille et de Vatican II dans notre milieu, surtout chez les clercs. «Comme le Pape l'a fait remarquer à plusieurs reprises, m'écrivait-il le 11 novembre 1973, le mal actuel de l'Église est intérieur et ses ministres ne perdent jamais une occasion de la dénigrer et de la rendre odieuse aux yeux du public.»

Humaniste de grande classe, ce prêtre gentilhomme laisse, par sa disparition, tout un vide dans la Société des Dix. Mais nous avons du moins la satisfaction d'avoir réalisé son vœu ultime, celui d'avoir choisi pour le remplacer un homme qu'il affectionnait d'une dilection toute particulière, l'historien Pierre Savard.

Philippe Sylvain

Robert-Lionel Séguin
(1920-1982)

Notre collègue Robert-Lionel Séguin est décédé subitement à son domicile de Rigaud le 16 septembre 1982, à l'âge de 61 ans. Chez les DIX, il occupait le fauteuil numéro sept, qui avait été celui du membre-fondateur Pierre-Georges Roy, puis du fils de ce dernier, Antoine Roy, devenu membre émérite en 1963, date à laquelle M. Séguin lui succéda.

Depuis son entrée dans notre Société, il a fourni à nos Cahiers quinze articles, tous ayant trait à la vie de nos ancêtres, dont il fouillait patiemment et minutieusement l'existence quotidienne dans les moindres détails.

Son décès inopiné ne lui a pas permis de compléter le travail qu'il préparait pour le présent Cahier. En guise de compensation, nous avons demandé à un de ses amis et collaborateurs, Jean-Claude Dupont, ethnologue attaché à l'Université Laval, l'autorisation de reproduire dans nos pages l'émouvant hommage qu'il lui rendait dans le journal *Le Devoir* le 2 octobre 1982.

Cet article, qui résume si admirablement la carrière féconde de notre collègue, démontre aussi à quel point sa disparition soudaine nous a tous affectés. (R.D.)

Robert-Lionel Séguin, travailleur scientifique
Par Jean-Claude Dupont

Robert-Lionel Séguin est décédé le 16 septembre dernier.

Le savant qu'il était devenu s'est façonné lui-même par un travail acharné dans une discipline aux domaines de recherche multiples exploités en tous lieux et à tous moments, et il jeta les bases d'une spécialisation scientifique: l'ethnologie historique québécoise.

À mesure qu'il enrichissait ses connaissances glanées à la pratique du travail, il les fit sanctionner, d'abord par des historiens de l'Université Laval (doctorat en lettres) en 1961, puis par des ethnologues de la Sorbonne à Paris (en 1972) et de l'Université de Strasbourg (en 1981).

Ce chercheur n'avançait de résultats scientifiques qu'à partir de faits qu'il avait lui-même relevés ou compilés, se méfiant des théories à la mode élaborées sans connaître les documents; il fut pourtant un chercheur d'avant-garde. Sortant des canons de l'histoire il concilia des faits de culture matérielle avec des documents historiques et des éléments de la prose notariale relatifs à la culture populaire.

Isolé, il tenta de faire la jonction de sources diversifiées où les règles n'étaient pas encore définies.

Séguin fut aussi le premier chercheur qui sut faire parler le document figuré; l'objet matériel ne doit pas servir seulement d'illustration graphique, disait-il, pour remailler des pages historiques, mais constituer une des sources d'un langage technologique. Le simple rabot utilisé dans la région montréalaise aux XVIIe et XVIIIe siècles pourra suffire à rédiger un article scientifique (voir *Revues des arts et traditions populaires,* Paris, janvier-mars 1961). La nature et le vécu de l'objet matériel inscrits dans le contexte social et insérés dans le temps et les lieux, voilà en quoi consiste l'ethnologie qu'il développa.

Il sera trop occupé pendant cette trentaine d'années consacrées à dresser le corpus des activités rurales traditionnelles pour défendre sa conception méthodologique qui fait fi de détails statistiques. Il dira souvent qu'il considère les observations constructives, mais que celles-ci découlent rarement de critiques incisives.

Simple, direct, il est aussi à l'aise auprès des paysans de qui il tire des données scientifiques qu'en milieu académique.

Séguin fut surtout un homme de terrain, un archiviste et muséologue, mais aussi un diffuseur de connaissances.

*   *   *

Séguin parcourut le Québec en tous sens, à la recherche de documents figurés. En 1977, il avait déjà collectionné et classifié dans son domaine de Rigaud quelque 18 000 pièces. À la veille de son décès, accompagné de son épouse, il revenait d'une mission d'une semaine qui lui avait fait découvrir entre autres, une maquette de goélette à Charlevoix, la technologie du feutre domestique à Lamy, Témiscouata, une voiture de boulangerie rurale à Saint-Jean-Port-Joli et des pièces d'art populaire en Beauce.

De 1960 à 1966, d'abord sous les auspices du Musée national du Canada, puis ensuite sous l'égide du Musée national des Arts et traditions populaires de Paris, il a parcouru plusieurs régions rurales de la France, pour retrouver, à titre comparatif, des prototypes de spécimens québécois et étudier des variantes d'outils de la technologie agricole et textile. Son désir était d'en arriver, au moyen d'objets d'époque, à reconstituer tous les moments de l'existence de l'homme et de la femme au Québec au temps de la civilistion traditionnelle. Ces témoignages des activités humaines, il les percevait tout aussi bien dans les rites de passage de la vie que dans le cycle calendaire de l'année, ou dans les travaux domestiques, artisanaux agricoles, forestiers, etc. C'est ainsi qu'il avait rassemblé des bâtiments (fournil, «baraque», grange à encorbellement, séchoir à maïs, laiterie, etc.) et des séries d'objets concernant l'art populaire, le luminaire, le mobilier, l'alimentation, la lingerie et le costume. La technologie de transformation figure sous forme de spécimens relatifs à la plupart des métiers du cuir, du bois, du fer, de la pierre et de l'argile; celle de la production dans les chaînes d'activité agricole, forestière et d'élevage; et celle de l'acquisition dans la cueillette, la chasse, le trappage et la pêche. À cela s'ajoute les moyens de transport, soit des traîneaux, carrioles et voitures roulantes de tous genres, sans oublier le «canot à glace» des Iles de la Madeleine. Les faits de folklore sont, quant à eux, représentés tout particulièrement par des objets associés aux étapes de la vie (baptême, mariage et mort), et aux fêtes de l'année (Toussaint, Noël, Pâques, etc).

* * *

Archiviste, il l'est déjà au milieu des années 1950, alors qu'il travaille au dépouillement d'actes notariés pour le compte du Musée du Québec, puis ensuite, par ses relevés minutieux faits à travers des documents judiciaires, registres paroissiaux et dans des ordonnances, etc. De plus, au hasard de ses visites chez les collectionneurs et antiquaires, il accumule des documents qui iront s'ajouter à sa riche collection (monnaie de carte, etc.)

Séguin documente ses pièces, d'abord auprès des informateurs chez qui il les a retrouvées, puis à l'aide de dépouillements d'œuvres anciennes souvent tirées de sa bibliothèque spécialisée, probablement la plus complète du genre au Canada français.

Assisté de Maurice Carrier en 1971, il fonde le Centre de recherche en civilisation traditionnelle à l'Université du Québec à Trois-Rivières. Il allait réaliser là un important dépouillement de documents notariés relatifs à la culture matérielle québécoise.

Séguin pratique déjà le métier de muséologue au milieu des années 1960, au moment où il fait l'inventaire de la collection Gauvreau et monte le musée de l'Institut des Arts appliqués de Montréal. Au Musée national des Arts et traditions populaires de Paris, en 1975, il prépare une exposition sur les catalognes et courtepointes du Québec, et en 1979, il y expose le costume paysan québécois du XIXe siècle. Il se rendra également en 1980 au Musée des Beaux-Arts de la Rochelle présenter des pièces textiles. Comme dans la dizaine d'expositions qu'il réalisait au Québec dans les musées régionaux, il utilise exclusivement des pièces tirées de ses collections et il prépare les catalogues d'accompagnement.

Sitôt arrivé de ses visites sur le terrain d'où il ramène ses pièces documentaires, il les place physiquement là où elles se situent dans la chaîne d'appartenance scientifique et les rattache à la classification qu'il a établie et retouchée régulièrement depuis une trentaine d'années.

* * *

À titre de professeur, on le retrouve déjà chargé de cours en folklore matériel à l'Université Laval en 1966, puis à l'Université de Montréal en 1969, et à l'Université du Québec à Trois-Rivières en 1972.

Depuis 1980, comme chercheur invité au Centre d'études sur la langue, les arts et traditions populaires des francophones en Amérique du Nord (CELAT) de l'Université Laval, il a terminé un important travail sur la technologie agricole préindustrielle (à paraître aux Éditions Leméac), et il laisse, inachevée, une recherche portant sur les textiles anciens du Québec.

Conférencier à maints endroits au Canada français, il le fut aussi à l'étranger, soit à Paris, en 1971, au Premier Congrès international d'ethnologie, puis au Colloque d'Ethnologie France-Canada en 1973. Il présentera aussi une communication au Premier Symposium d'Ethnologie euro-américaine tenu au Musée de l'Homme de Mexico, en 1974.

Il fonde la Collection d'Ethnologie des *Cahiers du Québec* en 1972 (chez Hurtubise HMH), la *Revue d'Ethnologie du Québec* en 1975 (chez Leméac) et les *Archives d'Ethnologie du Québec* en 1976 (à l'Université du Québec à Trois-Rivières).

Séguin donne sa mesure autant au chapitre de ses écrits qu'à celui de ses archives figurées. Il suffit de rappeler que son œuvre écrite totalise plus de 7000 pages.

En plus de rédiger une quinzaine de volumes, il publia plus de 300 articles dans divers bulletins, cahiers et revues, sans compter des participations hebdomadaires aux journaux: *L'Interrogation* de Rigaud entre 1941 et 1951; *La Presqu'île* de Dorion entre 1952 et 1959; *Le Progrès* de Valleyfield en 1950; et *Le Salaberry* au même endroit entre 1945 et 1953.

Séguin voudra encore diffuser les connaissances sur le milieu de vie traditionnelle au moyen de l'audio-visuel; et il se fera l'instigateur d'un projet de films ethnographiques que le cinéaste Léo Plamondon allait mettre de l'avant à l'Université du Québec à Trois-Rivières vers la fin des années 1970. Il réalisait là un rêve datant des années 1965, moment où il devint consultant sur le milieu traditionnel québécois auprès de l'Office national du Film.

* * *

Par ses écrits basés sur une documentation de première main, il démystifia plusieurs opinions répandues par des devanciers qui avaient décrit la mentalité et le milieu de vie populaire comme ils auraient voulu qu'il fût et sans s'en approcher. C'est ainsi qu'il nous présenta les anciens Québécois non plus seulement comme des gens aux fortes convictions religieuses, ou encore au comportement froid à la manière des clichés photographiques sur zinc, mais plutôt comme des hommes et des femmes de plaisir qui savaient se divertir (*Les Divertissements en Nouvelle-France*), même à l'occasion explorer les maléfices (*La Sorcellerie au Canada français*), et qui avaient le verbe haut et vif (*L'Injure en Nouvelle-France*) quand ils ne se laissaient pas aller, à l'occasion, à quelques moments de libertinage (*La Vie libertine en Nouvelle-France*).

Il nous apprit encore, entre autres, à distinguer le costume bourgeois de celui de l'habitant et que ce dernier ne s'habillait pas que d'étoffe du pays, mais qu'il était fier et orgueilleux, qu'il savait aussi rehausser son apparence par des vêtements de qualité, «à l'européenne» *(Le Costume civil en Nouvelle-France)*.

Les travaux de Séguin publiés entre 1959 et 1967, et la société traditionnelle, n'ont toujours pas d'équivalent et l'on n'a encore rien publié d'autres sur les moules et les ustensiles du Québec depuis la parution de ses travaux sur le sujet en 1963 et 1971.

Il est bien peu de professionnels et d'étudiants dans sa discipline qui n'aient bénéficié de ses conseils ou de ses sources documentaires. Ses ouvrages continueront, eux, pendant longtemps, de constituer des sommes de renseignements pour les spécialistes du milieu matériel. Quant aux documents figurés que Séguin appelait ses «archives du milieu matériel», il est à souhaiter pour le développement des connaissances sur le patrimoine québécois, qu'ils puissent continuer de servir de bases scientifiques à la façon de spécimens dans un laboratoire.

Membre de l'Académie des Lettres et Sciences humaines de la Société Royale du Canada, de la Société internationale d'Ethnologie et de Folklore de Paris, de la Société des Dix, et membre honoraire de l'Association québécoise des ethnologues, Séguin qui, par son travail, s'est mérité les prix de l'Association des hebdomadaires de langue française du Canada (1953), du Gouverneur général (1968), Broquette-Gonin de l'Académie française (1969), France-Québec (1973), et Duvernay de la Société Saint-Jean-Baptiste de Montréal (1973), continuera de demeurer dans la mémoire de ceux qui l'ont connu comme un savant acharné au travail et comme un homme simple près du peuple qu'il affectionne par-dessus tout.

Jean-Claude Dupont

Les Mémoires d'Allet
rendus à leur auteur

Par Lucien Campeau, s.j., S.R.C.

Dans une longue note de son *Histoire de la Colonie française*[1], M. Michel-Étienne Faillon se justifie d'avoir puisé dans une source appelée les *Mémoires de M. d'Allet.* On lui en avait fait grief, à l'époque, parce que ces *Mémoires,* il les avait trouvés imprimés dans la grande collection des *Œuvres de Messire Antoine Arnauld*[2]. Arnauld, comme on sait, fut au dix-septième siècle un coryphée du jansénisme. À ce titre, il n'était pas un adversaire moins acharné des Sulpiciens que des Jésuites. Cela rendait M. Faillon mal à l'aise. Il se défendit par un argument plausible: ces *Mémoires* sont seulement cités par Arnauld et ne représentent pas sa pensée. Cela ne leur enlevait donc pas leur valeur propre. L'important était d'y trouver l'expression d'un témoin authentique. Pour M. Faillon, les deux textes reproduits au chapitre XII du volume mentionné étaient de la plume du sulpicien D'Allet, témoin oculaire d'une partie des événements racontés. On se demande toutefois pourquoi lui-même, Faillon, n'emprunte pas, par exemple à propos de la mission de Gannentaha, l'antijésuitisme forcené de son modèle.

M. Faillon s'est trompé en attribuant les deux textes, qui sont de même style et de même esprit, à M. d'Allet sur la foi de l'éditeur d'Arnauld. D'après cette source, en effet, le premier, portant sur l'arrivée de M. de Queylus, aurait été écrit le 7 mai

---

1. [Michel-Etienne Faillon], *Histoire de la Colonie française en Canada*, 3 vol., Villemarie, 1865-1866, II 290-291.
2. *Oeuvres de Messire Antoine Arnauld*, Paris, 1780, XXXIV, chap. XII, p. 725-734.

1690. Mais de 1685 à 1689, le même écrivain aurait raconté de vive voix la matière du second à un ami d'Arnauld, lequel l'aurait aussitôt mise par écrit, le narrateur revoyant et corrigeant le manuscrit. Le même ami les aurait envoyés à Arnauld, le 28 juin 1693. Ce témoignage, sous une telle forme, reste trop obscur et trop suspect pour qu'on lui fasse une confiance absolue. Voyons d'abord si l'attribution au sulpicien est raisonnable.

Antoine d'Allet, à 22 ou 23 ans, était diacre, lorsqu'il accompagna de Paris à Montréal M. Gabriel de Queylus en 1657[3]. Il était secrétaire du supérieur sulpicien. Il passa quelques jours à Québec avec Queylus et repartit vers Montréal avant le 12 août 1657[4]. Suivant toujours son maître, il revint à Québec avec lui et le P. Poncet, le 12 septembre[5], et il y demeura aussi longtemps que Queylus, c'est-à-dire jusqu'au 21 août 1658[6]. Passant l'année suivante à Montréal, il reparut à Québec, toujours avec Queylus, en août 1659[7]. Le supérieur s'embarquant pour la France, le 22 octobre suivant, D'Allet resta à Québec, pour se faire soigner à l'hôtel-Dieu[8]; il est possible qu'il ait alors été ordonné prêtre par Mgr de Laval. Il retourna trouver ses confrères sulpiciens de Montréal, le 27 avril 1660[9]. Il y demeura probablement jusqu'au 22 octobre 1661[10], jour où M. de Queylus, sur l'ordre du roi, fut obligé de retourner en France. Donc, D'allet aurait passé plus de quatre ans en Nouvelle-France, la première fois. Il revint avec M. de Queylus, en 1668[11], et il repartit avec le même, en 1671[12]. Voilà la carrière canadienne de notre sulpicien.

---

3. François DOLLIER de Casson, *Histoire du Montréal*, éd. Margry-Viger, p. 118.
4. *Journal des Jésuites*, Québec, 1871, (JJ) p. 218. Les sulpiciens étaient partis pour Montréal avant l'annonce du jubilé, qui eut lieu le dimanche, 12 août 1657.
5. JJ   220.
6. JJ   239.
7. JJ   262.
8. JJ   267.
9. JJ   281.
10. JJ   303.
11. DOLLIER, *Hist. du Montréal* 194.
12. DOLLIER, *Hist. du Montréal* 204-205.

Mais Antoine d'Allet ne peut pas avoir été l'auteur de nos deux textes. Discutons le premier, qui est une seule composition, le premier de nos mémoires. On y estime à 30 000 l. de rentes la dot prévue pour M. de Queylus, s'il devient évêque. Ce chiffre est celui du capital qui fondera la rente. Mais c'était la donation qu'avait offerte M. Legauffre en 1646 et qui avait été perdue par décision judiciaire en 1647[13]. La dot de M. de Queylus, elle, consistait en une moitié de l'île de Montréal, avec tous les droits seigneuriaux[14]. Cela, M. d'Allet le savait très bien à son départ de France et il ne pouvait affirmer un autre chiffre. L'échec de la candidature de Queylus est attribuée par le mémoire à l'opposition des jésuites à toute nomination d'évêque. Or M. d'Allet savait que les jésuites eux-mêmes avaient proposé la nomination de François de Laval, au lieu de M. de Queylus. Les seigneurs de Montréal, selon le mémoire, étaient au nombre de quarante en 1657. En fait, ils étaient au plus treize à l'époque, en comptant M. de Maisonneuve et M. d'Ailleboust. Le mémoire date de la cession de l'île de Montréal aux Sulpiciens de 1657. M. d'Allet savait très bien que la date était 1663. Comment ce dernier aurait-il pu écrire que dans les pouvoirs du vicaire général jésuite «il y avoit positivement que dès lors qu'il y aurait des ecclésiastiques envoyés et chargés du même pouvoir, le P. Recteur n'en feroit plus aucune fonction»? Car il n'y a rien de tel dans les patentes du supérieur jésuite, ni de près ni de loin, et M. d'Allet les avait vues. D'après le mémoire, Queylus serait reparti de Montréal pour Québec, en 1657, dès le lendemain de l'arrivée du P. Poncet à Ville-Marie. Poncet quitte Québec le 28 août; Queylus arrive à Québec le soir du 12 septembre. Il y a quinze pleines journées entre les deux termes, dont il faut soustraire le temps d'aller à Montréal et d'en revenir. En mettant six ou sept jours pour les trajets, il reste plus qu'une nuit

---

13. La perte de cette fondation, que M. Legauffre avait confiée à la compagnie du Saint-Sacrement, fut le résultat d'un jugement qui fit jurisprudence, au parlement de Paris, le 8 avril 1647 (Claude de FERRIERE, *Coutume de Paris,* 2e éd., 4 vol., Paris, Nicolas Gosselin, 1704, vol. IV col. 188).

14. [FAILLON], *Hist. de la Colonie française* II 273.

pour le séjour du P. Poncet à Montréal. Et D'Allet était du voyage de retour. Le mémoire fait emprisonner Poncet pendant cinq semaines dans une chambre du collège de Québec, au retour de Montréal. Le jésuite arrive le 12 septembre; il s'embarque pour la France le 18 du même mois. Et D'Allet ira le saluer avec Queylus à l'embarquement. Il n'est donc pas l'auteur du premier mémoire.

Le texte qui fait suite est plus difficile à mettre en rapport avec M. d'Allet, parce qu'il ne porte pas sur des événements auxquels le sulpicien a été mêlé personnellement. Nous en ferons deux mémoires, parce que ce sont deux compositions, portant sur des sujets différents. Mais ils sont de même style, composés de même façon et plus antijésuites encore que le premier mémoire. Ils sont d'un même écrivain. Au moins sur un point, ce texte en deux parties laisse poindre l'oreille de l'âne: «Ce gouverneur, comme j'ai déjà dit, s'appeloit M. de Lauzon… Il mourut à Québec». Voilà une affirmation que M. d'Allet ne pouvait pas faire. Car il avait su, s'il n'avait pas vu, M. de Lauson de retour à Paris avant le départ des sulpiciens en 1657. Lauson ne reviendra plus en Nouvelle-France. Les sulpiciens furent reçus à Québec par son fils, Charles de Lauson de Charny, alors gouverneur intérimaire. Et ce dernier, qui partit pour la France peu de semaines après, fut remplacé par Louis d'Ailleboust, compagnon de voyage et hôte à Québec de MM. de Queylus et d'Allet. Le second texte n'a donc pas non plus d'Allet pour auteur. D'autant moins que ce sulpicien aurait oublié dans l'un et l'autre texte son propre nom dans la liste des ecclésiastiques envoyés à Montréal par M. Olier, cette même année.

Ces textes, dont nous faisons trois mémoires, un pour le premier et deux pour le second, sont écrits avec un art et une langue qui démontrent une culture peu commune alors dans la colonie, même chez les prêtres. L'auteur a des qualités indéniables d'écrivain. Le récit est sobre et vif; les termes sont choisis et précis; la phrase est coulante, nerveuse, équilibrée et ne laisse rien à désirer. L'information est remarquable et abondante, même si le souci de la vérité est absent quand il s'agit des jésuites. Chacun des trois mémoires est bien composé: une entrée en matière de bonne facture, une exposition bien conduite, une conclusion brève. Le troisième seulement montre quelque faiblesse de structure. Mieux encore, l'écrivain connaît également bien et les sulpiciens et les jésuites. Il est bien informé de l'histoire des premiers, mais il est familier avec les seconds. Par exemple, on sent sous sa plume une admiration sincère, et sûrement méritée, du P. Poncet, dont l'auteur connaît aussi la carrière française jusqu'à son départ pour les Antilles en 1671, et jusqu'à sa mort en 1675. Pour un étranger à la Compagnie, c'est un exploit que de suivre un jésuite dans ses migrations de maison en maison en France. Notre auteur, toutefois, paraît ignorer le séjour du P. Poncet à Rome après 1665. Il connaît aussi très bien la Nouvelle-France, même les individus aujourd'hui oubliés, comme «cette bonne veuve que j'ai vue et connue», une femme pauvre secourue par le P. Poncet. Il faut donc chercher le rédacteur de ces mémoires parmi d'autres personnages qui ont séjourné et vécu en Nouvelle-France. Mais, selon un indice que nous soulignerons, la rédaction a été faite en France.

L'auteur des textes paraît montrer son visage dans le deuxième des trois mémoires. Il y apparaît, sans nom, comme un jeune homme «qui ne paraissait pas savoir la langue (algonquine), parce que les jésuites ne s'imaginaient pas qu'il eût eu copie de leurs livres, et ils savaient encore qu'il n'avait point été chez les sauvages». Il est alors témoin oculaire d'une entrevue d'un chef outaouais avec le gouverneur, Daniel de Rémy de Courcelles. Ce chef était venu de son pays avec le P. Louis Nicolas, jésuite. À la demande du gouverneur, le jeune homme, disant savoir l'algonquin, écouta la traduction que le P. Gabriel Druillettes donnait du discours de l'Indien, pour faire ensuite rapport sur la fidélité de l'interprète. Après la rencontre, le censeur affirma à Courcelles «que le Père n'avait point du tout parlé conformément à ce que disait le sauvage». Ce jeune homme, connu des jésuites, qui a appris l'algonquin dans les grammaires et les dictionnaires des jésuites prêtés aux sulpiciens, qui se trouve à Québec chez le gouverneur au temps où le P. Nicolas et les Outaouais y arrivaient, ne peut pas avoir été un autre que celui qui se faisait alors appeler René de La Salle et que l'histoire connaîtra sous le nom de Robert Cavelier de la Salle, comme découvreur de l'embouchure du Mississipi. Or Cavelier connaissait parfaitement les jésuites, pour en avoir été un pendant neuf ans; il était familier avec les sulpiciens, Jean son frère étant l'un d'eux et ces prêtres l'ayant accueilli à son arrivée à Montréal. Enfin, trait qui ne peut mentir, l'antijésuitisme de La Salle et de nos textes est le même. Voilà sur quoi nous fondons l'identification de l'auteur des Mémoires, Robert Cavelier de La Salle.

Louis Nicolas, que le deuxième mémoire accable comme jésuite, et Robert Cavelier, se trouvant au même moment à Québec, avaient en commun beaucoup de traits. Tous deux furent jésuites et sortirent de la Compagnie pour satisfaire une ambition dévorante. Tous deux avaient des caractères étranges, peu propres à la vie de communauté et aux ministères des jésuites. Tous deux furent avides d'explorer des aires nouvelles du savoir humain et d'inscrire leur nom au temple de la renommée. Au reste, tous deux étaient pieux et croyants. La fin de Nicolas reste perdue dans l'obscurité. Celle de Cavelier fut tragique, comme on sait.

Nicolas, arrivé en Nouvelle-France en 1664, avait montré une grande facilité pour les langues indiennes, surtout les algonquines. Il avait été un missionnaire actif et débrouillard. Mais son impatience et son inclination à la colère, contrastant avec le flegme des indigènes, obligeaient ses supérieurs à le changer souvent de poste. En 1667, le P. Claude Allouez, descendu pour quelques jours du lac Supérieur où il était seul depuis 1665, accepta de ramener Nicolas avec lui[15]. En 1668, il l'avait renvoyé aux provisions à Québec, mais en avertissant le P. Lemercier que son aide était mal adapté aux conditions

---

15. JJ 356.

d'une nouvelle mission. Le supérieur hésita à le renvoyer, mais s'y résigna enfin, quitte à le rappeler l'année suivante. C'est ce qui arriva en effet. Le P. Louis Nicolas est de nouveau signalé sur le Saint-Laurent en 1669[16]. Il ne retourna plus chez les Outaouais.

Quant à Robert Cavelier, qui se fit un temps appeler Robert-Ignace, il était né à Rouen et avait fait ses études au collège des Jésuites de cette ville. Il y commençait sa dernière année, en 1657, quand le P. Joseph-Antoine Poncet, renvoyé en France par le navire du capitaine Poulet, passa obligatoirement par Rouen. C'est probablement à partir de ce temps que l'étudiant fut pris d'admiration pour le missionnaire. Il entra chez les Jésuites à Paris, le 5 octobre 1658, à quinze ans. Après les vœux, il fit les études régulières, ayant une inclination particulière pour les mathématiques et les sciences. Il enseigna aussi à Alençon, à Tours et à Blois. Mais l'instabilité de son caractère se manifestait de plus en plus. Au moment d'entrer en théologie, il fit des instances répétées pour être envoyé en Chine; il les changea ensuite, demandant son envoi au Portugal, qui était une porte de la Chine. Le Général des Jésuites lui répondait toujours qu'il n'était pas prêt et qu'il devait terminer ses études. Enfin, le scolastique demanda d'être relevé de ses vœux. Il le fut au mois de mars 1667[17].

Un religieux sorti de son ordre était mal vu dans la société française de l'époque. Cavelier prit un nom nouveau, René de La Salle, et décida de passer à Montréal, où son frère Jean demeurait déjà, parmi les sulpiciens. À Montréal dès novembre 1667[18], La Salle obtint un fief vis à vis le saut Saint-Louis. Le nom officiel de la concession était Saint-Sulpice. Mais la malice populaire, au courant des rêves chinois du défroqué,

---

16. Il signe de nouveau au registre de Trois-Rivières, le 28 août 1669.

17. Le P. Général, Jean-Paul Oliva, donna au Provincial de Paris, le P. Bordier, la permission de relever Cavelier de ses vœux, le 26 février 1667, (Camille de ROCHEMONTEIX, *Les Jésuites et la Nouvelle-France au 17e siècle*, 3 vol., Paris, 1895-1896, III 48).

18. Il assiste au mariage de Sidrac du Gué et de Marie Moyen, le 7 novembre 1667, sous le nom de René de La Salle.

appliqua dès ce moment le nom de Lachine à la seigneurie[19].
Cavelier passa l'année 1668 à l'organiser et à y construire.
Ayant logé chez lui des Tsonnontouans à l'automne, il apprit
d'eux l'existence de la rivière Ohio, une ouverture possible du
côté de la mer Vermeille, à la côte de Californie. Cavelier voulut être le premier à découvrir cette route. Il vendit ses propriétés. Et c'est pourquoi on le trouve à Québec au printemps de
1669, y allant demander la permission du gouverneur.
Comme les sulpiciens préparaient aussi un voyage à la recherche de nouvelles tribus à évangéliser, Courcelles ordonna à
Cavelier de s'unir à eux. Ils partirent tous de Montréal, le 6
juillet 1669.

L'épisode du P. Louis Nicolas, sans date dans nos textes,
est donc à situer en 1669. C'est le seul que La Salle raconte de
son expérience personnelle dans nos mémoires. Les autres ont
été documentés par ses conversations avec les sulpiciens, par
ses lectures des écrits des jésuites, ou par ses rapports avec les
anciens du pays.

Mais quand a-t-il pu écrire ces mémoires? Il est difficile à
un auteur, surtout en des récits historiques, de ne pas émailler
son œuvre de jalons chronologiques qui révèlent, avec une
proximité variable, le temps de la rédaction. Il y en a plusieurs
dans les trois mémoires. On n'a pas à rechercher plus haut que
1669, l'année de l'entrevue avec Courcelles. Mais on trouve
encore mention de la translation de François de Harlay-
Champvallon de l'archevêché de Rouen à celui de Paris, le 1er
ou le 23 janvier 1671, et celle du départ du P. Poncet pour les
Antilles, vers l'automne de 1671. On parle également du
départ du P. Louis Nicolas pour la France, qui eut lieu en
novembre 1674. Enfin, la mort du P. Poncet est signalée; elle
eut lieu à La Martinique, le 11 juin 1675. La Salle quittait alors
la France, où il était allé recueillir auprès de Colbert les

---

19. Déjà avant tout projet d'exploration de Cavelier, le nom de Lachine est devenu
l'appellation populaire de son fief. Dollier la fait naître durant l'hiver de 1667-1668 (*Hist. du
Montréal* 194). Le notaire Adhémar use de ce nom vulgarisé, le 9 janvier 1669, pour désigner
le fief de Saint-Sulpice. L'allusion aux rêves de l'ancien scolastique jésuite est bien évidente.

faveurs de Frontenac, c'est-à-dire la possession du fort de Kataracoui. Il est impossible que la nouvelle de la mort de Poncet ait pu lui parvenir avant son retour en Nouvelle-France. En sorte qu'il a fallu encore du temps avant la rédaction des mémoires. C'est toutefois l'événement le plus tardif qui y soit mentionné.

De 1675 à 1677, La Salle fut très occupé à mettre en état le fort Kataracoui devenu Frontenac. Il ne possédait encore aucune autorisation pour aller au-delà, comme il rêvait de le faire depuis 1669. Il pourrait bien avoir écrit nos trois mémoires durant ce temps. Mais on ne lui connaît pas alors de motif urgent pour le faire. Le terme qui nous paraît ultime est l'année 1678. Car plus on retarde l'échéance, plus il devient difficile de ne pas laisser dans le texte des allusions aux temps postérieurs à 1675. Comme nous l'avons dit, c'est la plus récente date que nous avons pu relever dans nos mémoires.

L'année 1678 fut en effet une année critique dans la carrière de La Salle. Il en passa la première partie en France, où il s'était rendu en 1677. Il y allait chercher la permission de s'élancer vers l'ouest, où les jésuites faisaient déjà des missions, aux lacs Huron et Supérieur, sur le pourtour du lac Michigan et même sur la rivière des Illinois, à Kaskaskia. L'année 1678 fut pour La Salle l'année de l'offensive contre les jésuites. Il rencontra à Paris l'abbé janséniste Renaudot, petit-fils de Théophraste qui avait fondé les *Gazettes* de France, lequel devint son propagandiste. Il lui raconta toutes sortes de calomnies incroyables contre beaucoup de gens, mais principalement contre les jésuites, allant jusqu'à les accuser de l'avoir empoisonné au fort Frontenac[20], où ils n'étaient pas. L'abbé écrivait allègrement. Le motif de cette campagne, La Salle lui-même l'a exprimé dans une lettre écrite à son retour à Québec, le 31 octobre 1678: «Le poste où je suis (fort Frontenac) estant le centre du pays des sauvages et

---

20. Récit d'un ami de l'abbé de Gallinée, Pierre MARGRY, *Découvertes et Établissements des Français dans l'ouest et le sud de l'Amérique septentrionale*, s. l., s. d., I 388.

les découvertes que je vais faire ruinant toutes leurs entreprises et rompant leurs mesures, ils (les jésuites) n'espargneront rien pour me détruire»[21]. C'est la conscience de ces menées qui décida en 1678 le P. Dablon à rassembler le récit de la découverte du Mississipi par Marquette et les relations de la mission des Illinois en trois copies, avec une carte, pour les envoyer en France[22]. Il gardait ces écrits depuis 1675 et il en souhaita alors vivement la publication. Voilà pourquoi nous pensons que l'année 1678 est la dernière et la plus probable comme date de nos mémoires, où La Salle se révèle meilleur écrivain que ses deux principaux avocats en France, les abbés Renaudot et Bernou.

Pourquoi ces textes ont-ils été attribués à M. d'Allet? Les jansénistes, qui ont trouvé un arsenal inespéré d'arguments contre les jésuites dans l'affaire La Salle, ont de singuliers ménagements pour les sulpiciens. Non pas que ceux-ci fussent de leur parti. Ils ont soin de les montrer comme des adversaires des doctrines jansénistes. Mais à ce titre même, les Messieurs deviennent des témoins impartiaux, quand ils s'en prennent aux jésuites. C'est pourquoi MM. de Queylus, Bréhant de Galinée et d'Allet sont invoqués comme témoins irrécusables. On ne peut pas toujours vérifier la connivence ainsi prêtée aux sulpiciens. Mais cela est possible dans un cas, celui de M. de Galinée, auquel Renaudot attribue ce témoignage: «Non seulement l'Évesque (Mgr de Laval) ne donne de mission que de concert avec eux (les Jésuites) dans les lieux où ils sont établis, mais il leur envoye ceux qui demandent mission pour ces lieux-là et les oblige de prendre d'eux immédiatement la mission qu'ils y demandent. C'est ainsi qu'il traita M. Galinée»[23]. Or Galinée lui-même avait écrit, déjà en 1670: «La précipitation avec laquelle mon voyage fut résolu ne me permit pas d'écrire à M. l'Évesque et à M. le Gouverneur»[24]. On a

21. *Ibid.*, MARGRY, *Découvertes...* I 390-391.
22. Nous exposerons cette conduite dans un autre ouvrage.
23. MARGRY, *Découvertes...* I 369.
24. Relation de l'abbé de Gallinée, MARGRY, *Découvertes...* I 116.

sans doute fait usage du nom de M. d'Allet comme on l'a fait de celui de M. de Galinée.

Nous ferons aux textes réédités les annotations et les observations nécessaires. Mais avant cela, nous devons considérer l'usage que M. Faillon a fait de ces documents, convaincu qu'il était de leur appartenance à M. d'Allet. C'est dans la *Vie de la Sœur Bourgeoys*, publiée en 1853, qu'il en a pour la première fois invoqué l'autorité[25]. Il leur emprunta d'abord l'affirmation que les patentes de vicaire général du supérieur jésuite de Québec contenait «la condition expresse que ces pouvoirs cesseraient lorsqu'il (l'archevêque) enverrait au Canada quelque ecclésiastique séculier avec les pouvoirs de vicaire général». L'assertion est en fait contredite par les patentes des jésuites, qui ne contiennent aucune condition de ce genre, mais concèdent au contraire au supérieur un vicariat général perpétuel. M. Faillon interprète ensuite le différend Queylus-Dequen dans la même optique que le premier de nos mémoires[26]. C'est aussi de ces sources que l'auteur sulpicien a tiré l'histoire invraisemblable d'une lettre de cachet inexistante et d'une expédition de D'Argenson à Montréal en 1659, pour y arrêter M. de Queylus *manu militari*[27]. Cette histoire étrange, M. Faillon l'a encore amplifiée dans *l'Histoire de la Colonie française*[28]. La mémoire de La Salle, qui a inspiré le sulpicien, n'était cependant pas responsable des errements de l'historien. Car, sans précision chronologique, il ne faisait que rapporter l'incident relatif à une vraie lettre de cachet et à un vrai voyage avec appareil militaire de M. d'Avaugour, datés tous deux de 1661. La lettre de cachet fut alors signifiée à M. de Queylus, qui se trouvait au pays illégalement et qui dut reprendre le chemin de la France. Faillon lui-même a créé une confusion extrême en reportant cet épisode de 1661 à 1659.

---

25. [Michel-Etienne FAILLON], *Vie de la sœur Bourgeoys,* 2 vol., Villemarie, 1853, I 91.

26. [FAILLON], *Hist. de la Colonie française* II 281s.

27. [FAILLON], *Vie de la sœur Bourgeoys* I 139.

28. [FAILLON], *Hist. de la Colonie française* II 345-347.

Mais il ne suit pas entièrement sa source, car il fait demander la lettre de cachet par Mgr de Laval, quand le mémoire attribuait la demande aux jésuites. Contre toutes les sources authentiques, Faillon adopte encore la version du mémoire, qui oblige deux sulpiciens à rentrer en France en 1661, en 1659 pour M. Faillon, avec M. de Queylus. En fait, Queylus est parti seul de sa société en 1659; en 1661, il fut accompagné par M. d'Allet, ce que le mémoire ignore. Différence encore notable entre Faillon et le premier mémoire, l'historien impute généralement à Mgr de Laval ce que l'écrit attribue aux jésuites.

M. Faillon invoque notre troisième mémoire à propos de la mission iroquoise de Gannentaha[29]. Son jugement est coloré par les préventions de cette source, mais il évite de se laisser prendre par le caractère obsessif du témoignage. L'historien sulpicien ne paraît pas avoir saisi les problèmes extrêmement complexes et laborieux que pose cette histoire depuis son origine en 1653 jusqu'à sa conclusion en 1658. Nous essaierons de les définir et de les résoudre dans un autre ouvrage. Le troisième mémoire, violemment sectaire sur ce propos de Gannentaha, était d'autant moins propre à éclairer le sulpicien qu'il le pensait l'œuvre d'un confrère vivant alors dans la colonie.

L'erreur que M. Faillon a faite d'attribuer ces trois mémoires à Antoine d'Allet sur la foi d'Arnauld l'a donc induit en quelques bévues historiques. Nous allons maintenant reproduire ces textes le plus fidèlement possible, en rendant à chacun sa distinction propre et en lui donnant les annotations nécessaires. Pour en rendre la lecture plus facile, sans toucher à l'orthographe, nous ferons quelques divisions de paragraphes et nous moderniserons la ponctuation, convertissant aussi quelques majuscules en minuscules, conformément à l'usage actuel. Comme nous avons dit, nous divisons le second texte en deux mémoires, puisqu'ils ont chacun leur

29. [FAILLON], *Hist. de la Colonie française* II 375n.

sujet et leur composition propres. Enfin, nous leur donnons des titres, qui sont inexistants dans l'œuvre d'Arnauld.

I

ARRIVÉE DE M. DE QUEYLUS

[725] L'isle de Montréal, au pays de la Nouvelle-France, avait été donnée par le roi à une compagnie célèbre[30], dont feu M. le prince de Conti père[31] était chef, avec Messieurs de Liancour, de Morangis, Olier, curé de Saint-Sulpice, Bretonvilliers, abbé de Quélus et plusieurs autres[32], pour établir une colonie française en la dite isle, afin d'y attirer tous les sauvages supérieurs de plus de quatre cents lieues pour les instruire dans la religion.

Et afin que cette œuvre de piété se pût mieux exécuter, tous les intéressés vouloient contribuer pour l'érection d'un évêché et projettoient un fond de trente mille livres de rente[33].

---

30. Ce n'était pas le roi, mais la compagnie de la Nouvelle-France qui avait donné, ou plutôt concédé, l'île de Montréal. Elle ne l'avait pas fait à la compagnie des Messieurs et Dames de Montréal, encore inexistante, mais à deux personnages associés, Jérôme Leroyer de La Dauversière et Pierre Chevrier, baron de Fancamp. Jean de Lauson, qui détenait alors l'île, consentit d'abord à leur en faire don, le 7 août 1640. Mais la grande compagnie exerça son droit de retrait, parce que Lauson n'avait rien fait sur sa concession. Elle-même fit une concession nouvelle aux deux mêmes personnages, le 17 décembre 1640, mais à des conditions un peu différentes.

31. Il n'y a aucun fondement historique à cette affirmation qu'Armand de Bourbon, prince de Conti, était chef de la compagnie de Notre-Dame de Montréal lors du départ des sulpiciens. La chose serait d'ailleurs parfaitement invraisemblable, vu le genre de vie que menait le prince.

32. On a mis beaucoup de monde dans cette société. Elle fut fondée à Notre-Dame de Paris, le 27 février 1642, avec trente-cinq membres, parmi lesquels il y avait des dames: les Messieurs et Dames de Notre-Dame de Montréal. Au lieu d'augmenter, le nombre a diminué, les dames disparaissant les premières. En 1650, les associés étaient dix; en 1653, le même nombre; en 1656, on en compte onze, en ajoutant M. d'Ailleboust. Vers 1656, voici les noms certains qu'on recueille: Jérôme Leroyer de La Dauversière, Pierre Chevrier, baron de Fancamp, Jean-Jacques Olier, supérieur de Saint-Sulpice, Alexandre Leragois de Bretonvilliers, curé de Saint-Sulpice, Roger du Plessis, duc de Liancour, Antoine Barillon de Morangis, Christophe du Plessis, baron de Montbart, Bertrand Drouart, Louis Séguier de Saint-Firmin, Paul Chomedey de Maisonneuve, gouverneur de Montréal, Louis-d'Ailleboust de Coulonges, Henri-Louis Habert de Montmort, Nicolas Barreau, prêtre. Ces treize apparaissent dans les pièces authentiques. M. de Queylus n'est pas parmi eux.

33. Comme on a dit en introduction, ce 30 000 1. est le don fait par Thomas Legauffre pour fonder un évêché. Il fut perdu. Pour M. de Queylus la dot consistait en la moitié de l'île

Et l'on avoit jetté la vue sur la personne de M. l'abbé de Quélus pour le présenter au roi et le supplier de le nommer au pape
pour remplir ce premier siège dans le pays. D'autant plus qu'il
y avoit plusieurs personnes de France établies dans tout le
pays qui n'étoient point confirmées et plusieurs sauvages aussi
qui avoient été baptisés, outre qu'il y avoit quelques François
qui témoignoient se vouloir consacrer à l'état ecclésiastique.
Les Pères jésuites étoient alors les seuls qui faisoient fonction
de grand-vicaire dans tout le pays et les seuls missionnaires
établis, les Récollets qui y avoient les premiers prêché la foi en
ayant été chassés par les Anglois et n'ayant pu y retourner
depuis que le Canada fut rendu au roi, quelques instances
qu'ils eussent faites pour cela. On leur proposa le dessein
qu'on avoit. Mais ils ne témoignèrent pas en être contents, ne
pouvant goûter surtout l'établissement d'un évêque[34]. Le Père
Le Jeune, qui étoit alors le procureur général de ce pays-là, en
écrivit en ces termes à M. l'abbé de Quélus à Nantes: «Nous
savons que vous vous préparez pour votre embarquement
pour Québec. Nous pourrions l'empêcher, comme nous avons
fait l'établissement d'un évêque, mais etc.[35].» Le dessein
rompu pour l'évêché, on ne laissa pas de continuer celui d'établir un clergé. Et pour cet effet, tous les conseigneurs de l'isle
de Montréal, au nombre de quarante[36], firent cession et donation de leurs droits seigneuriaux au séminaire de Saint-
Sulpice[37], en sorte que M. Olier, alors curé, nomma Messieurs
l'abbé de Quélus, Souart et Galinier, prêtres[38], pour aller com-

---

de Montréal et en tous les droits seigneuriaux. Il était alors impossible d'estimer ce que cela
pouvait rapporter. Pour l'entretien du futur évêque, on comptait d'ailleurs sur les revenus
personnels de M. de Queylus.

34. Il s'agit des Jésuites. Ils n'étaient pas opposés à la nomination d'un évêque, puisque, environ quinze jours après la proposition du nom de Queylus, ils avaient eux-mêmes
proposé et fait accepter François de Laval.

35. Cette citation, tronquée, voudrait confirmer l'interprétation qui précède.

36. On n'a jamais fait la preuve de ce nombre.

37. Le mémoire parle ici proprement de la donation de l'île de Montréal aux Sulpiciens. Elle n'eut lieu qu'en 1663. M. Faillon s'est cependant appuyé sur ce texte pour dire
qu'il en avait été question en 1657 (*Hist. de la Colonie* 2 276). Il accordait en effet beaucoup
d'autorité à ce témoignage qui en a peu.

38. Notons que M. d'Allet est oublié, comme il le sera aussi dans le second mémoire.

mencer cette mission. Et quoiqu'il mourût quelques mois
après ce projet[39], il ne laissa pas que de dire peu de temps avant
sa mort que l'on continuât le voyage de la Nouvelle - [726]
France et que Dieu le demandoit. Ils partirent le dix-septième
mai mil six cent cinquante-sept de la rade de Saint-Nazaire, à
douze lieues de Nantes[40]. M. de Quélus avoit ses lettres patentes de grand-vicariat aussi amples qu'on le pouvoit désirer,
données par M. de Paris d'à présent, qui étoit alors archevêque de Rouen[41] et duquel tous les missionnaires et religieux
prenoient obédience et mission[42], à cause que l'on partoit
ordinairement alors pour Québec de Dieppe ou du Havre de
Grâce.

Il faut remarquer que, dans les lettres de grand-vicariat
données au Père Recteur de Québec par le dit archevêque, il y
avoit positivement que, dès lors qu'il y auroit des ecclésiastiques envoyés et chargés du même pouvoir, le Père Recteur
n'en feroit plus aucune fonction[43]. Ces Messieurs arrivèrent à
Québec le 29 juillet 1657. Le Père de Quen, recteur, les visita le
premier dans l'isle d'Orléans où ils s'étoient arrêtés, deux
lieues au-dessous de Québec[44], et quelques jours après ils lui
rendirent la visite à Québec. Après cette première entrevue, il
leur en fit une seconde à une lieue au-dessus de Québec[45], où le

---

39. Le 2 avril 1657.

40. C'est le témoignage le plus précis qu'on ait sur ce départ.

41. François de Harlay de Champvallon, qui fut nommé au siège de Paris, le 2 ou le 23 janvier 1671. Il mourut à Paris, le 6 août 1695.

42. Ceci est contestable. Jessé Fléché, partant par Dieppe en 1610, prit ses pouvoirs à Paris, du nonce apostolique. Les récollets, qui possédaient des pouvoirs généraux, eurent d'abord une permission verbale du nonce, puis des pouvoirs de Rome. Les jésuites prenaient leurs pouvoirs de leurs supérieurs, lesquels recouraient au pape en cas de besoin. Mais depuis 1639, la juridiction de Rouen s'exerçait sur les hospitalières de Québec. Cela contribua à faire reconnaître l'autorité de l'archevêque de cette ville comme ordinaire en Nouvelle-France, en 1647.

43. Cela est entièrement faux. Voir le texte de ces lettres dans ROCHEMONTEIX, *Les Jésuites et la Nouvelle-France au 17e siècle* 2 474-476. Comme la conduite de M. de Queylus a toujours été défendue principalement par cet argument, la cause est mal fondée.

44. Confirmé par le *Journal des Jésuites*.

45. Ces visites ne sont connues que par notre document. À une lieue de Québec s'éle-vait la châtellenie de Coulonges, où résidait Louis d'Ailleboust, qu'on présume avoir reçu chez lui M. de Queylus.

dit Père de Quen étoit accompagné du Père Joseph Poncet, qu'il avoit établi curé audit Québec. On parla dans ce second entretien des lettres de grand-vicariat. M. de Quélus promit au recteur de lui porter les siennes et réciproquement ce recteur promit de lui communiquer celles qu'il avoit[46]. Cela se passa honnêtement de part et d'autre. La vérité est que, la communication des dites lettres étant faite, le Père Recteur protesta qu'il reconnoissoit M. l'abbé de Quélus pour seul et légitime grand-vicaire et qu'il n'agiroit qu'autant qu'il le voudroit[47].

Le dessein de ces Messieurs n'étoit pas de s'arrêter à Québec, mais de faire leur séjour à Montréal, et pour cela M. de Quélus fit sa visite à la paroisse du dit Québec[48]. Il fut charmé du bon ordre que le Père Poncet y avoit établi, depuis sept ou huit ans qu'il en faisoit les fonctions de curé, avec tous les témoignages des notables et de tout le peuple du zèle infatigable de ce saint religieux, qui même fut pris à quatre lieues de Québec par les Iroquois[49], allant visiter par charité les champs et les bleds d'une bonne veuve que j'ai vue et connue[50]. Et comme il y avoit une guerre cruelle entre ces barbares et nous, ils l'emmenèrent lié et garroté à cent cinquante lieues de là avec deux François[51] qui l'avoient accompagné dans cette visite de charité. Il reçut la salve en arrivant au village des sauvages, qui est d'être battu et frappé par cinq ou six cents per-

---

46. Pourquoi n'auraient-ils pas présenté ces lettres à cette occasion, puisque la conduite à tenir semble avoir été définie alors?

47. Le supérieur jésuite ne pouvait faire cette reconnaissance absolue, ni ses lettres, ni celles de M. de Queylus ne tranchant le débat. Tout au plus pouvait-il s'abstenir d'agir, sans renoncer à son droit, puisque rien ne le lui enlevait.

48. Cela a été entendu par Faillon comme si Queylus n'avait pas même voulu faire une escale à Québec (*Histoire de la Colonie* 2 280-281). Le texte n'oblige pas à faire cette interprétation, qui est invraisemblable.

49. Ce qui eut lieu à Gaudarville, à environ trois lieues de Québec, le 29 août 1653 (*Relation de 1652-1653* 46, JR 40 118).

50. La veuve était Madeleine Marault, dont le mari, Nicolas Pinel, mourut à l'hôtel-Dieu, le 27 avril 1651, d'un coup d'arquebuse tiré par les Agniers. La terre de la veuve se trouva englobée dans la seigneurie de Gaudarville, le 8 février 1652. Elle n'était pas loin de la rivière de Cap-Rouge. La veuve avait cinq enfants à nourrir.

51. Il n'y eut qu'un Français pris avec le P. Poncet, Mathurin Franchetot, qui travaillait dans son champ et auquel le jésuite venait de parler. Franchelot fut brûlé par les Agniers, le 8 septembre 1653 (*Relation de 1652-1653* 46-72, JR 40 118-140).

sonnes, dos et ventre tout nud, jusques à trois fois, passant au milieu d'une haie que forment ces barbares. Ensuite, [727] on lui arracha tous les ongles avec les dents[52]. On lui coupa l'index de la main droite et, pendant plusieurs jours qu'on le préparoit à être brûlé vif à petit feu, on lui enleva des lanières de chair et de peau des cuisses. Ces deux François furent brûlés en sa présence[53]. Il fut attaché à un poteau, pour être traité de même, le feu même déjà allumé, lorsqu'un bon sauvage alla couper ses liens et le délivra. Et par une trève il fut ramené à Québec et rétabli dans la cure[54]. On a su diverses particularités de sa conduite toute charitable, aussi bien que ce fait, par quatre enfants qu'il élevoit dans la piété[55]. Il y en avoit deux de seize à dix-sept ans, dont on continua les études à sa recommandation, pendant tout le temps que M. de Quélus fut à Québec, qui fut de onze mois.

Une conduite si sainte et approuvée généralement obligea M. l'abbé de Quélus de le continuer curé. [Il] lui donna un bref des indulgences accordées par Alexandre VII à son exaltation et il partit de Québec pour monter à Montréal, distant de soixante-six lieues. Le P. Poncet continua ses fonctions dans la cure, publia le dimanche suivant le bref des dites indulgences[56]. Le P. Recteur lui demanda ce même jour qui lui avoit donné cette permission et pouvoir[57]. Ce bon Père, extrê-

---

52. Le P. Poncet n'a pas parlé d'ongles arrachés, ni de lanières de peau enlevées, mais seulement de l'index coupé, non de la main droite, mais de la main gauche.

53. Mathurin Franchetot, seul, fut brûlé dans une autre bourgade.

54. Ce récit des tortures, fait sûrement de mémoire, est remarquablement précis et fidèle. Il démontre, croyons-nous, la profonde impression laissée dans l'esprit du jeune Cavelier par les souffrances de Poncet, souvent méditées. M. d'Allet n'aurait pas eu les mêmes sentiments et aurait sans doute été plus bref.

55. Il s'agit ici de pensionnaires au collège des Jésuites, plus exactement de ceux dont la pension était payée par la fabrique de Québec. L'un des deux qui sont mis à part est probablement Germain Morin, né le 15 janvier 1642.

56. Alexandre VII (Fabio Chigi) fut élu pape le 7 avril 1655. Ce bref d'indulgences est ce que le P. Dequen appelle un Jubilé, le 12 août 1657, un dimanche (JJ 218).

57. Ce fut une première faute du P. Poncet, curé jésuite de Québec, de négliger l'autorité vicariale de son supérieur religieux, que nulle décision de l'archevêque de Rouen n'avait révoquée et qui se trouvait alors contestée par M. de Queylus. Ce manque de jugement mettait le supérieur dans une situation embarrassante, puisqu'un de ses inférieurs appuyait publiquement le vicaire général sulpicien. Le dialogue qui suit est évidemment une composition littéraire.

mement surpris, ayant été toujours présent à toutes les visites
et surtout à cette conférence où le P. Recteur avoua qu'aux
termes de ses lettres de grand-vicaire il étoit destitué, il lui
répondit avec une grande modestie que c'étoit M. de Quélus
qui lui avoit ordonné de publier ce bref, que lui-même l'avoit
reconnu pour seul grand-vicaire. — «Pourquoi ne m'en avez-
vous rien dit?, lui répondit le Père de Quen. Je vous défends
de rien faire sans mon ordre et il n'y a que moi ici de grand-
vicaire». — «Puis-je en conscience agir de cette manière, lui
répondit le P. Poncet?» — «Si vous voulez raisonner, je vous
ôterai les clefs de la paroisse, lui dit le Recteur». — «Si vous en
étiez le légitime maître et supérieur, je serois tout prêt à vous
les remettre, dit le P. Poncet. Mais comme vous avez reconnu,
et moi aussi, pour seul grand-vicaire M. de Quélus, il me semble que ce n'est qu'à lui à qui je les dois donner». — «Je vous
commande de me les donner, dit le Père de Quen». — «Je suis
votre religieux et je suis curé, dit le P. Poncet. Si c'est en vertu
de sainte obédience comme religieux que vous m'ordonnez de
vous les rendre, les voilà. Mais vous chargez ma conscience».
Les clefs furent ôtées et données par le P. de Quen au Père
Pijart, que M. de Quélus avoit trouvé à Montréal, faisant les
fonctions de curé, et qui quitta lorsqu'il y arriva[58].

Cependant, on mit le P. Poncet dans une chambre,
comme dans une [728] prison, et personne du collège ne le
voyoit. Nous avions trève en cette année-là avec les Iroquois.
Un canot de quatre Iroquois parut à Québec, y descendit; et
toute la Société fut d'avis d'envoyer le P. Poncet au village des
Iroquois[59]. Il s'embarqua avec joie pour obéir, quoiqu'il ris-
quât sa vie avec eux. Il arrive à Montréal, rend compte de tout
à M. de Quélus, qui lui dit: «Père, je suis grand-vicaire et
reconnu pour tel. Pour moi, en cette qualité, je vous commande par sainte obédience de venir avec moi à Québec et de
me remettre les clefs de la paroisse que je vous avois confiées.
Vous n'êtes pas moins obligé de m'obéir pour ce fait comme

---

58. L'incident eut lieu le 12 août. Le P. Claude Pijart arriva à Québec le 3 septembre.
59. Le P. Poncet partit pour Gannentaha le 28 août 1657 (JJ   218).

de faire ce que vos autres supérieurs peuvent vous commander». — «Je suis tout prêt, dit le bon Père, d'exécuter ce que vous m'ordonnez, car ma conscience me presse, quoique je prévoie ce qui me pourra arriver de la part de notre Père Recteur»[60]. Dès le lendemain, M. de Quélus, ce Père et un ecclésiastique s'embarquèrent pour descendre à Québec[61]. M. de Quélus se présenta à la paroisse. Il s'adressa au P. Pijart dans la sacristie, qui lui répondit fort vertement: «Oui, Monsieur. Voilà les clefs. Mais nous avons des canifs et des plumes que nous allons tailler»[62].

M. de Quélus s'attacha pendant onze mois à faire toutes les fonctions de curé à Québec[63] avec une fatigue sans exemple. On écrivit en Cour tout ce que l'on voulut. Dix ou douze Pères[64] ne manquoient aucun prône tous les dimanches. Le P. Poncet fut relégué dans un coin de la maison, abandonné de tous et regardé comme un excommunié[65]. Tous les paroissiens le vouloient aller voir; jamais personne n'eut la consolation de lui parler. Au bout de cinq semaines, un navire faisant voile pour la France, les jésuites l'embarquèrent avec un Frère. Vous eussiez cru voir un autre saint Paul accompagné de tout un peuple pleurant et l'embrassant. M. de Quélus l'alla aussi embrasser. Et lorsqu'il fut arrivé à Paris, ses plus proches, quoique d'un rang très distingué, ne purent le voir pendant plus de trois ou quatre mois qu'il fut à Saint-Louis. On l'envoya à Quimper-Corintin, où il apprit le bas-breton et faisoit

---

60. Encore un dialogue littéraire.

61. Ils arrivèrent à Québec le 12 septembre 1657, M. de Queylus, le P. Poncet et M. d'Allet, à huit heures du soir (JJ 220).

62. Pour qui ne comprendrait pas: nous allons tailler nos plumes d'oie et faire une campagne d'écrits contre M. de Queylus. On sait que c'est un procédé familier à La Salle.

63. Du 12 septembre 1657 au 8 août 1658, date où le P. Dequen fit signifier à l'abbé la décision de l'archevêque de Rouen limitant ce dernier à Montréal (JJ 238). M. de Queylus partit le 21 août.

64. Il y avait à Québec cinq Pères et autant de Frères. Ayant leur propre chapelle au collège, ils avaient, espérons-le, assez de sens du ridicule pour ne pas assister en communauté aux sermons de l'abbé.

65. Poncet partit pour la France six jours après être revenu de Montréal, c'est-à-dire le 18 septembre 1657. Le F. Ambroise Cauvet partait avec lui. Cavelier, ayant vu les deux à Rouen, pouvait aussi bien que D'Allet se rappeler ce détail.

des merveilles. De là on l'envoya à Nevers régenter la philosophie, et de là aux isles d'Amérique, où il est mort[66]. Un des
ecclésiastiques qui l'avoit connu en Canada le rencontra à La
Rochelle sur le bord de la mer, lorsqu'il montoit dans une chaloupe pour s'embarquer. Il l'embrassa avec une joie sans
pareille et il lui dit qu'il alloit là aussi content comme si c'étoit
pour Québec et qu'il lui recommandoit ses enfants et ses amis.

Par un accommodement ordonné par M. de Harlay,
pour lors ar- [728] chevêque de Rouen, comme j'ai dit, le P. de
Quen fut continué grand-vicaire à Québec et M. de Quélus
pour Montréal. Mais ensuite des plumes bien taillées, on écrivit contre l'abbé de Quélus qu'il avoit enyvré des gens à la côte
de Beaupré; et ce prétendu crime étoit trente sols qu'il avoit
donné à un maçon, lorsqu'il fut à la côte dite de Beaupré marquer la place pour bâtir la chapelle dédiée à sainte Anne[67].
Enfin, les jésuites ne furent point satisfaits qu'ils n'eussent
obtenu une lettre de cachet pour faire revenir en France M. de
Quélus[68]. Et voici comme cela se passa.

---

66. Tout ce détail de la vie de Poncet, où il ne manque que le séjour à Rome de 1665 à
1671, eût été difficile à relever pour D'Allet. Mais il prouve le grand intérêt de Cavelier pour
le héros de son adolescence et de sa jeunesse religieuse. Le P. Poncet, en effet, se trouve à
Quimper en 1659. Il passe au collège de Nevers en 1660 et y demeure jusqu'en 1665, année où
il obtint d'aller à Rome, espérant toujours d'être renvoyé en mission. Cavelier, alors en instances de libération de ses vœux, a bien pu le perdre de vue à partir de ce temps. Mais il enten-
dit ensuite parler de lui, soit à Montréal, soit à Paris. L'ecclésiastique rencontré à La Rochelle
en 1671 par Poncet, au moment où il s'embarquait pour les Antilles, n'est probablement pas
autre que M. de Queylus lui-même, qui retourna en France cette année-là et auquel le jésuite
recommanda «ses enfants et ses amis», de Québec naturellement. Mais M. de Queylus ne
revint pas en Nouvelle-France. Il tomba malade, languit longtemps et mourut à Paris, le 20
mai 1677. Le P. Poncet mourut à la Martinique, le 11 (al. 18) juin 1675.
67. Nous ne connaissons pas d'écrit des jésuites où ce reproche soit fait à M. de Queylus. C'est le 8 mars 1658 qu'Etienne Delessart donna à la fabrique de Québec une terre de
deux arpents de front pour l'église de Sainte-Anne. Le site de l'église fut bénit le 13 mars par
M. Guillaume Vignal, délégué de l'abbé, et le gouverneur, Louis d'Ailleboust, posa la première pierre. Louis Guimont, posant quelques pierres à cette occasion, fut guéri d'un douloureux mal de dos. S'il y eut un voyage de Queylus à Sainte-Anne, nous n'en retrouvons pas la
trace.
68. Les jésuites n'eurent pas à solliciter une lettre de cachet. M. de Queylus l'attira sur
lui. Depuis 1660, Louis XIV lui avait interdit de retourner en Nouvelle-France. Or en 1661,
l'abbé s'embarqua en cachette sur un navire de pêche pour Percé. De là, sur une chaloupe de
René Maheu, il se rendit à Québec, où il arriva le 3 août avant tous les vaisseaux réguliers. Il
tenta de se faire reconnaître comme vicaire général de Rouen par Mgr de Laval. Celui-ci lui

Le gouverneur de Québec vint à Montréal avec un nombre considérable de troupes, comme pour quelque expédition. Mais il ne faisoit qu'exécuter en cela les ordres de la Cour, où on avoit représenté M. de Quélus comme un homme capable de remuer dans la Nouvelle-France. Le gouverneur n'en croyoit rien, mais il fallut exécuter l'ordre, parce qu'il étoit observé. Étant donc venu à Montréal avec ses troupes, il signifia la lettre de cachet et il ramena à Québec M. de Quélus et deux autres ecclésiastiques[69], pour les faire repasser en France. Si les peuples n'eussent été convaincus de la piété de ces Messieurs, il ne tenait pas à leurs ennemis qu'ils ne passassent dans le public pour des criminels d'État.

II

LE P. LOUIS NICOLAS

La première mission faite par des ecclésiastiques du clergé dans le Canada a été commencée par des ecclésiastiques du séminaire de Saint-Sulpice[70]. Le supérieur de cette mission

---

interdit de se rendre à Montréal. En dépit des menaces de censures, Queylus y alla. Le roi, ayant appris son départ, donna au nouveau gouverneur, Pierre Dubois d'Avaugour, une lettre de cachet lui ordonnant de rapatrier l'abbé. Désirant visiter Trois-Rivières et Montréal, d'Avaugour laissa d'Argenson en charge et remonta le fleuve avec sa garde militaire. Il revint le 19 septembre, D'Argenson s'embarquant le même jour. L'abbé n'avait pas suivi le gouverneur, puisqu'il s'embarqua seulement le 22 octobre, pour obéir au roi. Les intrigues de M. de Queylus, en France et à Rome, ayant mis les plus hautes autorités en contradiction avec elles-mêmes, et surtout sa désobéissance à Louis XIV sont la raison de sa disgrâce. M. Faillon gaspille beaucoup d'encre pour pallier ces faits (*Histoire de la Colonie* 2 472-496). L'abbé fit aussi beaucoup de tort à ses confrères, leur ayant valu l'interdiction d'envoyer des sujets à Montréal et appelant sur eux la méfiance des autorités. Les choses se rétabliront à partir de 1665.

    69. M. Faillon a transposé cet incident, qui est ici sans date, de 1661 à 1659, en changeant du coup les acteurs. En 1659, M. de Queylus partit seul pour la France. En 1661, il fut accompagné seulement de M. d'Allet, qui était toujours son secrétaire.

    70. Il est vrai que les sulpiciens venaient avec un vif désir d'évangéliser les indigènes. L'auteur oublie toutefois que des prêtres séculiers les avaient précédés. Jessé Fléché, à Port-Royal en 1610-1611, avait fait les premiers baptêmes. Les sept prêtres séculiers venus depuis 1634 furent au service des religieuses, et ils partagèrent avec les jésuites le ministère des Français. Les Messieurs de Saint-Sulpice, selon le désir de M. Olier, aspiraient à convertir les indigènes. Mais les problèmes créés par M. de Queylus retardèrent leurs débuts apostoliques de dix années.

fut messire Gabriel de Quélus, qui avoit avec lui deux prêtres, M. Souart et M. Galinier[71].

Ces ecclésiastiques ne trouvèrent pas dans les jésuites qui étoient établis à Québec tous les secours que ces Pères auroient pu leur fournir pour la conversion des infidèles[72]. Comme ils étoient depuis longtemps dans le pays, ils avoient eu soin d'apprendre exactement les langues des sauvages; il les avoient réduites en méthode et ils en avoient fait des dictionnaires[73].

---

71. Dans ce mémoire comme dans le premier, le nom de M. d'Allet est oublié.

72. Insinuation malicieuse, qui sera démentie par les faits quelques lignes plus bas. Les jésuites ont aidé les sulpiciens, quand M. de Queylus a laissé à ceux-ci le moyen d'être assez nombreux. Mais tout n'a pas été dit. Les grammaires et les dictionnaires, constitués par les jésuites au fil de l'expérience, étaient des manuscrits à exemplaire unique. Ils étaient en révision continuelle et constamment à l'usage des nouveaux arrivants. Aussi longtemps que MM. Souart et Galinier furent seuls à Montréal, MM. Vignal et Lemaistre trouvant la mort en 1661, ils ne purent penser aux missions. On dit M. Gilles Pérot arrivé en 1665; il fut nommé curé en 1666. Les sulpiciens s'augmentèrent en 1666 de M. Dollier de Casson, qui fut occupé à l'aumônerie des troupes, de M. Jean Cavelier, procureur, de M. Jean Frémont, qui fut envoyé à Trois-Rivières, et de M. Michel Barthélemi. C'est à propos de ce dernier que l'on pensa à l'apprentissage des langues indiennes. C'est donc en 1667 qu'on dut emprunter les manuscrits algonquins des jésuites. M. Barthélemi en profita beaucoup, au dire de M. Dollier. Le zèle des missions, chez les sulpiciens, est illustré par l'envoi en 1668 de deux nouveaux ordonnés pour fonder la mission de Kenté: Claude Trouvé et François de Salignac-Fénelon.

73. Les langues indiennes, totalement différentes des européennes, ne s'apprenaient pas par principes, si utiles que fussent ceux-ci aux commençants. L'expérience était nécessaire. Les Français étaient en contact avec deux grandes familles linguistiques sans parenté entre elles: l'algonquienne et la huronne-iroquoise. L'algonquienne était formée de plusieurs groupes linguistiques qui peuvent être appelés langues, dont les principaux étaient le souriquois, langue des tribus du golfe et des provinces maritimes, le cri-montagnais, étendu au nord du lac Nipigon jusqu'au Labrador, l'algonquin, depuis Trois-Rivières allant vers l'ouest jusqu'au lac Supérieur, l'abénaquis en Nouvelle-Angleterre, à quoi l'on peut ajouter l'illinois au sud et à l'ouest du lac Michigan. D'une langue à l'autre, le passage était difficile et requérait un apprentissage, surtout pour les Européens. Ayant passé un hiver entier avec les Montagnais et déjà capable de catéchiser couramment, le P. Le Jeune avoue ne pas comprendre les Algonquins de Trois-Rivières. Les prières composées en montagnais à Sillery sont inutiles aux Souriquois du golfe. À l'intérieur d'une même langue, chaque bande, de 200 à 1 000 personnes pour les chasseurs, développait un dialecte dont la différence croissait proportionnellement avec la distance des habitats. C'était ce qui rendait la tâche difficile aux missionnaires. D'autre part, le stock algonquien commun permettait aux Indiens de se familiariser plus ou moins rapidement, non seulement avec un dialecte voisin, mais avec une autre langue de même famille. Pour les missionnaires, quand ils étaient parvenus à maîtriser trois ou quatre langues algonquiennes, ils se trouvaient assez capables d'en comprendre une autre qui leur était encore inconnue. Mais cela requérait des années d'expérience et de pratique. C'est pourquoi les livres composés à partir de l'algonquin de Trois-Rivières et de Sillery ne pouvaient donner en un an une familiarité avec les langues algonquines éloignées.

Mais tout cela n'étoit que pour eux et ils ne communiquoient aucunes de leurs lumières à personne, non pas même à ces ecclésiastiques qui avoient une grande ardeur d'apprendre ces langues. Ils trouvèrent néanmoins moyen d'avoir des copies de ces livres gardés par les jésuites avec tant de précaution. Madame d'Ailbout, dont le mari avoit été gouverneur du pays[74], communiqua aux ecclésiastiques [729] les livres que les jésuites n'avoient pas pu lui refuser à cause de son caractère de gouvernante.

Quelques-uns d'eux apprirent ces langues par principes, et surtout l'algonquine, ce qui leur donna lieu d'avoir plus de commerce avec les sauvages et de découvrir les mystères des jésuites. M. Barthélemi, qui avoit été chantre à Saint-Sulpice et qui ensuite avoit été envoyé à la mission du Canada en 1664[75], étant à Montréal, il y arriva un convoi de plus de deux cents canots chargés de castors que les Outaouas apportoient à Québec[76]. Sur ces canots étoit le P. Nicolas, jésuite, qui avoit été envoyé à la mission de ces peuples et qui revenoit faire un tour à Québec. Il y avoit aussi dans ce convoi le chef de la

---

74. Madame d'Ailleboust vivait alors à Québec.

75. Le nom de M. Michel Barthélemi n'apparaît dans le registre de Montréal qu'en 1674. C'est que, chez les sulpiciens, le curé à peu près seul y est inscrit. Encore omet-il souvent de se nommer ou de se signer. Barthélemi est cependant mentionné au recensement de 1667, probablement arrivé en 1666. C'est à cause de lui, semble-t-il, qu'on demanda aux jésuites des livres algonquins. À l'automne de 1668, il part avec M. François Dollier de Casson pour aller hiverner avec les Algonquins. Les deux mêmes furent désignés, en 1669, pour un voyage d'exploration missionnaire vers l'ouest, à la recherche de tribus nouvelles à évangéliser. À la dernière minute, M. Bréhant de Galinée fut substitué à Barthélemi, parce qu'il connaissait la cartographie. On se méfiait de La Salle, imposé par le gouverneur Courcelles, et l'on craignait qu'il n'abandonnât ses compagnons. (MARGRY, *Découvertes et Établissements* I 115).

76. À cause du contexte, il faut que ces événements se passent en 1669. Les Outaouais vinrent en très grand nombre sur le Saint-Laurent, cette année-là. Il semble qu'on puisse en compter trois flottilles au moins. Une première serait parvenue à Québec dans la seconde moitié de mai. Le P. Louis Nicolas, revenant de l'ouest pour la dernière fois, serait descendu avec elle. La deuxième serait arrivée à la fin de juin ou au début de juillet. Le P. Claude Allouez l'accompagnait, n'étant venu que pour conduire des prisonniers tsonnontouans au gouverneur, pour servir aux échanges de paix. La troisième serait arrivée vers le milieu de juillet. C'est peut-être avec elle que le P. Claude Dablon monta comme supérieur des missions de l'ouest. À l'arrivée de la première à Québec, Cavelier de La Salle se trouvait à Québec, pour exposer son projet d'exploration de l'Ohio, qu'il va entreprendre le 6 juillet en compagnie de Dollier de Casson et de Bréhant de Galinée.

nation des Outaouas, qu'on nomme en langue du pays Kinonché, c'est-à-dire Grand-Brochet[77].

Ce Kinonché, qui étoit outré des manières du P. Nicolas
qui les tyrannisoit, voyant beaucoup d'ouverture et d'honnê-
teté dans M. Barthélemi, il lui ouvrit son cœur dans la langue
de son pays, qui est peu différente de la langue algonquine[78]. Il
lui dit que le P. Nicolas étoit un homme fier et tyrannisant,
qu'il avoit porté ses excès jusqu'à donner des coups de bâtons
à lui, chef de sa nation, qu'il ne parloit qu'avec éloges de lui-
même et de ses compagnons. Qu'il lui avoit dit entre autres
choses en chemin: «Tien, pour te montrer combien ceux qui
sont vêtus comme moi sommes beaucoup plus excellents que
ceux qui ont aussi d'autres habits noirs longs, mais d'une
autre manière que les nôtres, c'est que, dès que nous serons
arrivés à Montréal, ces hommes de robes noires viendront me
saluer avec beaucoup de respect. Ils me feront de profondes
révérences; ils me prieront de faire parmi eux l'action la plus
sainte de la religion de Jésus-Christ. Tu me verras vêtu d'habits magnifiques d'or et d'argent. Tu verras ces autres robes
noires qui seront mes ministres et qui me serviront aussi avec
de beaux ornements. Il y en aura d'autres qui viendront me

---

77. *Kinouché* n'était probablement pas le nom du chef, mais celui de sa bande algonquine, que les *Relations* écrivent *Keinouché*. Ce mot signifie Brochet. La *Relation* de 1669-
1670 parle d'un Keinouché descendu à Québec en 1669, qui perdit toutes ses marchandises en
remontant. (JR   54 170-172). Pour traduire Grand-Brochet, il eût fallu ajouter le préfixe,
Missikinouche, comme *Missisipi*, Grande-Rivière. Les Kinouché ont laissé leur nom à la ville
de Kenosha, au Wisconsin, sur le lac Michigan. Notre témoin ne manifeste donc pas ici une
véritable connaissance de l'algonquin. Outaouais n'était le nom que d'une bande algonquine, qui fut étendu, en langage habituel, aux bandes voisines.

78. M. Barthélemi était encore un néophyte en algonquin. Mais il semble avoir étudié
soigneusement les manuscrits des jésuites, en 1667 et 1668. Ce qui était peut-être mieux
encore, il venait de passer un hiver à la chasse avec des Algonquins. C'est d'ailleurs pourquoi
il était désigné par M. de Queylus pour l'expédition de l'ouest avec Dollier de Casson. L'autorisation de Mgr de Laval, donnée le 15 mai 1669, était au nom de ces deux sulpiciens. Mais à la
dernière minute, au début de juillet, M. Bréhant de Galinée fut substitué à Barthélemi, à
cause des connaissances du premier en mathématiques et au cas où il prendrait fantaisie à La
Salle d'abandonner les deux ecclésiastiques en cours de route, comme il est arrivé. Un autre
avantage de garder M. Barthélemi à Montréal était sa connaissance de l'algonquin, car on
attendait une autre flottille d'Outaouais dans le cours du mois. Le rôle qu'on lui prête ici est
donc vraisemblable, comme le sont aussi les reproches faits au P. Nicolas, réserve faite de
l'importance exagérée que le mémoire accorde au chef kinouché et des différences dialectales
entre l'algonquin du fleuve et celui du lac Supérieur.

faire de grandes révérences avec des chapes». Voilà ce que dit le sauvage à M. Barthélemi.

M. Barthélemi fit son rapport à la communauté de ce que le Grand-Brochet lui avoit dit. On résolut de ne point accorder au P. Nicolas de célébrer solemnellement, afin de lui ôter un aussi mauvais moyen que celui-là de se faire valoir parmi ces peuples, mais principalement parce qu'on trouva horrible que le Père Nicolas se servît de tels moyens sous prétexte de religion. Quelques jours après le débarquement à Montréal, le P. Nicolas dit au supérieur de la communauté des prêtres qu'il étoit à propos, afin d'imprimer plus de respect dans l'esprit des barbares pour notre religion, qu'on célébrât devant eux le saint sacrifice avec solemnité et qu'afin que lui, qui était leur missionnaire, eût plus [731] de poids, d'autorité et de créance dans leur esprit, il devoit faire l'office. Le supérieur [79] lui répondit qu'il en falloit parler à la communauté, et la communauté opina qu'il falloit refuser cet honneur au P. Nicolas. Le Père Nicolas eut donc cette petite mortification. Le Grand-Brochet demanda à M. Barthélemi d'où vient que le P. Nicolas n'avoit pas dit la messe solemnelle, et s'il n'avoit pas demandé à la dire. M. Barthélemi ayant répondu qu'il avoit demandé à la dire, mais qu'il avoit été refusé: «Hé bien, dit le Grand-Brochet, ne t'ai-je pas dit vrai et vois-tu combien cet homme aime à dominer?»

Le convoi partit et vint à Québec. C'étoit en ce temps-là M. de Courcelles [80], gentilhomme normand, qui étoit gouverneur du pays. Il devoit donner audience au Grand-Brochet, mais il se défioit de l'interprète. C'étoit un jésuite, nommé le P. Dreuillette, Toulousain, interprète en langue algonquine et

---

79. Le supérieur était alors M. de Queylus. La communauté était formée de MM. Gilles Pérot, curé, Gabriel Souart, Dominique Galinier, François Dollier de Casson (peut-être alors à Québec), Michel Barthélemi, Antoine d'Allet, Guillaume Bailly, Jean Frémont, Etienne Guyotte, François de Salignac-Fénelon, Claude Trouvé (ces deux derniers alors à Kenté), François-Saturnin Lascaris d'Urfé, Joseph Mariet, Louis-Armand de Cicé et René Bréhant de Galinée, diacre. On ne sait si M. Jean Cavelier était encore là, mais en 1675, il était à Rouen, d'où il reviendra à Montréal, les années suivantes.

80. Daniel de Rémy de Courcelles, arrivé en 1665 et reparti en 1672.

ses dépendances[81]. M. de Courcelles fit venir chez lui deux personnes qui entendoient la langue et leur dit à chacune séparément: «Tantôt, je donnerai audience au Grand-Brochet et vous me direz sincèrement et en conscience le contenu de sa harangue, et si l'interprète aura parlé conformément à ce qu'aura dit le Grand-Brochet»[82]. De ces deux hommes à qui M. le Gouverneur parla, il y en avoit un qui étoit jeune et qui ne paraissoit pas savoir la langue, parce que les jésuites ne s'imaginoient pas qu'il eût eu copie de leurs livres; et ils savoient encore qu'il n'avoit point été chez les sauvages. Celui-là n'étoit point à appréhender. Aussi assista-t-il publiquement à l'audience[83]. L'autre se nommoit Courville, habitant de Québec, et il savoit la langue, parce qu'il y avoit longtemps qu'il étoit dans le pays et qu'il avoit appris la langue par le moyen d'un sauvage[84]. Comme Courville n'étoit pas d'un

81. Le P. Gabriel Druillettes, alors âgé de 59 ans, arrivé en 1643, pionnier des hivernements avec les Indiens nomades. Il avait d'abord appris le montagnais et l'algonquin, puis aussi l'abénaquis. À ces titres, il était le meilleur interprète possible pour rendre en français le dialecte algonquin du chef kinouché. Il arrivait d'un hiver passé avec les Montagnais du bas du fleuve. Et l'année suivante, à 60 ans, il monta prendre charge de la mission du Saut-Sainte-Marie. Il fut l'un des plus grands parmi nos missionnaires et il était tenu pour un thaumaturge.

82. Cette méfiance n'était pas contraire à la nature de Courcelles, bien qu'elle le fût à la dignité d'un gouverneur. Courcelles et Talon avaient été endoctrinés par Jean-Baptiste Colbert, qui les avait mis en garde contre l'autorité ecclésiastique. La paranoïa de l'auteur reporte ces préventions sur les jésuites.

83. Qui peut être ce jeune homme, connu des jésuites, dont ceux-ci ignorent encore les connaissances linguistiques, dont ils ne savent pas qu'il a eu communication de leurs grammaires et qui n'a pas encore été chez les sauvages? Dans notre esprit, il ne fait pas de doute que c'est le René de La Salle apparu à Montréal le 7 novembre 1667, qui a un frère sulpicien et obtient un fief de Saint-Sulpice, la même année ou au début de la suivante, qui a eu l'occasion de feuilleter les livres jésuites détenus par les sulpiciens et qui se trouve chez le gouverneur Courcelles à Québec, au printemps de 1669. Il va partir en exploration vers l'ouest avec deux sulpiciens le 6 juillet 1669. Il a déjà sujet d'être obsédé par les jésuites, car à son fief officiellement appelé Saint-Sulpice, les colons ont appliqué le nom de Lachine, en moquerie des efforts de l'ancien jésuite pour être envoyé en Chine. Avant tout projet d'exploration de La Salle, le nom y a pris racine. Le 11 janvier 1669, un notaire l'emploie au lieu de nom officiel. Et Dollier de Casson en assigne l'introduction à l'hiver de 1667-1668. Il faut noter dès ce moment l'incapacité de La Salle d'attirer la sympathie. Les sulpiciens qui ont été les premiers à le connaître au pays ont aussi été les premiers à écrire des choses très dures sur lui.

84. Charles Cadieu, dit Courville, né en 1628/1629, était habitant de Beauport. Il avait été élevé par les jésuites depuis l'âge de 12 ans à Sillery, parmi les Montagnais chrétiens. Il avait appris la langue, ce qui lui permit plus tard de commercer avec ces indigènes. Mais le montagnais n'est pas l'algonquin. Absent du pays de 1650 à 1655, il était revenu marié à Madeleine Macart. Il éleva sa famille à Beauport, éprouvant des revers dans le commerce des fourrures. Sa femme demanda la séparation des biens.

caractère à assister à l'audience sans causer quelque inquiétude aux jésuites, parce qu'il étoit public qu'il savoit la langue, M. le Gouverneur le fit rester dans un cabinet d'où il pouvoit entendre distinctement tout ce qui se disoit dans l'audience. Le Kinonché parut avec toutes les marques de sa dignité. Il étoit orné de plusieurs pièces de porcelaines, comme de coliers et brasselets, avec lesquelles il avoit bonne mine. Il portoit en main le présent de la nation des Outaouas, qui étoit un grand cercle de porcelaine qu'il offroit au gouverneur comme une marque d'un grand capitaine et d'un grand prince. Ensuite, il lui parla avec une éloquence mâle, pleine de figures qui donnoient de grandes idées. Après un certain point de son discours, pour donner lieu à l'interprète d'en faire le récit, il se reposoit et pipoit pendant que l'interprète parloit. Et quand l'interprète avoit cessé, il reprenoit son discours, et toujours avec la même majesté et la même force. Le Père [732] Dreuillette, qui ne (se) s'imaginoit pas qu'il y eût personne des assistants qui entendît le langage du Grand-Brochet, au lieu de rendre fidellement sa harangue en françois, il disoit formellement le contraire. Au lieu des plaintes grièves que ce barbare faisoit des traitements cruels que le Père Nicolas avoit exercés et sur lui et sur la nation des Outaouas, l'interprète fit l'éloge de ce Père. Il dit qu'il étoit souhaité ardemment dans le pays. En un mot, il dit tout ce qui pouvoit être avantageux au P. Nicolas et à la Société[85].

---

85. La connaissance de l'incident repose sur cet unique témoignage. Quelle en est l'autorité? Le témoin, et bien probablement l'auteur, est Cavelier de La Salle. Les jésuites lui sont une obsession et il portera sur eux une multitude d'autres témoignages inacceptables. Il s'est, la même année, vanté à Dollier de Casson et à Bréhant de Galinée de savoir l'iroquois, pour avoir logé chez lui quelques Tsonnontouans. Or à l'expérience. Bréhant assurera que La Salle ne comprenait pas un mot de cette langue. Savait-il l'algonquin pour avoir tenu en main les livres servant à Barthélemi, sans avoir frayé avec les Algonquins? Au surplus, pouvait-il saisir le sens du dialecte du Kinouché, différent de l'algonquin parlé sur le fleuve? Comment pouvait-il percevoir les infidélités de Druillettes? Son témoignage n'a aucune force sur ce point précis. Et le rôle qu'il fait jouer à Cadieu, de même veine, n'a pas plus de poids. La cohérence, la vraisemblance et la qualité du texte ne doivent pas faire illusion. Les paranoïaques, qui sont très souvent des gens fort intelligents, sont aussi très habiles à donner à leurs rêveries les apparences du vrai. Peu aimé, La Salle a réussi à persuader beaucoup de monde, y compris Colbert et Seignelay. Il a même trompé ce dernier jusqu'à fausser gravement et volontairement le cours du Mississipi.

L'audience étant finie et tout le monde retiré, M. le Gouverneur demanda d'abord à l'une de ces personnes qui savoient la langue ce qu'il pensoit du P. Dreuillette et s'il avoit fait son devoir. Il lui avoua sincèrement que le Père n'avoit point du tout parlé conformément à ce que disoit le sauvage. Qu'il s'étoit étendu sur les louanges du P. Nicolas, au lieu que le barbare marquoit qu'il étoit insupportable à toute la nation; qu'il l'avoit outragé d'une manière très indigne, en lui donnant à lui chef de son peuple des coups de bâtons, ce qui étoit la marque de la plus basse servitude. Que cependant, comme c'étoit une affaire de conséquence, qu'il prît l'avis de Courville, sans lui dire quel étoit son sentiment sur l'interprétation du Père. Courville voulut s'excuser de parler sur ce qu'il avoit à se ménager. Il représenta à M. le Gouverneur qu'il avoit femme et enfants et quelque établissement; que tout cela lui faisoit appréhender de parler. M. le Gouverneur lui ayant promis qu'il garderait le secret et que de plus il n'avoit point été vu, il déclara que le Père Dreuillette avoit dit tout le contraire du Grand-Brochet et qu'on ne pouvoit pas voir au monde une interprétation plus contraire et plus opposée à son original. Le gouverneur, convaincu sur le témoignage de deux témoins, gens de bien et non suspects, de la perfidie du Père Dreuillette, outre qu'il avoit déjà eu quelqu'autre soupçon contre ce dit Père, il alla voir le P. Mercier, alors recteur de leur collège[86], un jeudi au soir après le salut. Il lui conta les plaintes qu'on faisoit du Père Nicolas, l'infidélité du Père Dreuillette; et il fut conclu que le P. Nicolas repasseroit au plutôt en France avec le premier bâtiment qui mettroit à la voile[87].

On doit regarder toutes les Relations que les jésuites ont faites du Canada comme remplies de faussetés[88]. Dès qu'elles

---

86. Le P. François Lemercier, supérieur général une deuxième fois, de 1665 à 1671.

87. Voici une syncope d'événements qui est caractéristique de ce genre d'esprit, pour laisser une impression fausse. Le P. Louis Nicolas exerça du ministère chez les Montagnais, les Algonquins et les Iroquois après 1669, et cela jusqu'en 1674, s'embarquant pour la France en novembre de cette dernière année.

88. C'est à quoi l'auteur voulait en arriver. Frontenac, La Salle et beaucoup d'autres répétaient l'assertion.

étoient imprimées en France, on avoit soin de les envoyer aux ecclésiastiques qui étoient à Montréal et ils gémissoient de voir que les choses étoient rapportées tout autrement qu'elles n'étoient dans la vérité. M. de Courcelles en ayant donné avis à la Cour, on donna ordre aux Pères jésuites de ne plus faire de Relations[89].

III

DOMINATION DES JÉSUITES

Les Jésuites dominent dans ce pays-là[90] avec tant d'empire sur tout le monde qu'ils vont dans les maisons et se font rendre compte de tout ce qui s'y passe. Ils rapportent chez eux dans le conseil[91] tout ce qu'ils ont appris et sur cela ils règlent leur politique. Ils abusent même des choses saintes et on n'en peut guère rapporter la cause qu'à la grande avidité de tout savoir ou à un zèle bien déréglé et bien aveugle.

Le P. Ragueneau, jésuite, qui a été seize ans en Canada, depuis l'an 1645 jusqu'en 1661[92], descendoit tous les jours

---

89. Il est vrai que la dernières Relation, celle de 1671-1672, fut imprimée en 1673, après le retour de Courcelles en France. Mais ce n'est pas un ordre du roi qui interrompit la série. L'arrêt fut une suite des controverses sur les rites chinois. Le 6 avril 1673, par le bref *Creditae nobis coelitus*, Clément X interdit la publication d'aucun écrit sur les missions sans une permission expresse et particulière de la Congrégation de la Propagande. Les jésuites furent pris entre deux feux: désobéir au pape, en publiant sans permission, ou désobéir au roi, qui interdisait tout exercice direct de juridiction romaine dans le royaume. Que pouvaient-ils faire? Le P. Dablon, supérieur, écrivit cependant de *Relations* annuelles jusqu'en 1679, espérant les voir publier.

90. Ce mot, «pays-là», est vraiment le seul lien unissant ce qui suit à ce qui précède. Car on aborde un nouveau sujet et une nouvelle pièce littéraire. Les précédents étaient unifiés autour de personnages: Queylus, Nicolas. Le présent l'est autour d'un thème: le caractère oppressif du ministère des jésuites, auprès des Français et des Indiens. L'unité est d'ailleurs assez lâche. Mais la qualité du style, le sentiment du vu et du vécu, qui attestent une incontestable expérience des lieux, restent les mêmes. L'obsession à l'endroit des jésuites, toutefois, est encore aggravée, jusqu'à menacer l'équilibre et la vraisemblance si bien maintenus dans les parties précédentes. Le terme «pays-là», indique que les mémoires ont été écrits en France, et non au Canada.

91. Sans doute la consulte, conseil de quelques Pères qui assiste chaque supérieur dans l'administration domestique ou générale.

92. Le P. Paul Ragueneau arriva à Québec en 1637. Il fut vingt-cinq ans en Nouvelle-France. Missionnaire (1637-1645), puis supérieur de la mission huronne (1645-1650), il fut supérieur général à Québec (1650-1653) et substitut du supérieur au Conseil de Québec (1653-

dans Québec-le-bas où sont les marchands[93]. Il se faisoit rendre compte de tout ce qui se passoit dans les ménages et forçoit souvent les gens au sortir de table de se confesser à lui au bout de la table même, quoiqu'on n'eût aucune incommodité ni maladie. On avoit beau lui représenter qu'on n'étoit pas préparé, il ne laissoit pas de vouloir qu'ils se confessassent en leur disant: «Je vous aiderai à vous confesser».

Le P. Chastelain[94] ne manquoit jamais aussi à descendre tous les jours dans la ville basse pour savoir les choses les plus secrètes. Plusieurs habitants s'étoient plaints de ses importunités à M. de Courcelles, gouverneur. Il avoit lui-même observé que ce Père descendoit tous les jours assidûment. Un jour qu'il descendoit la côte avec un bâton, il lui envoya dire par un sergent accompagné de deux soldats qu'il ne trouvoit pas bon qu'il descendît tous les jours à Québec[95], que plusieurs habitants se plaignoient de ses trop fréquentes visites. Le Père

---

1656). Le P. Dequen le nomma supérieur de la mission de Gannentaha, chez les Onontagués, en 1657. Il conduisit avec Zacharie Dupuy l'évasion spectaculaire de plus de cinquante Français, en mars 1658. D'Avaugour lui imposa de participer au Conseil de Québec comme directeur, en 1661. Mais il rentra en France en 1662, avec Mgr de Laval. Il fut procureur de la mission à Paris jusqu'au 3 septembre 1680, date de sa mort.

93. Le gouvernement ecclésiastique de Ragueneau et sa participation au Conseil de Québec furent marqués par une sollicitude constante pour les petites gens, que la vie pionnière soumettait à la misère et à la pauvreté. C'est le fondement du reproche qu'on trouve ici. Lauson entrait dans les vues de jésuite. Et la politique coloniale en fut visiblement inspirée. Mais cette conduite suscita la jalousie d'une coterie de quelques familles principales auxquelles D'Ailleboust s'était joint et qui avaient été écartées de la conduite des affaires depuis 1651. Ragueneau quitta spontanément le Conseil en 1656. L'auteur amplifie et déforme ici sa conduite. La basse-ville commençait seulement à voir s'élever les magasins et les entrepôts en 1651. La population laborieuse était dispersée dans les campagnes. Ragueneau ne lui ménagea pas ses soins, spirituels et temporels. Mais elle n'avait pas d'églises. Les offices liturgiques avaient lieu dans les maisons particulières. D'où le tableau déformé que la malice a pu brosser plus tard.

94. Le P. Pierre Chastellain était arrivé à Québec en 1636 à trente ans. Missionnaire des Hurons (1636-1650), il résida au collège de Québec le reste de ses jours (1650-1684). Toute sa vie canadienne, il fut directeur spirituel de ses confrères. Il lui appartenait à ce titre de visiter et d'assister les pauvres. Au temps de Courcelles, où se situe notre texte (1665-1672), la population pauvre de Québec, artisans et journaliers, demeurait à la basse-ville. Les journaliers surtout faisaient un gain précaire, n'arrivant pas à soutenir les familles alors nombreuses. C'était la raison de ces descentes du sexagénaire à la basse-ville. Notre document travestit son activité charitable.

95. Une phrase comme celle-là révèle infailliblement l'expérience canadienne de l'auteur. Le jésuite, descendant la côte de la Montagne, passait sous les galeries du Château.

répondit fièrement au sergent: «Allez dire à M. le Gouverneur que j'ai été à Québec-le-bas avant qu'il fût gouverneur, que j'y ai été depuis qu'il est gouverneur et que j'irai encore après qu'il ne le sera plus»[96]. Et après cette réponse, il continua son chemin. M. le Gouverneur avoit dessein de l'envoyer arrêter pour une réponse si insolente, mais il crut qu'il devoit en parler au P. Mercier. Il lui déclara combien il étoit sensible au mépris que le P. Chastelain faisoit de son caractère et de sa dignité, qu'il falloit pour l'en punir qu'il repassât au plus vite en France[97]. Le P. Recteur ayant connu que M. le Gouverneur avoit cette affaire fort à cœur, il résolut de lui en faire faire satisfaction. Comme il venoit régulièrement au salut du Saint-Sacrement tous les jeudis et qu'il entroit un moment dans la sacristie pour voir le P. Recteur, celui-ci le conjura de pardonner au P. Chastelain, qu'il alloit lui demander pardon de la faute qu'il avoit faite. Le P. Mercier fit entrer le gouverneur dans un petit lieu proche la sacristie, où étoit le P. Chastelain. Ce Père fut contraint, malgré son grand âge, de se mettre à genoux devant M. le Gouverneur et de lui demander pardon de sa réponse insolente[98].

Voici une autre histoire plus ancienne de ce P. Ragueneau, dont j'ai [734] déjà parlé. Il entreprit de faire une mission en armes[99]. Il extorqua de M. de Lauzon, gouverneur de Québec, cinquante ou soixante fusiliers pour l'exécution de

---

96. Courcelles n'avait guère d'humour. C'est bien connu. La réponse, si elle est vraie, ne manquait pas de piquant. Mais le gouverneur l'avait sollicitée. La Salle a pu apprendre cet incident du gouverneur lui-même, au printemps de 1669.

97. Si Courcelles avait exécuté cette menace, il aurait pu s'attendre à une réaction du roi. Louis XIV rabrouera Frontenac pour avoir imposé aux missionnaires de prendre des passeports de lui pour circuler dans la colonie (RAPQ 1926-1927 82).

98. La scène est-elle une fiction de La Salle ou de Courcelles?

99. Le sens de l'auteur apparaît facilement. On excusera La Salle de n'avoir rien compris à un fait de politique humanitaire qui est peut-être unique dans l'histoire et qui illustre on ne peut mieux le climat où baignait la colonie française avant 1663. Les historiens après lui n'ont guère mieux saisi, dans la complexité et le nombre des péripéties, le fil conducteur qui révèle le sens de l'entreprise de Gannentaha. Elle a eu essentiellement pour but de sauver la chrétienté huronne réfugiée à Québec de la servitude et de la destruction, cela au prix de dépenses énormes de la colonie et des jésuites et aussi au risque d'une cinquantaine de vies françaises, dont celles de huit ou neuf missionnaires. Le dernier interprète de l'épisode, Bruce Trigger, n'a vu là qu'une trahison des Hurons par les Français.

son dessein[100]. Il fit charger sur quantité de canots des maté-
riaux, bois, fer, armes, et il partit avec sa troupe pour la mission d'Onnontagué[101]. Dès qu'il fut arrivé avec sa flotte de
canots, il fit construire avec diligence un fort, pour tenir les
barbares en bride. On faisoit non seulement la garde dans ce
fort, en armes, mais pour faire paroître qu'on étoit en plus
grand nombre, le P. Ragueneau avoit fait placer à certaines
distances, sur les murailles du fort, des hommes de
paille[102]. Bien loin que cette voie qu'avoit prise le P. Ragueneau aidât à convertir les barbares, au contraire rien n'anima
davantage leur fureur[103]. Ils s'assemblèrent plusieurs fois et
tinrent conseil ensemble, afin de prendre de justes mesures
pour tuer le P. Ragueneau et toutes les troupes du fort[104]. Le
jour et l'heure furent arrêtés. Mais comme cette résolution
avoit été prise par un commun accord de la nation, elle ne put
être si secrète que la nouvelle n'en vînt au fort par quelques
bonnes gens qui y avoient quelque commerce. Le Père,
effrayé à la vue du danger si pressant, fit construire avec une
diligence incroyable et en secret des canots plats[105]. Et en une
nuit, on mit tout ce qu'on put retirer du fort dans ces canots.
Le P. Ragueneau, avec sa soldatesque, s'en alla à petit bruit

---

100. Lauson était plus passionné pour le projet que les jésuites eux-mêmes, qui mesu-
raient mieux les risques de l'entreprise. Pour le réaliser, il fit aux jésuites accablés par des
naufrages un prêt sur les maigres finances de la colonie, prêt qui l'obligera à aller se justifier
en France en 1656. La garnison de Gannentaha fut de dix soldats, commandés par Zacharie
Dupuy. À quoi s'ajouteront les jésuites et des serviteurs du fort et des missionnaires, jusqu'au nombre de 53 en mars 1658.

101. On prit pour modèle le fort de Sainte-Marie des Hurons. Mais, cette fois, c'était
une entreprise conjointe de la colonie et des missionnaires. Ce ne fut pas cependant le P.
Ragueneau qui conduisit l'expédition en 1656, mais le P. François Lemercier, supérieur général. Le P. Ragueneau y fut envoyé par le nouveau supérieur, le P. Jean Dequen, en juillet
1657.

102. L'obsession ne craint pas le ridicule. Les Onontagués, qui firent une réception
solennelle aux Français, savaient exactement leur nombre et personne ne pouvait venir au
fort sans leur conaissance. Ils avaient d'ailleurs demandé cet établissement.

103. Cela est faux. Les intentions des Iroquois étaient partagées. Les uns voyaient
l'établissement avec faveur. Les autres calculaient la fortune d'avoir sous la main cinquante
otages français qu'ils pourraient massacrer à la première occasion et qui leur donnaient prise
sur la colonie française.

104. La condamnation fut en fait prononcée en conseil, mais gardée secrète.

105. Cela est exact.

sans que les barbares s'en apperçussent [106]. Afin que leur fuite fût cachée et qu'on ne les poursuivît pas, ils mirent sur les remparts du fort quantité d'hommes de paille avec des bâtons comme des fusils [107]. Mais les barbares, observant que ces hommes ne remuoient point et qu'on n'entendoit plus le bruit ordinaire, escaladèrent le fort, pillèrent ce qui restoit, renversèrent les murailles et firent des cris de joie comme pour la plus signalée victoire qu'ils eussent jamais remportée. On a su ces dernières particularités par des prisonniers de la même nation qu'on prit dans la suite.

À l'égard du P. Ragueneau, il revint à Québec peu de temps après Pâques, ayant été assez heureux que la rivière fût débaclée. Car autrement, il eût été assez embarrassé. Il ne fut pas beaucoup plaint, parce qu'il étoit parti contre le sentiment du gouverneur [108], qui ne trouvoit pas bon que ce Père eût été prêcher l'évangile à main armée. Ce gouverneur, comme j'ai déjà dit, s'appelloit M. de Lauzon. Il étoit grand ami des jésuites et avoit été conseiller d'État. Il mourut à Québec [109].

Lucien Campeau, s.j.

---

106. Tous ces détails montrent que La Salle était bien renseigné. On comparera le récit de l'évasion par le P. Ragueneau (*Relation de 1657-1658* 22-29, JR   44 174-182).

107. On retombe dans l'imaginaire.

108. Fausseté.

109. Jean de Lauson, rentré en France en 1656, mourut à Paris le 16 février 1666.

Les quatre érections canoniques de la paroisse de Québec (1664-1684)

Par ANDRÉ VACHON, S.R.C.

En 1663, par une ordonnance publiée à Paris le 26 mars[1] et confirmée par le roi au mois d'avril suivant[2], Mgr de Laval[3] avait créé le Séminaire de Québec, qui devait être, pendant des années, l'âme de l'Église canadienne. Or, dès qu'il reçut à Québec, en 1664, la nouvelle de l'établissement, peu après son départ de France, l'année précédente, du Séminaire des Missions étrangères de Paris, il entreprit d'y unir le Séminaire de Québec.

L'union des deux institutions fut réalisée, après quelques démarches préliminaires[4], par-devant les notaires Claude Le Vasseur et Pierre Muret, du Châtelet de Paris, le 29 janvier 1665. Les messieurs du Séminaire des Missions étrangères de Paris déclaraient avoir reçu des lettres patentes du 22 août 1664, «signées de sa main, et scellées de son sceau», par lesquelles Mgr de Laval donnait «permission au [...] supérieur et directeurs du dit Seminaire de Paris denvoyer de leurs Ecclesiastiques en Canada et nouvelle france, et d'y establir un seminaire en la ville de Quebec[5] et en tous autres lieux de son dioceze et de sa jurisdiction [...] [et] a cet effet [avait] uni et

---

1. Archives du Séminaire de Québec (ASQ), Polygraphie 9, 1; Archives nationales du Québec à Québec (ANQ-Q), Insinuations du Conseil souverain, I, 4; *Édits, ordonnances royaux, déclarations et arrêts du Conseil d'État du roi concernant le Canada (Édits, ord.)*, I (Québec, E.-R. Fréchette, 1854), 33-35.

2. ASQ, Séminaire 11, 1; ANQ-Q, Ins. Cons. souv., I, 4-6; *Édits, ord.*, I, 35-37.

3. Voir André Vachon, *François de Laval,* [Montréal], Fides/[Québec], Les Presses de l'université Laval, [1980].

4. Lettre de Mgr de Laval au Séminaire des Missions étrangères de Paris, 20 août 1664 (ASQ, Séminaire 2, 51); Permission au Séminaire des Missions étrangères de Paris de s'établir à Québec, 22 août 1664 (*ibid.*, 28b).

5. La formule désigne, en fait, le Séminaire — déjà établi — de Québec, dont le Séminaire des Missions étrangères de Paris était invité à prendre possession.

annexé, [...] des apresent et pour tousiours irrevocablement la maison du Seminaire de Canadas [...] [au] dit Seminaire des Missions estrangeres de paris». Voulant «correspondre aux pieuses intentions» de Mgr de Laval, le supérieur et les directeurs du séminaire de Paris acceptèrent «d'un commun accord» l'union proposée. [6]

Ce n'est pas seulement le Séminaire de Québec qui, dans l'acte du 19 janvier 1665, était «annexé» au Séminaire des Missions étrangères de Paris, mais aussi «la cure et paroisse» de Notre-Dame de Québec, laquelle, précisait-on, serait «administrée», sous la «superiorite» du séminaire de Paris, par des prêtres tirés du Séminaire de Québec[7].

Parce qu'elle devait servir aussi d'église cathédrale, et pour qu'y fussent assurés «la decence, et lhonneur deu au Service divin»[8], Mgr de Laval avait voulu, en effet, que l'église paroissiale de Québec fût unie au Séminaire des Missions étrangères — c'est-à-dire, à toutes fins utiles, au Séminaire de Québec, dans la mesure où ce dernier deviendrait une maison, établie à Québec, de celui de Paris[9]. Le 15 septembre 1664, il signait l'acte d'érection canonique, sous le titre de l'Immaculée-Conception, de la paroisse, et l'unissait à perpétuité au Séminaire des Missions étrangères de Paris[10].

Cette union de la cure au Séminaire [...], écrit l'abbé Noël Baillargeon[11], Mgr de Laval aurait bien voulu la voir confirmer par Rome. [...] Mais le Saint-Siège préféra s'en tenir à la conduite qu'il avait adoptée à l'égard de l'annexion du Séminaire de Québec à celui de Paris et se con-

---

6. ASQ, Séminaire 2, 28a.
7. *Loc. cit.*
8. ASQ, Paroisse de Québec, 128.
9. En 1665, par exemple, Mgr de Laval parlait de l'union de la cure de Québec à *son* séminaire (*Quebecen. beatificationis et canonizationis ven. servi Dei Francisci de Montmorency-Laval, Episcopi Quebecensis (Altera nova positio),* (Typis Polyglottis Vaticanis, 1956), 102.)
10. ASQ, Paroisse de Québec, 21.
11. Noël Baillargeon, *Le Séminaire de Québec sous l'épiscopat de Mgr de Laval,* I (Québec, Les Presses de l'université Laval, 1972), 63s.

tenta d'une approbation tacite. Le fondateur s'efforça donc d'y suppléer par ses propres moyens. Il renouvela l'érection et l'union de la cure à trois reprises, d'abord en 1670[12], puis le 29 octobre 1678[13] et finalement, le 14 novembre 1684. À chaque occasion, la cérémonie se déroula non plus à l'autel principal, dédié à l'Immaculée Conception depuis la dédicace de la cathédrale en 1666, mais à l'autel de la sainte Famille choisie comme patronne de la paroisse.

Quatre érections de la cure de Québec en vingt ans, voilà qui a de quoi étonner. Je présume, néanmoins, que Mgr de Laval avait, chaque fois, une bonne raison pour renouveler un acte aussi solennel; et il serait difficile de croire, comme le laisse entendre l'abbé Baillargeon dans le texte cité plus haut, qu'il voulût imposer, en la reconfirmant périodiquement, une union que Rome se refusait à entériner. Il est vrai qu'il avait promis, lors d'un accord entre lui et le Séminaire de Paris[14], le 6 octobre 1666, de «procurer à Rome la réunion» de la cure au séminaire: il s'y employa avec zèle, comme le reconnaît l'abbé Baillargeon[15]. Or, les démarches du prélat auprès du Saint-Siège, dont l'abbé Baillargeon dit avec raison qu'elles n'aboutirent point, constituent pourtant la clé du mystère apparent d'une quadruple érection, pourvu qu'on ne les isole pas des autres requêtes pressantes qu'il adressait à Rome, en particulier pour l'établissement d'un évêché en Nouvelle-France.

Déjà, le 26 août 1664, — trois semaines avant la première érection de la cure, — Mgr de Laval avait demandé aux cardi-

---

12. «L'acte est perdu», écrit Baillargeon (*op. cit.,* 63, note 94), «mais il est mentionné [dans un contrat du] 29 octobre 1686» (ASQ, Séminaire 1, 45); cela est vrai, mais il eût été préférable de citer plutôt la mention (beaucoup plus explicite) que fait Mgr de Laval lui-même de l'acte d'érection de 1670 dans celui du 14 novembre 1684: «parochiam in nostra Ecclesia Cathedrali ad altare deo sub Invocatione Sanctae familiae consecratum Ereximus et Instituimus per publicum Instrumentum anno christi millesimo sexcentesimo septuagesimo...» (ASQ, Paroisse de Québec, 24).

13. C'est la date que donne le fichier des ASQ; mais le document porte celle du 30 octobre 1678 («tertio Calendas Novembreis [sic]...»). ASQ, Paroisse de Québec, 22.

14. D'ailleurs représenté par trois prêtres de Québec, MM. de Bernières, de Maizerets et Dudouyt (ASQ, Séminaire 2, 57).

15. Baillargeon, *op. cit.,* 63.

naux de la Propagande la création d'un diocèse à Québec[16].
En novembre 1665, puis en octobre 1666, il renouvelait, tant
au pape qu'à la Propagande, la même requête, faisant également part de son désir que fût confirmée l'union du Séminaire
des Missions étrangères à la cure[17]. Il eut, en 1667, la joie de
recevoir du cardinal Antonio la nouvelle que la Propagande
jugeait opportun d'élever l'église de Québec au rang de cathédrale; en septembre, il remercia les cardinaux avec effusion,
tout en rappelant la nécessité de créer un évêché en Nouvelle-
France et d'unir la cure au séminaire qu'il avait formé, à Québec, de prêtres du séminaire de Paris[18]. En fait, si la Propagande avait, par décret du 15 décembre 1666, accepté l'établissement de l'évêché que sollicitaient Louis XIV et Mgr de
Laval[19], l'affaire tourna court. Le pape Clément IX
approuva, en mai 1668, l'élévation de l'église paroissiale de
Québec au rang de cathédrale et son union à l'évêché de Québec, et autorisa l'érection d'un chapitre[20], mais les bulles ne
furent pas expédiées, peut-être, comme le laisse entendre Mgr
de Laval, par suite de la «mort prématurée» du pape[21]. Aussi
le vicaire apostolique revint-il à la charge le 27 août 1670, solli-
citant — de Clément X, cette fois, — l'érection de l'évêché,
l'élévation de l'église paroissiale au rang de cathédrale et son
union au Séminaire de Québec[22].

Ce fut en cette année 1670, justement, que Mgr de Laval
érigea pour la deuxième fois la paroisse de Québec, dont il
confia le soin aux prêtres qu'il avait «fait venir» du Séminaire
des Missions étrangères de Paris, — c'est-à-dire au Séminaire
de Québec[23]. Le prélat savait, à ce moment-là, qu'à Rome,

16. *Altera nova position,* 99s.
17. *Ibid.*, 102, 110s.; Archives de l'Archevêché de Québec (AAQ), Copies de lettres, I,
45s., 49.
18. *Altera nova positio,* 113s.
19. Lucien Campeau, *L'évêché de Québec (1674). Aux origines du premier diocèse
érigé en Amérique française* (Québec, La Société historique de Québec, 1974), 76.
20. Ivanhoë Caron, «Inventaire des documents concernant l'Église du Canada sous le
Régime français», *Rapport de l'Archiviste de la province de Québec,* 1939-40, 208.
21. *Altera nova positio,* 122. (Traduit du latin.)
22. *Ibid.,* 121s.
23. ASQ, Paroisse de Québec, 24. — Voir, plus haut, note 12.

loin d'être enclin à confirmer l'union de la cure au séminaire, on se préparait, au contraire, à l'unir au futur évêché de Québec[24]; pour contourner la difficulté, il conçut l'idée, non plus d'unir l'église entière de Québec au séminaire, mais d'y unir plutôt la seule chapelle de la Sainte-Famille, laquelle serait, à l'intérieur de la future cathédrale, réputée chapelle paroissiale[25]. C'est pourquoi, comme l'écrit l'abbé Baillargeon, sans toutefois en fournir la raison, «la cérémonie se déroula non plus à l'autel principal, dédié à l'Immaculée-Conception [...], mais à l'autel de la sainte Famille choisie comme patronne de la paroisse»[26]. — On voit donc que ni l'objet de l'érection, ni les bénéficiaires de l'union ne furent en 1670 exactement les mêmes qu'en 1664, si bien qu'on ne peut proprement parler, en 1670, ni d'un renouvellement, ni surtout d'une confirmation de l'acte canonique de 1664. — Et si Mgr de Laval n'unit point, en 1670, la cure de Québec au séminaire de Paris, comme la première fois, ce fut uniquement parce que, Rome n'ayant pas confirmé l'«annexion» du Séminaire de Québec à celui des Missions étrangères, il eût été outrecuidant de paraître la lui imposer dans un document officiel.

Le vicaire apostolique avait vu juste: le 9 octobre 1670, à Rome, la Consistoriale publiait un décret par lequel elle approuvait l'élévation de l'église paroissiale de Québec au rang de cathédrale, sous le titre de Saint-Louis, à la condition que le futur évêché dépendît directement du Saint-Siège[27]. Le

---

24. Cela ressort de ce qui a été établi au paragraphe précédent. Voir, en particulier, la lettre de septembre 1667, les bulles non expédiées de 1668 et la lettre du 27 août 1670. — Plusieurs personnes, tant à Rome qu'à Paris, s'intéressaient aux projets de Mgr de Laval et pouvaient le renseigner sur ce qui se passait relativement à l'établissement d'un évêché à Québec.

25. Il suffit de lire l'extrait suivant, de la troisième érection, pour étayer mon affirmation: «Ideo [...] Parochiam in Ecclesiâ nostrâ Cathedrali ereximus...» (ASQ, Paroisse de Québec, 22), où Mgr de Laval affirme clairement que la paroisse est *à l'intérieur de la cathédrale*. Voir, pour ce qui est de 1670, la même affirmation (plus haut, note 12).

26. Ce dernier point est confirmé par Bertrand de la Tour, bien qu'il se trompe sur les circonstances qui amenèrent le changement de «titre» de la paroisse («Mémoires sur la vie de M. de Laval, premier évêque de Québec» [1761], dans *Altera nova positio*, 845).

27. ASQ, Chapitre, 196; voir aussi *Altera nova positio, 124*.

siège épiscopal était dès lors érigé, comme l'écrivait Mgr de Laval au pape Clément X, en 1672, et il ne manquait plus que les bulles, dont l'expédition fut retardée par le fait que, trop pauvre, le prélat n'en pouvait assumer le coût[28]. Cette affaire l'avait du reste obligé de partir pour la France en 1671, d'où il ne reviendrait au Canada qu'en septembre 1675, avec le titre de premier évêque de Québec — Rome ayant finalement consenti, sur ses instances répétées[29], à réduire les frais de chancellerie.

«Les bulles qui érigeaient l'évêché de Québec étaient au nombre de neuf»[30], toutes datées du 1er octobre 1674; l'une d'elles faisait état de l'église paroissiale de Québec: «quant à l'église paroissiale qui s'y trouve, sous l'invocation de la bienheureuse Vierge Marie et de saint Louis, [...] après en avoir supprimé et éteint le titre et dénomination d'église paroissiale, nous l'érigeons et la constituons à perpétuité en église cathédrale...»[31]. Cette manifestation de l'autorité apostolique avait pour effet d'annuler l'érection précédente de la paroisse par Mgr de Laval, de même que son union au Séminaire de Québec; mais, comme l'a judicieusement fait remarquer l'abbé Armand Gagné, Mgr de Laval ne supprima pas pour autant le titre d'église paroissiale de sa cathédrale[32]; les marguilliers en charge continuèrent de rendre leurs comptes, comme ci-devant, pour les années 1675-1678[33]; déjà curé de la paroisse, M. de Bernières le resta pendant ces mêmes années, sans renouvellement de mandat; bien plus, l'évêque de Québec écrivait au pape Innocent XI, le 13 novembre 1678, qu'il avait uni le Séminaire de Québec, dépendant de celui des Mis-

---

28. *Altera nova positio*, 124s.

29. *Ibid.*, 125, 128, 129, 129-131, 131s.

30. Armand Gagné, «Appendice: Pièces relatives à l'érection de l'évêché de Québec», dans Campeau, *op. cit.*, 95.

31. *Ibid.*, 111 (texte latin), 119 (texte français, traduction de l'abbé Armand Gagné).

32. *Ibid.*, 102. — Mgr J.-Olivier Briand en faisait aussi la remarque en 1771 (AAQ, registre C, 263).

33. Auguste Gosselin, *Henri de Bernières, premier curé de Québec* (Québec, Dussault & Proulx, 1902), 182. — Une fois au moins la reddition des comptes se fit «en la salle du séminaire» (*loc. cit.*), lequel continuait manifestement d'administrer la paroisse.

sions étrangères de Paris, à la paroisse de Québec, érigée sous le vocable de la Sainte-Vierge, et qu'il lui en avait confié l'administration[34]. Deux semaines plus tôt, en effet, — le 30 octobre 1678, — le prélat avait érigé, pour la troisième fois, la paroisse de Québec, de nouveau sous le titre de la Sainte-Famille[35].

Pour comprendre les raisons de cette troisième érection de la paroisse de Québec, il faut d'abord se rappeler que Mgr de Laval ne tint aucun compte de la «suppression» et «extinction» de la dite paroisse; puis il faut évoquer brièvement le contexte dans lequel il y procéda. Depuis le retour du prélat à Québec, en septembre 1675, le roi et Colbert, le gouverneur et l'intendant le pressaient d'ériger des cures «fixes», dont les titulaires percevraient directement les dîmes, et les considéreraient comme leurs biens propres: tout cela allait à l'encontre des conceptions de Mgr de Laval, exprimées dans l'acte de création du Séminaire de Québec et approuvées, en avril 1663, par le roi lui-même. L'évêque défendit courageusement ses positions, discuta avec les autorités coloniales, mais dut finalement céder, peu avant son départ pour la France, en novembre 1678[36]. Le même jour, 30 octobre 1678, il érigea plusieurs cures[37], «surtout d'après le désir qu'en a témoigné Sa Majesté très chrétienne, Louis XIV, roi de France», — la précision est à noter! — et «sous notre entière juridiction et celle de nos Successeurs Évêques de Québec». Dans chacune de ces paroisses, il nomma un curé («dont l'élection, la nomination, la collation et la provision appartiendra [ient] à nous et à nos successeurs»), et lui adjugea et assigna «toutes les dîmes de quelque espèce qu'elles [fussent], toutes oblations quelconques faites pendant la messe et tous les autres droits parochiaux qui pour-

---

34. *Altera nova positio,* 137.
35. ASQ, Paroisse de Québec, 22.
36. Sur cette question, voir Vachon, *op. cit.,* 48s., 51s.
37. Dont trois à la côte de Beaupré, qui furent dotées d'un régime particulier (ASQ, Paroisses diverses, 76).

r[aient] être par nous établis et réglés»[38]. À Paris, en 1678-
1679, Mgr de Laval tenta de convaincre Louis XIV et son
entourage de la justesse de ses vues; il échoua, et, par un édit
de mai 1679, le roi ordonna que «les dixmes, outre les oblations et les droits de l'Eglise», appartiendraient à l'avenir au
curé de la paroisse «où il est et où il sera[it] établi perpétuel, au
lieu du prêtre amovible qui la desservoit auparavant»[39].

Mgr de Laval n'était que vicaire apostolique quand il érigea la paroisse de Québec en 1670, comme il l'écrit lui-même
dans l'acte d'érection de 1684[40] — lequel nous éclaire sur les
raisons de la troisième érection. Or, un vicaire apostolique ne
pouvait avoir aucun sucesseur[41]. Une fois devenu évêque en
titre, il y avait donc lieu, soit qu'il y eût pensé lui-même, soit,
plus vraisemblablement, qu'on l'y eût incité[42], qu'il érigeât de
nouveau la cure de Québec, puisqu'il est du devoir des évêques, affirme-t-il, de créer des paroisses et de les pourvoir de
pasteurs, *non seulement pendant le cours de leur vie, mais*
même, quand cela est possible, à perpétuité, par la succession
ininterrompue de prêtres capables et dignes des fonctions
curiales[43]. C'est là que réside l'explication de cette troisième
érection: il eût été impensable, quand des paroisses de campagne étaient érigées de par la volonté royale et selon toutes les
exigences canoniques, que le titre de la paroisse de Québec pût

---

38. Toutes les citations qui précèdent, dans ce paragraphe, ont été traduites du latin
par Mgr H. Têtu et l'abbé C.-O. Gagnon, *Mandements des évêques de Québec,* I (Québec,
1887), 49s.

39. ANQ-Q, Ins. Cons. souv., I, 79s.; *Édits, ord.,* I, 231-233.

40. ASQ, Paroisse de Québec, 24. — L'acte d'érection de 1678 ne comporte aucune
justification (*ibid.,* 22).

41. «La qualité de Vicaire Apostolique, par elle-même, & par sa nature, ne comporte
pas qu'on puisse y attacher aucun droit réel & perpétuel; ce n'est pas un titre, mais une simple
commission passagère, [...] dans laquelle on ne succède proprement à personne, & l'on n'a
aucun successeur.» (ASQ, Séminaire 1,7.)

42. Du moins trouve-t-on, dans l'acte d'érection, la formule suivante: «accedente
preasertim desiderio Christianissima Majestatis» («pour répondre au désir de Sa Majesté
Très Chrétienne»). — Il semble que, pour l'érection de la cure de Québec, dotée d'un curé
amovible et unie au Séminaire de Québec, selon son désir, Mgr de Laval aurait pu se dispenser
de cette précaution, qui s'appliquait mieux dans les autres cas d'érections. C'est pourquoi je
crois vraisemblable que l'on ait exercé quelque pression sur lui, le prélat étant, du reste, très
souvent oublieux quand il s'agissait de formalités juridiques.

43. ASQ, Paroisse de Québec, 24. (Traduction large du latin.)

être contesté. — Quant aux autres dispositions de cet acte, il unissait la cure au Séminaire de Québec, habilitait le supérieur de cette institution à nommer ou à démettre le curé[44], et assignait à ce dernier et aux autres prêtres (du séminaire) les dîmes et oblations diverses.

Reste la quatrième érection, la plus facile à expliquer. Le 6 novembre 1684, Mgr de Laval avait officiellement créé le chapitre de Québec, entièrement formé de prêtres de son séminaire[45]. Or, en vertu d'une des bulles publiées par Clément X pour l'érection de l'évêché de Québec, l'évêque devait veiller «à ce que la desserte des âmes de l'église paroissiale supprimée [fût] assurée par l'actuel recteur [curé], sa vie durant[46] [...], et, après sa mort, par le détenteur d'une dignité, d'un canonicat ou d'une prébende de ladite église de Québec, ou par un autre prêtre de la même église, approuvé par [l'évêque], l'un alternant avec l'autre toutes les semaines, ou encore, de la façon qui paraîtra[it] la plus appropriée à l'évêque»[47]. C'est ainsi que, aussitôt nommés, les chanoines se trouvèrent chargés «par tour» (c'est-à-dire à tour de rôle) de la desserte de la paroisse; or, le 13 novembre 1684, — une semaine exactement après son établissement, — alléguant que «le petit nombre des Dignitez Chanoines prebendez et austres prestres de la ditte Eglise Cathedrale» était «incompatible avec l'assistance assiduë qu'ils [devaient] aux divins offices et avec L'administration du Spirituel et du temporel du dit Chapitre», celui-ci démissionnait tout bonnement de la cure de Québec[48]. Officiellement, la paroisse n'avait plus de desservants; dès le lendemain, 14 novembre, l'évêque l'érigeait de nouveau, à seule fin d'en confier l'administration au Séminaire de Québec, qui

---

44. Bien qu'en note il réfère le lecteur au seul acte de 1684, Baillargeon, par sa façon de s'exprimer, laisse croire que, dès 1678, la nomination et la destitution du curé appartenaient au supérieur «avec son conseil», ce qui n'était pas le cas (*op. cit.*, 64).

45. ASQ, Séminaire 15, 37; *Mandements des évêques de Québec,* 1, 129-133.

46. Le curé, M. de Bernières, ayant été nommé doyen du chapitre, cette clause n'eut, dans les faits, aucune incidence.

47. Gagné, *op. cit.*, 112 (texte latin), 120 (traduction par l'abbé Gagné).

48. ASQ, Paroisse de Québec, 23; voir aussi ASQ, Chapitre, 207.

en recevrait tous les revenus et dont le supérieur, avec son conseil, nommerait et remplacerait, le cas échéant, le curé, qui ne
pourrait «résigner» son office ou «en disposer» que par «une
démission pure et simple entre les mains du dit supérieur»[49].
— Cette dernière érection de la paroisse de Québec fut confirmée par le roi, dans ses lettres patentes (d'une portée plus
générale[50]) d'octobre 1697[51].

Si je me suis attardé à débrouiller cette question de la quadruple érection de la cure de Québec, c'est parce que, d'une
part, personne, jusqu'ici, n'y était parvenu[52], et que, d'autre
part, l'union de la «cure et paroisse» au séminaire était une
partie essentielle du plan de Mgr de Laval de bâtir son Église
autour du Séminaire de Québec.

Mgr de Laval, en effet, considérait l'église paroissiale et
cathédrale de Québec comme un lieu privilégié où les séminaristes pouvaient se préparer à l'exercice des fonctions ecclésiastiques, ainsi qu'il l'expliquait au pape au mois de novembre 1665[53]. Le 9 juin 1687, encore, il écrivait de Paris, à ses collaborateurs du Séminaire de Québec, qu'il avait «toujours
envisagé» la cure de Québec «comme Le plus Important et
absolument necessaire pour Leducation des enfans»[54].

---

49. ASQ, Paroisse de Québec, 24.

50. Il y est aussi question des relations du chapitre avec l'évêque (Mgr de Saint-Vallier)
et du partage des revenus des abbayes de France assignées à l'Église canadienne.

51. ASQ, Séminaire 15, 57.

52. Parlant de la paroisse de Québec, l'abbé Honorius Provost, par exemple, écrit
qu'«elle ne reçut sa première érection officielle que le 15 septembre 1664. Nous disons bien,
ajoute-t-il, sa première érection. Car, pour étrange que cela puisse être, on ne reconnaît pas
moins que [sic] trois autres érections postérieures de la même cure, faites par Mgr de Laval
[...]. Les raisons de cette multiplication demeurent assez obscures.» («Le système des cures
au Canada français», *Rapport* de la Société canadienne d'histoire de l'Église catholique,
1947-48, 22.)

53. *Altera nova positio,* 102.

54. ASQ, Lettres N, 87, p. 7. — S'il fallait y insister, un document de 1693, de la main
de M. de Maizerets, apporterait une preuve supplémentaire: «Monseigneur L'ancien [Laval]
considerant que [...] il falloit une eglise au seminaire pour y faire ses fonctions, et former Les
Jeunes ecclesiastiques, fist l'union de la Cure au seminaire» (ASQ, Paroisse de Québec,
128a).

Tout se tenait dans le grand projet du vicaire apostolique, tout y était organiquement lié. On le verrait mieux encore peu après la fondation du petit séminaire, en 1668. La cure de Québec, en tout cas, ne serait pas moins essentielle à la formation des «enfans» qui le fréquenteraient qu'à celle des clercs du grand séminaire, inauguré dès 1663.

André Vachon

Deux colons célibataires
des débuts de la colonie

Par RAYMOND DOUVILLE, S.R.C.

Les historiens, et davantage les généalogistes, s'intéressent bien peu à la vie des célibataires qui ont vécu en Nouvelle-France à l'époque de la colonisation. Sauf quand il s'agit de personnages de premier plan, comme l'intendant Talon, ou de ceux qui ont alimenté les scandales libertins ou financiers et en ont laissé des traces dans les familles et dans l'histoire officielle.

Les autres ne retiennent pas l'attention et sont laissés à l'écart, parce qu'ils n'auraient pas participé à la prospérité démographique.

Tout de même, ne méritent-ils pas mieux que l'oubli complet? N'ont-ils pas droit à plus de considération? N'ont-ils pas, eux aussi, participé à leur façon, discrète et laborieuse, à l'épanouissement et à l'enrichissement de la colonie?

La petite histoire au moins ne doit-elle pas leur rendre justice et conserver leurs noms? Cette petite histoire, si souvent décriée parce qu'on la dit cachotière et mystérieuse, mais qui recèle la chair toujours vivante des générations humaines, et sans laquelle les historiens ne peuvent que grignoter péniblement les faméliques ossements qu'offrent à leur appétit les documents publics.

Tout ce préambule pour en arriver à dire que c'est de la bien petite histoire que je veux ici raconter. Tellement infime et pâle que peut-être elle n'intéresserait personne, si elle ne nous apprenait dans son indiscret babillage, entre autres détails pittoresques, que le premier marguillier de la paroisse de Grondines était d'origine protestante et que l'autre célibataire a bien failli épouser une future criminelle.

En histoire, comme en amour et en bien d'autres domaines, il ne faut jurer de rien.

Voici donc le récit de l'humble vie de deux paysans célibataires des premières années de la colonie. Thimothée Josson, originaire de l'Aunis. Et Jacques Loyseau dit Grandinière, natif de Tourouvre, au Perche.

Le premier cherchait la sérénité de la vie dans la solitude, une solitude qui le fuyait toujours. Le second voulut à trois reprises s'unir, comme la plupart de ses compagnons, à des «Filles du Roy». Toutes trois l'abandonnèrent. Puis il se résigna.

L'évocation de leur modeste existence nous permet d'entrer plus intimement dans l'atmosphère de leur époque.

THIMOTHÉE JOSSON

De tempérament solitaire, fuyant sans cesse, comme un ermite, le monde civilisé, il nous a fourni peu de renseignements sur ses origines. Trop peu du moins pour satisfaire notre curiosité. Nous nous contenterons donc de relater ce que nous avons pu apprendre de sa vie en Nouvelle-France où il passa les trente dernières années de sa vie.

Nous savons seulement qu'il était originaire de Marennes, en Aunis, de religion protestante et charpentier de moulins. Son âge même, tout comme la véritable orthographe de son nom, car il était illettré, reste imprécis. Au recensement de 1681, il déclare avoir trente-six ans, donc né en 1645. Son acte de sépulture à Batiscan en 1699 le dit âgé de soixante-six ans, donc né en 1633. Peu après son arrivée au pays, il abjure à Québec le 25 juin 1669, devant le représentant de l'évêque, l'abbé Jean Dudouyt, avec comme témoins Philippe Loignon, domestique chez le conseiller Mathieu Damours, et Louis Palardy, serviteur chez les pères Jésuites. En 1676, il sera confirmé à Grondines en même temps que quelques habitants de l'endroit. Ses concitoyens le nommèrent l'un des deux premiers marguilliers de la seigneurie. Il abandonna après deux ans. Sa soif de solitude le hantait toujours.

On le verra toujours en quête d'endroits encore inhabités.

À son arrivée au pays, il accepte d'aller s'établir dans la seigneurie de La Poterie, que Jacques LeNeuf avait obtenue avant sa venue au pays en 1636, par l'entremise de son beau-frère Pierre LeGardeur de Repentigny. Ce dernier est membre de la compagnie des Cent-Associés, qui cherche pour la colonie naissante des recrues de choix. Cette proposition décide Jacques LeNeuf à émigrer avec toute sa famille, son épouse Marguerite LeGardeur, sa fille Marie, encore au berceau, sa vieille mère Jeanne LeMarchand, son frère aîné Michel et sa sœur Marie. On sait que ce groupe deviendra l'un des plus importants du bourg de Trois-Rivières. Ces détails sont bien connus.

Dès son arrivée, Jacques LeNeuf fait preuve de détermination et s'empresse de mettre en valeur sa seigneurie. Il s'y fixe sans tarder avec sa femme et son enfant et s'emploie à attirer quelques colons. Le père Vimont, qui l'y trouve en 1640, écrit dans sa *Relation: «Nous arrivasmes hier sur le midy chez monsieur de La Poterie. Nous n'en pourrons partir que ce jour d'huy pour ce que nos matelots ont laissé échoué notre chaloupe trop haut...»*

Mais la menace iroquoise oblige bientôt la famille LeNeuf à se réfugier à Québec où les religieuses de l'Hôtel-Dieu lui procurent secours. Nous trouvons ces lignes à ce sujet dans *Les Annales de l'Hôtel-Dieu* pour 1646: «*Mr. de la Poterie, qui demeurait à Portneuf, fut aussy effrayé du bruit et des menaces que faisaient les Iroquois. Il crut qu'il serait plus en sûreté à Sillery, et madame son Épouze nous en ayant fait parler, nous consentîmes bien volontiers qu'ils y vinssent, et nous leur fîmes faire une petite maison à nos frais, où ils descendirent l'automne. Nous leur donnâmes aussy de la farine pour l'hyver, que nous passâmes bien tranquillement.*»

Jacques LeNeuf et son épouse sont énergiques. Ils vont d'ailleurs le démontrer tout au long de leur vie. Aussi retournent-ils sur leur fief qu'ils veulent à tout prix développer et y attirer des colons. En 1646 LeNeuf engage Gilles Trottier, originaire d'Igé, un compatriote percheron nouvellement arrivé avec son épouse Catherine Loyseau, pour développer le domaine. Le contrat d'engagement est de sept ans. Mais cette nouvelle famille doit bientôt fuir devant la menace iroquoise et gagne Trois-Rivières où Jacques LeNeuf est déjà rendu et dont, grâce à ses influences, il est gouverneur depuis 1645. En 1649, nouvelle tentative de peuplement. LeNeuf conclut un marché avec le charpentier Paul Chalifour pour la construction d'un moulin seigneurial. On ignore si ce moulin fut jamais construit, car les colons ne viennent toujours pas, par crainte toujours des invasions iroquoises. En 1668, lorsque les autorités lui demandent, comme aux autres seigneurs, l'état de sa seigneurie, il pourra répondre qu'il a dû quitter les lieux parce que ses bâtiments ont été brûlés par les Indiens, *«en quoy il a souffert de notables pertes qui luy coûtent beaucoup à rétablir présentement...»*

Il est devenu un notable de Trois-Rivières. Mais son but tient toujours. En 1666 lorsqu'il se rend en France pour faire confirmer les titres de noblesse auxquels il croit avoir droit, il profite de son passage à La Rochelle pour recruter des émigrants auxquels il offre gratuitement des concessions sur ces terres, particulièrement à La Poterie.

C'est ainsi qu'arrivent les premiers véritables concessionnaires de la seigneurie de Portneuf. Ils ont noms Michel Goron, François Couillard, Pierre Tousignant, Hilaire Frapier, Gilles Masson, Jean Catelan et Thimothée Josson.

Ce don gratuit d'une terre est, comme nous le disions plus haut, une véritable aubaine pour ces jeunes gens avides de liberté et que tente l'aventure dans un pays nouveau. Sans doute avaient-ils, au cours du long voyage sur l'océan, fait la connaissance de jeunes «Filles du Roy» allant elles aussi à l'aventure.

Quoi qu'il en soit, les mariages ne tardent pas. L'enthousiasme est tel que la plupart des nouveaux concessionnaires de La Poterie s'unissent à ces jeunes filles avant même d'aller prendre possession de leur bien. Eux obtiennent un lopin de terre gratuit, et elles, bénéficient d'une dot, si mince soit-elle.

Le premier de ces mariages inopinés, car on peut les appeler ainsi, a lieu le 14 octobre 1668. Il unit Hilaire Frapier, de La Rochelle, et Rose Petit, native de Paris, en l'étude du notaire Jean Leconte. Puis, le 17 suivant, le notaire Romain Becquet enregistre trois mariages de nos futurs colons. François Couillard, également de la région de La Rochelle, a fixé son choix sur une «jeune fille de distinction», Esther d'Annesy de Longchamp, qui se dit native de la ville de Namur, en Flandre. Pierre Tousignan, originaire de Blaye, près de Bordeaux, épouse Marie-Madeleine Philippe, de Paris. Puis une autre parisienne, Jeanne-Marie Gauthier, accepte de s'allier à Gilles Masson, originaire du Poitou. Et deux jours plus tard, le 19 octobre, le notaire Pierre Duquet unit Michel Gorron, venu du Poitou comme Gilles Masson, à une autre parisienne, Marguerite Robineau. Tous sont témoins les uns aux autres. Jacques LeNeuf est également à Québec à cette date, car il est présent au mariage de François Couillard, de même que l'intendant Talon.

Que devient Josson pendant ce temps? Son nom n'apparaît dans aucun de ces contrats de mariage. Peut-être que sa mentalité rigide d'adepte de la religion réformée jugeait simoniaque ces unions spontanées unissant pour la vie des êtres qui ne se connaissaient que depuis peu et, croyait-il, uniquement attirés par le désir charnel. Aveuglés aussi par cette liberté qui soudain s'offrait à eux dans un pays inconnu où tout leur était permis. Ou tout simplement voulait-il rester libre de toute attache.

D'autre part, les autorités officielles approuvaient par leur présence de telles unions. Le gouverneur Remy de Courcelle, le marquis de Tracy, l'Intendant Talon avaient assisté le 17 juillet précédent au mariage de Jacques Dubois, d'Angoulème, avec Marie Girard, de Niort. À l'occasion ils agissent ainsi pour d'autres, comme encouragement.

1ère étape: La Poterie (Portneuf)

Quant à Josson, il a déjà gagné son lot à La Poterie, et s'est mis à l'œuvre. Deux ans plus tard, quand il quittera la seigneurie, il pourra déclarer qu'il possède une maison et une grange et huit arpents défrichés. Car il part, trouvant déjà trop bruyant le voisinage des couples qui ne cessent de recourir à son habileté de charpentier et qu'il a aidés à se bâtir et à emménager.

Et voici qu'une autre raison plus capitale l'incite à partir au plus tôt. Il a appris que Jacques LeNeuf est sur le point de céder sa seigneurie à son gendre, René Robineau, et que ce dernier a l'intention de s'y fixer avec sa famille et d'y attirer d'autres colons.

Sans plus tarder, Josson décide de se rendre à Trois-Rivières. Le 21 mars 1671, en l'étude du notaire Ameau, il passe un contrat par lequel il remet sa concession au seigneur Jacques LeNeuf. Il ne fournit pas les motifs de sa décision, mais l'acte nous apporte tout de même quelques précisions. La concession qui lui avait été accordée verbalement et n'avait jamais été entérinée, pas plus d'ailleurs que celles de ses compagnons, a trois arpents de front sur quarante de profondeur, le long de la petite rivière Sainte-Marguerite, avoisinant la concession de François Couillard. C'est alors qu'il déclare *«avoir environ huit arpents de bois abattu, avec une maison et une grange basties dessus... Aux conditions que le Sr de la Poterie le tienne quitte de tout qu'il luy a avancé jusques à ce jour d'huy tant vivres qu'en autres choses...»*

Nous apprenons ainsi que le seigneur LeNeuf a pris soin de munir ses premiers concessionnaires de la subsistance nécessaire à leur établissement. Nous pouvons relever d'autres exemples.

Ainsi le notaire Romain Becquet a enregistré un acte, le 12 octobre 1669, par lequel François Couillard et son épouse Esther Dannesé, qui se disent encore «habitants demeurant à La Poterie», reconnaissent devoir au seigneur Jacques LeNeuf la somme de trois cents quatre-vingt-et-une livres tournois pour diverses marchandises précédemment reçues. Parmi celles-ci nous relevons deux barriques d'eau-de-vie, deux barriques de vin, deux barriques de farine et treize minots de blé froment. Les époux hypothèquent en garantie «leurs biens meubles et immeubles présents et advenir». Quant à un autre concessionnaire de la première année, Hilaire Frapier, qui a quitté les lieux peu après, il reconnaît dans un acte du notaire Duquet le 10 avril 1680 devoir encore à Jacques LeNeuf la somme de 160 livres «pour marchandises à luy fournyes il y a treize ou quatorze ans...»

2e étape: Grondines

Josson gagne la seigneurie de Saint-Charles-des-Roches (Grondines), encore inexploitée et appartenant aux religieuses Hospitalières de l'Hôtel-Dieu. Son contrat de concession est daté du 4 juillet 1671, soit moins de quatre mois après sa démission à La Poterie.

Le 7 juillet suivant, Jacques LeNeuf cédait sa seigneurie à son gendre et à sa fille Marie LeNeuf, où les retrace le recensement de 1681 avec leurs neuf enfants et de nombreux domestiques et colons.

Pour la passation de son contrat à Saint-Charles-des-Roches, Josson doit se rendre au parloir des Religieuses à Québec, où l'accueillent derrière la grille de leur cloître les autorités de la maison: La Supérieure, Mère Marie-Renée de la Nativité, et ses adjointes dont on retrouve les signatures au bas du contrat rédigé par le notaire Gilles Rageot: Anne de St-Bernard, Marie de St-Augustin, Marie de St-Bonaventure. Jeanne Agnès de St-Paul. Quant à l'humble colon, il déclare ne savoir écrire ni signer.

La concession qui lui est accordée comprend quatre arpents de front et quarante de profondeur dans les terres «en nature de hault bois», entre François Couillard et Jean Catelan, qui s'y étaient aussi installés sans attendre leur contrat de concession. Ce qui d'ailleurs ne tarda pas, car Josson donnait l'exemple de posséder un contrat en bonne et due forme, pour éviter des complications possibles.

Puis voici que les autres colons de la Poterie viennent tous l'un après l'autre les rejoindre avec leur famille dans cette nouvelle seigneurie: Michel Goron, Pierre Tousignant, Gilles Masson, Jean Hébert. Aucun d'eux ne veut être sous la tutelle du nouveau seigneur, qui a la réputation d'être autoritaire, arriviste et arrogant, tout comme les petits seigneurs de France. Seul Jean Catelan y retournera quelques années plus tard.

Bientôt Josson se rend compte qu'il n'a pas encore la paix. Chez ces nouveaux colons, des enfants naissent et créent de nouvelles obligations. De plus, des événements turbulents se produisent. L'harmonie ne règne pas toujours entre ces couples. Dès 1673 Michel Goron assaille à coups de bâton sa voisine Marie-Magdeleine Philippe, épouse de Tousignant, et à la suite d'un tumultueux procès il est écroué à la prison de Québec. Environ deux ans plus tard, les deux couples en viennent encore aux coups. Ces événements ont déjà été racontés dans diverses études. Nous ne les notons ici que parce que Josson en fut témoin, dût se déplacer pour fournir son témoignage, être assermenté. Bref, se plier au protocole et aux exigences des officiers de la justice.

Et lui qui cherche la tranquillité!

3e étape: Lotbinière

Cette tranquillité, il croit pouvoir la trouver de l'autre côté du fleuve, presque en face de Grondines. Seul s'y rend les mois d'été un colon de Batiscan, Michel LeMay. Il vient y pêcher l'anguille, abondante à cet endroit et dont il fait un fructueux commerce; il s'y est bâti une rustique cabane pour y passer les nuits, se nourrir et s'abriter lors des intempéries. Josson se rend souvent le voir. Ils échangent leurs projets d'avenir. Derrière une haute falaise, s'étend une région encore sauvage, inexploitée. LeMay possède à Batiscan une concession où sont logés sa femme et ses enfants. Mais la Pointe Platon, comme on appelle cet endroit, le tente bien et de plus en plus il est décidé à s'y établir. Il s'y fait accorder une concession en 1673 par le seigneur Chartier de Lotbinière à qui la seigneurie appartient et où il n'a jamais mis les pieds.

Josson songe à l'y rejoindre. Mais il lui faut auparavant disposer de ce qu'il possède à Grondines. Pendant ce temps, d'autres colons d'abord établis à La Poterie et qu'il connaît bien vont eux aussi gagner les terres de Lotbinière avec leur famille naissante. Puis d'autres encore, venus on ne sait d'où, s'y établissent même sans concession officielle. Et la rumeur veut que le seigneur lui-même a déjà choisi le site de son manoir seigneurial. A-t-il l'intention d'y résider ou d'y placer un régisseur?

Pour Josson, le problème est le même que celui qui lui a fait quitter la seigneurie la Poterie. Il n'aura pas encore la quiétude rêvée. Il cherche ailleurs. La seigneurie voisine, Deschaillons, est encore vierge de colons et on ignore même encore le nom de son titulaire. Il la visite et choisit l'endroit où il s'établira, éventuellement, au confluent du fleuve et de la rivière Du Chesne, endroit paisible. Mais il hésite à s'y établir seul, car il sera loin de toute habitation et la solitude, avec l'âge, commence à le faire réfléchir.

4e étape: de nouveau Grondines

Il a conservé sa concession de Grondines. Ses voisins et premiers compagnons, François Couillard et Michel Gorron, s'en occupent pendant ses absences, surveillent ses semences, prennent soin des bêtes. Quand il revient y séjourner, il réfléchit à sa véritable destinée. Ce qui l'amène à s'intéresser à la vie sociale de ses compagnons de la première heure qui, péniblement, accomplissent leur besogne quotidienne. Ne leur doit-il pas un peu d'estime et de dévouement? Il en arrive à s'en convaincre et décide de prendre une part plus active à la vie communautaire.

Il est resté profondément pieux et charitable, relent sans doute de son ancien culte. Il accepte volontiers d'être parrain comme, par exemple, d'un fils de Michel Goron, dont nous parlons plus loin. En 1674, il est au nombre de ceux qui réclament et obtiennent un moulin seigneurial. La construction est confiée au spécialiste Pierre Mercereau et sera prêt à fonctionner dès l'automne 1675; il appuie la demande d'un arpenteur Jean Guyon qui, le 25 août, en dresse le procès-verbal. En 1676, monseigneur de Laval se rend à Grondines pour administrer le sacrement de confirmation. Josson est au nombre des huit confirmés. Puis, en 1678, il est au premier rang des censitaires qui envoient à l'évêque une pétition pour demander un curé résident, promettant de recueillir par cotisation une somme de trois cents livres, les colons fournissant «selon leurs ressources». Cinq d'entre eux promettent chacun dix-sept livres. Josson est du nombre. Ce qui lui vaut d'être choisi premier marguillier, l'autre étant Louis Hamelin, qui a remplacé François Couillard comme procureur fiscal de la seigneurie et rêve déjà de l'acquérir.

Au terme suivant, Josson est remplacé comme marguillier par Jean Hébert. Il mijote encore d'autres projets.

5e étape: Deschaillons

Le 17 février 1679, il vend sa concession de Grondines à Jacques Aubert qui deviendra seigneur de l'endroit en 1683. Aubert est pour lui un ami fidèle et il le lui rend bien. Le 7 août suivant il est présent au contrat de mariage de Louis Hamelin avec Antoinette Aubert, fille de Jacques. Il figure comme témoin de cette dernière. Il a gardé un pied à terre à Grondines, car il est signalé à cet endroit au recensement de 1681, alors qu'il déclare (ou fait déclarer) avoir deux fusils, une bête à cornes et quinze arpents défrichés.

Mais déjà il a choisi d'aller vivre à Deschaillons. Le 24 août 1679, quelques mois à peine après sa vente à Jacques Aubert, il obtient, devant «Maistre Pierre Mesnard, notaire du bourg et seigneurie de Saint-Ours», un contrat de concession de M. de Saint-Ours, seigneur des terres de Deschaillons, d'une terre de sept arpents de front sur quarante de profondeur, «tenant d'un côté vers la petite rivière Du Chesne et d'autre au sorouest aux terres de M. de St-Ours non encore concédées.» (Reg. des Insinuations, T-Riv.)

, L'isolement commence toutefois à inquiéter sérieusement cet anachorète qui s'en va péniblement vers les cinquante ans et qui, les mois d'hiver, ne peut rester seul. Trouverait-il un ancien compagnon de La Poterie qui accepterait d'aller le rejoindre, et coloniser comme lui le pittoresque territoire de la rivière Du Chesne? De François Couillard il n'en est pas question, trop préoccupé par ses propres affaires. Jean Catelan est retourné à la seigneurie de La Poterie et est devenu l'homme de confiance du nouveau seigneur. Gilles Masson a d'autres obligations et aussi d'autres ambitions. Il est encore en charge du moulin seigneurial et déjà il rêve d'aller coloniser la seigneurie Becquet, elle aussi vierge encore de colons.

C'est finalement Michel Gorron, son ami des bons et des mauvais jours, qui se décidera à le suivre. Josson a été parrain d'un de ses fils. De plus il aime lui aussi le risque, la liberté. Ils discutent de la proposition au cours de l'année 1681, car tous deux sont encore inscrits comme demeurant à Grondines au recensement de cette année. Gorron a trois enfants, et déclare six arpents défrichés et trois bêtes à cornes. Josson inscrit pour sa part deux fusils, une seule bête à cornes et quinze arpents en culture.

Pendant que se déroulent ces événements, un contretemps se présente qui va tout modifier. Louis Hamelin, à qui son beau-père, Jacques Aubert, vient de ravir de justesse la seigneurie de Grondines, veut à tout prix son fief à lui et va s'installer comme s'il s'agissait de son bien propre, à la rivière Du Chesne, sachant que le seigneur de l'endroit, M. de Saint-Ours, ne s'y rend jamais et qu'il possède une autre seigneurie dans la région du Richelieu. Hamelin s'en voit déjà le seigneur. Or Josson connaît son caractère ambitieux et autoritaire et se doute bien que s'il tombe sous sa tutelle, il n'aura pas encore la liberté.

Alors il prend une décision radicale. Il ne retournera pas à Deschaillons. Le 28 octobre 1681, il achète une concession à Batiscan. Pour ne pas berner son ami Gorron, toujours décidé à aller s'installer à Deschaillons, il lui fait don de sa concession qu'il a obtenue du seigneur de Saint-Ours plus de deux ans auparavant, et ce à des conditions bien humanitaires: «...À la charge que le dit Gorron, luy et ses hoirs payera tous les ans aud. Josson pendant sa vie deux cents d'anguilles payables par chaque an au jour et feste de Saint-Michel... Ladite donnation ainsy faicte pour les bons et utiles services que led. Gorron luy a toujours rendus et portés et qu'il luy continue journellement...»

6e étape: Batiscan

Sa concession de Batiscan, Josson l'a achetée de Nicolas Gastineau-Duplessis. Elle est située entre celles de Jean Moreau et de Robert Rivard-Loranger. Josson déclare la bien connaître «pour l'avoir vue, visitée et marchée.» Elle est de deux arpents de largeur sur quarante arpents de profondeur, sept arpents défrichés et *en valeur,* avec grange, maison et étable. Le prix convenu est neuf cents livres, dont Josson paiera huit cents livres «dans quatre jours en or ou argent», provenant en grande partie de sa vente de Grondines à Jacques Aubert. La concession est hypothéquée envers Charles Aubert de la Chesnaye, mais Josson n'y est pas impliqué car Aubert de la Chesnaye a tout prévu et récupéré son dû lors du paiement. L'autre cent livres servira à payer divers frais, au voisin Jean Moreau d'abord, qui prenait soin de la ferme, et à quelques employés temporaires.

Josson a donc une ferme complète, entièrement payée, avec bâtiments et animaux. Il apprécie sans doute sa décision car c'est trois mois plus tard qu'il fait don de sa concession de Deschaillons à Michel Gorron, et qu'il lui confirmera en 1687 chez le notaire Michel Roy.

Mais il est seul. Et il prend de l'âge. Ses voisins veulent bien le seconder à l'occasion, mais eux aussi ont leurs besognes. Tous estiment cet homme solitaire qui les intrigue. Il se mêle à leurs réunions. Ainsi il est présent à l'assemblée des habitants en 1682 pour la répartition des dîmes. Il revoit de temps à autre son ami Gorron et lui fait part de ses problèmes. Un accord est conclu entre eux. Le 4 juillet 1684, Josson passe un contrat devant le notaire Antoine Adhémar par lequel il fait don de tous ses biens à son filleul Gilles Gorron *«qu'il a cy-devant adopté pour son fils et mis au nombre de sa famille...»*

L'adolescent va rejoindre à Batiscan son père adoptif et le seconde dans ses travaux quotidiens. Mais il meurt subitement à dix-huit ans et il est inhumé le 9 novembre 1687 dans le cimetière de Batiscan. Michel Gorron accepte que son autre fils aille remplacer le défunt. Mais lui aussi est de santé fragile et ne peut être d'une grande utilité. Il sera inhumé à son tour au même endroit le 7 octobre 1698 à vingt-deux ans.

Josson ne peut plus compter sur aucune aide. Il cède sa ferme à son voisin Jean Moreau qui veut y établir son fils Joseph et l'empêcher par ce moyen de continuer à courir les bois. Josson se réserve un logis dans la maison et *«l'usage de deux bœufs pour traîner son bois de chauffage»*. Mais il cherche un autre endroit où se réfugier les mois d'hiver, car le fils Moreau ne s'occupe pas de la ferme.

Comme à Grondines, Josson a voulu dès son arrivée à Batiscan collaborer à la vie communautaire. Nous avons déjà signalé qu'en 1682 il a offert spontanément son appui à la formation d'un embryon de vie religieuse. Dans tous les foyers il est accueilli avec sympathie, même s'il s'y mêle une certaine curiosité. Les Rivard particulièrement l'estiment et l'immiscent dans leur vie familiale. Ainsi il est présent le 22 décembre 1695 au contrat de mariage du sergent François Dumontier avec Marie-Anne Rivard, événement qui réunit quelques-unes des plus hautes personnalités de la colonie et dont on voit les élégantes signatures au bas du contrat soigneusement rédigé par le notaire François Trotain. Il sera aussi témoin au mariage de Jean Trottier avec Magdeleine Rivard. Il accepte aussi à l'occasion d'être parrain dans les familles de son voisinage.

C'est ainsi qu'il en arrive à trouver un refuge accueillant où il acceptera de terminer sa vie terrestre.

Nicolas Pot, un vieux colon de l'endroit, possédait une concession avoisinant la ferme du notaire Charles LeSieur. Après sa mort, en 1691, son épouse Suzanne Nepveu, originaire de Québec, retourna vivre dans sa ville natale où elle épousa Jean De Vin. La ferme échut en héritage aux enfants, encore trop jeunes pour la cultiver et que le notaire LeSieur prit à bail. Josson acheta un arpent avoisinant la terre du notaire. Ce dernier étant décédé subitement, sa veuve, Françoise de Lafond se chargea d'héberger le pauvre célibataire jusqu'à la fin de sa vie.

Et c'est au domicile de la veuve LeSieur qu'il mourut le 6 mai 1699, après avoir, note le registre paroissial, «*reçu les sacrements de Pénitence et d'Extrême-Onction.*»

Il est donc décédé en paix avec sa conscience, et bien soigné dans les derniers mois de sa vie, car il nomma sa logeuse, Françoise de LaFond, son exécutrice testamentaire.

L'inventaire et la vente de ses biens eurent lieu les 12 et 14 juin par le notaire Daniel Normandin, sur l'ordre du *juge Prevost* de Batiscan, Guillaume de La Rue. Les effets sont minutieusement détaillés. Il possédait entre autres un coffre «*de bois de chesne fermant à clé*», quelques habits et chemises, «*un chaudron pour faire la lessive*», une marmite, une poêle à frire, une huche de bois de pin, une cassette «fermant à clé» dans laquelle se trouvait la somme de soixante-six livres, seize sols, huit deniers. Jean Collet déclare qu'il a chez lui «un lit de plume avec son traversin» appartenant au défunt. Le soldat Bruslé dit Francœur a pour sa part deux draps de lit. Anthoine Lescuyer lui a emprunté une camisole et une paire de culottes d'étoffe qu'il déclare appartenir aussi au défunt.

Il possède d'autres biens. Ainsi Joseph Moreau ne lui a encore rien donné de l'achat de la ferme, soit deux mille livres, non plus que les intérêts. Quelques effets sont vendus à l'enchère et rapportent la somme de 271 livres, 5 sols.

Le 16 juin se présente au logis de la veuve LeSieur le Père François Vaillant, procureur des Jésuites lesquels, comme on sait, sont les seigneurs de Batiscan. Le Père Vaillant déclare que comme il semble que le défunt ne laisse aucun héritier, ses biens appartiennent aux propriétaires de la seigneurie, comme le veut la loi. Si plus tard un héritier légitime se présente, ces derniers lui remettront l'héritage.

Personne ne s'objecte à cette intervention, qui semble légale. Toutefois les officiers chargés de la liquidation des biens veulent bien récupérer leurs honoraires. Ce que le Père Vaillant accepte volontiers. Tout d'abord la veuve Le Sieur réclame pour son trouble et aussi les soins donnés au défunt pendant sa maladie, la somme de 80 livres. Ce qui est jugé équitable. Le procureur fiscal fixe ses frais à 39 livres, 3 sols, 1 denier; l'adjoint au procureur fiscal: 5 livres, 1 sol; le greffier: 5 livres, 18 sols, 8 deniers; finalement, l'huissier: 18 livres, 3 sols. «Laquelle somme, dit le procès-verbal, a été prise sur les deniers provenant de la vente des meubles & effets dont le révérend père Vaillant demeure valablement déchargé autant que besoin est...«

Tous ces frais déduits, il restait au Père Vaillant la modeste somme de 77 livres. Il s'en contenta. De plus, il annula la somme de deux mille livres due à Josson pour la vente de sa concession à Joseph Moreau et que ce dernier n'avait jamais payée, non plus que les intérêts, étant toujours en voyage de traite.

La concession passa successivement aux mains de Pierre Trottier-Desruisseaux, de François Rivard-Montendre et finalement à Jean de LaFond-Mongrain, qui annula les intérêts que pouvaient devoir madame Joseph Moreau, devenue veuve et sans le sou.

Pendant que se déroulaient ces diverses transactions, Thimothée Josson était disparu depuis longtemps et reposait en paix dans l'ancien cimetière de la paroisse de Batiscan.

Cette paix qu'il a toujours cherchée, il l'a obtenue après sa mort.

JACQUES LOYSEAU dit Grandinière

Grâce aux minutieuses recherches de madame Pierre Montagne sur les colons venus du Perche, nous connaissons mieux l'ascendance de Jacques Loyseau que celle de Thimothée Josson. Ainsi pouvons-nous projeter plus de lumière sur son destin, au début marqué d'espoir, d'illusion de bonheur, puis de résignation.

Il fut baptisé à Tourouvre, le 20 octobre 1619, cinquième d'une famille de huit enfants, fils de François Loyseau dit Grandinière et d'Antoinette Frichot. Son adolescence se passe à l'époque où, dans toute la région percheronne, on s'intéresse à ce nouveau pays qu'est la Nouvelle-France. Chaque année, des concitoyens partent, quelques-uns avec leur famille, et ne reviennent pas. On parle beaucoup de Robert Giffard, des Cloutier, des Boucher, des Langlois, des Gagnon. D'autres s'y rendent, reviennent et apportent des nouvelles. Les frères Juchereau sont de ce nombre,et ce sont eux qui entreprennent un intense recrutement, particulièrement à partir de 1646.

C'est ainsi que le 7 avril 1647 Jacques Loyseau dit Grandinière — il a vingt-sept ans — passe son contrat d'engagement envers Noël Juchereau: «... *savoir est d'aller par ledit Loyseau servir ledit sieur Juchereau sieur des Chastellées audit pays de la Nouvelle-France, pendant le temps de trois ans à commencer du jour qu'il arrivera audit pays et finissant au jour qu'il partira d'iceluy, à la charge dudit Juchereau de faire passer et repasser ledit Loyseau à ses frais et le nourrir pendant ledit temps, même à aller de ce lieu à La Rochelle où se fait l'embarquement; ce fait moyennant la somme de soixante et dix livres tournois...*»

L'engagement de Loyseau est de trois ans. Mais il passera sa vie dans son pays d'adoption, limitant son activité à la région trifluvienne où il fut immédiatement dirigé.

C'est sans doute l'exemple de Jean Poisson tout autant que l'exhortation des Juchereau qui le décida à quitter sa famille et à s'expatrier, tout comme quelques-uns de ses proches.

Poisson avait fait un premier séjour en Nouvelle-France de 1637 à 1640. Agé d'à peine vingt ans, il était venu rejoindre son parrain Jean Guyon qui s'y trouvait depuis 1634. De retour à Mortagne, il épousa en 1644 Jacqueline Chamboy, native de Tourouvre et cousine de Jacques Loyseau. En 1647, il décide de retourner en Nouvelle-France avec son épouse, ses deux enfants, ses deux sœurs, Mathurine et Barbe, et les Percherons recrutés par Juchereau qui s'embarquent pour ce nouveau pays. Outre Jacques Loyseau, on signale Julien Mercier, François Mabelle, Pierre Enjouis, Jean Creste (aussi apparenté à Jacques Loyseau), Nicolas Rivard et quelques autres que nous retrouverons dans la région trifluvienne les années suivantes. Puis ce seront François Mabille et Gilles Trottier, ce dernier déjà marié à Catherine Loyseau, parente de Jacques.

C'est donc toute une petite famille percheronne qui s'établit à Trois-Rivières, tout comme l'autre groupe autour de Robert Giffard et de Jean Guyon à Québec. De plus, au bourg de Trois-Rivières règnent déjà en maîtres les LeNeuf, venus de

La Poterie, un hameau voisin. Sans oublier évidemment Pierre Boucher, un autre éminent compatriote, qui cherchera à fonder une colonie modèle au Cap-de-la-Madeleine avant d'aller s'établir définitivement à Boucherville.

Revenons à Jacques Loyseau qui, soulignons-le, conserva tout au long de sa vie son nom patronymique de Grandinière dont, à juste titre, il se glorifiait. Au siècle précédent, quelques membres de sa famille figuraient comme membres fondateurs de la confrérie des Frères de la Charité de Tourouvre. Lui-même n'était pas illettré. Dans tous les actes notariés où il figure, il inscrit une élégante signature avec paraphe.

À son arrivée à Trois-Rivières il a 28 ans. Comme ses compagnons il agit d'abord comme manœuvre: couper les arbres, labourer, ensemencer et récolter, moyennant quelque monnaie et la nourriture. Son engagement envers les Juchereau est de trois ans, mais comme la plupart il préfère rester en Nouvelle-France. Quelques-uns de ses proches ont déjà femme et enfants. D'autres ne tardent pas à fonder un ménage.

Quelques semaines à peine après l'arrivée à Québec, Mathurine Poisson trouve un époux: Jacques Aubuchon, un pionnier trifluvien. Le mariage a lieu le 8 octobre 1647. Sa sœur Barbe l'imite bientôt et s'allie à Léonard Lucault. Marin Chauvin, une recrue de 1648, épouse dès l'année suivante Gilette Baune. Il meurt en 1651, en laissant un enfant. Loyseau épouserait bien la veuve à qui il fait des promesses. Dans ce but, il achète quelques meubles et effets à l'encan des biens de Jacques Hertel, qui vient de mourir. Mais la jeune veuve lui préfère — pour son malheur à elle — Jacques Bertaut, arquebusier, métier lucratif en ces années de conflits.

Car la terrible guerre avec les Iroquois s'intensifie. Presque chaque jour des colons sont tués. On ne s'aventure dans les champs que par petits groupes armés. Les uns défrichent, les autres font le guet. On apprend le décès à Montréal de l'époux de Barbe Poisson tué par un Indien. Puis arrive la désastreuse sortie de 1652, sous le commandement du capitaine Kerbodot Duplessis au cours de laquelle Jean Poisson lui-même disparaît. Le fils aîné de Gilles Trottier est fait prisonnier. Trottier est tellement affecté qu'il meurt subitement le 10 mai 1655, et son épouse Catherine Loyseau huit mois plus tard. La liste des colons massacrés par les Indiens s'allonge. On apprend presque chaque jour la disparition de parents et d'amis. Emery Cailleteau, Mathieu Labat, Antoine Denise, Mathurin Guillet, le notaire Boujonnier, Jean Lanqueteau. Et combien d'autres.

Telle est l'atmosphère dans laquelle fut plongé Jacques Loyseau les premières années.

Nous ignorons à peu près tout de son existence au cours des années qui ont suivi les malheureux événements de 1652. Avec quelques compagnons, il se réfugia dans l'île de La Poterie, propriété de Jacques LeNeuf et à proximité du Cap-de-La-Madeleine où, finalement, il alla s'installer.

Son nom figure parfois dans les actes de la Prévôté, pour des motifs de peu d'importance: journées de travail non exécutées, quelques emprunts à rembourser, etc., comme d'ailleurs la plupart de ses concitoyens qui se traînaient réciproquement devant le tribunal pour des vétilles. Le 28 novembre 1659, il est convoqué au tribunal par Pierre Couc qu'il aurait injurié, «*étant pris de boisson*». L'affaire n'ira pas loin. Le juge Pierre Boucher absout l'accusé et «met les deux partyes hors de cause et de procès», tout en recommandant à Loyseau de ne pas récidiver. Une autre fois, devant le juge Jacques LeNeuf, Guillaume Fagot trouve que Loyseau tarde à lui rembourser cent dix sols parce qu'il l'a aidé à couper du bois. Loyseau promet de payer «dans quinzaine». Le même jour, Jacques Besnard lui réclame cent livres «pour marchandises livrées». Loyseau rétorque que Besnard lui doit six journées de travail. On s'entend à l'amiable, après présentation de «mémoires» de part et d'autre.

Ce sont là les petits incidents quotidiens dont sont remplis les registres de la Prévôté de Trois-Rivières et qui démontrent bien, de façon parfois pittoresque, parfois plaisante et bizarre, que ces émigrés français ont conservé leur manie de se disputer pour l'unique satisfaction de tâcher d'avoir raison.

Quant à Jacques Loyseau, il allait bientôt connaître des aventures sentimentales qui lui feront oublier ces tracasseries puériles.

Un compagnon de travail, Elie Ancquetin (aussi appelé Hanctin dans les registres), originaire de Honfleur, avait épousé le 6 août 1657 une jeune fille originaire de la Saintonge, Suzanne Duval. Ils ont un enfant et l'épouse était à nouveau enceinte lorsque le mari est tué par les Iroquois en 1661. Anquetin possédait au Cap une concession sur laquelle il a construit une maison et a *«huit arpents de terre désertée»*. L'inventaire de ses biens nous apprend que Loyseau doit au défunt quatorze francs *«pour un capot et une chemise prêtée»* pendant qu'il séjournait chez lui. Ils étaient de bons amis. L'inhumation d'Elie Ancquetin a lieu le 24 août 1661 et un mois plus tard, le 25 septembre, la veuve passe un contrat de mariage avec Jacques Loyseau. La fille posthume du défunt naîtra le 16 février 1662, sera baptisée le lendemain et inhumée le 21 suivant.

Quelles furent les relations des nouveaux conjoints au cours des mois suivants? Peu harmonieuses, semble-t-il, car le contrat est annulé le 25 avril 1662. Le 14 mai suivant Suzanne Duval passait un nouveau contrat avec Mathieu Proutost, natif de La Rochelle, qui promet *«nourrir et entretenir en leur maison Jérôme Ancquetin, âgé de deux ans...»* Quand à la future épouse, elle déclare *«apporter de sa part ce qui est contenu en l'inventaire des biens délaissés par ledit defunt Ancquetin...»* La célébration religieuse eut lieu deux jours après.

Les registres sont muets sur la destinée de ce couple, qui semble être retourné en France. Peu après leur mariage, soit le 12 septembre, Mathieu Proutost, *«du consentement de Suzanne Duval sa femme»* vendait sa concession du Cap à l'armurier Barthélemi Bertaut.

Une fois de plus, le prétendant évincé se retrouve seul. En octobre, il s'engage à défricher un arpent de terre «*prêt à semer du bled français*» sur la concession de Michel Gamelain au Cap. Le prix convenu est dix-huit livres, dont Loyseau en a déjà reçu dix. S'il défriche plus que l'entente prévue, il sera payé au pro-rata.

Pendant ce temps il loge chez sa cousine Jacqueline Chamboy, remariée depuis déjà quelques années à un homme valeureux et plein de ressources, Michel Peltier sieur de La Prade, pour qui il exécute aussi divers travaux de ferme. Il trouve là l'atmosphère familiale qui lui manque. Car il songe toujours à fonder lui-même un foyer bien à lui. Bientôt il entrevoit une lueur d'espoir.

Il courtise Anne Vuydant, servante chez René Besnard-Bourjoly. Mais la jeune fille a d'autres prétendants, dont Guillaume de La Rue, homme de confiance des Jésuites qui possède plus d'instruction que Loyseau et qui a l'estime de tous ses concitoyens à qui il rend divers services et qui sera sous peu nommé notaire. Sans hésiter, la jeune servante le préfère à Loyseau et une entente est conclue devant le notaire Laurent du Portail le 16 mai 1663, entre le sieur de La Rue et «*Anne Vuydant sa promise*». Le mariage sera retardé de quelques mois pour leur permettre de se mieux connaître. Pendant ce noviciat, la promise séjournera chez son cousin, le colon Jean Botton. Mais elle se lasse d'attendre, et réclame l'annulation, qui a lieu le 13 juillet. Le 3 octobre suivant, le futur notaire se console en épousant Marie Pepin.

Tenace comme tous les amoureux, Loyseau reprend ses avances et se fait plus pressant. Mais la fatalité s'acharne sur lui. Les fréquentations apparemment ne sont pas de tout repos. Tellement tendues que Loyseau se voit dans l'obligation de porter l'affaire devant le tribunal de justice. Un écrit conservé dans les indiscrets dossiers de la Prévôté de Trois-Rivières nous en dévoile la teneur: «*Le quatriesme aoust mil six cent soixante trois Jacques Loyseau dict Grandinière demandeur de ses intérests et advances faictes à Anne, servante du Sr de Bourjoly, laquelle il aurait demandé en mariage et elle luy en auroit faict promesse verbalement présence de personnes, en vertu de quoy il luy auroit faict quelques présents au nom du mariage.»*

«*Laquelle Anne,* conclut le juge, *assignée à ce jourd'huy a faict deffaut et sera reassignée...»*

Au lieu de comparaître, la jeune fille, à la fois inconséquente et volage, c'est le moins qu'on puisse dire d'elle, préféra se sacrifier et le 3 novembre suivant, en l'étude du notaire Ameau, elle consentait au contrat officiel de mariage avec Jacques Loyseau. Mais elle ne tarda pas à se désister. Décision à laquelle Loyseau ne s'objecta pas, car il comprenait enfin qu'il était préférable de purger seul son purgatoire que d'endurer avec elle une vie d'enfer, qui peut-être serait longue!

La jeune fille quitta le bourg du Cap et gagna Québec, où elle épousa — pour de bon cette fois — Jean Jouineau le 26 février 1664. Jouineau étant décédé, elle s'allia en 1676 au veuf Etienne Blanchon avec qui ce fut elle qui vécut une vie d'enfer. Ainsi le veut l'inexorable loi des compensations.

Si Jacques Loyseau eut vent du destion des trois jeunes filles qu'il avait eu l'espoir d'épouser pour fonder un honnête foyer, sans doute comprit-il que son destin à lui était enviable.

En 1672, l'élue de son premier espoir, Ginette Baune, était condamnée à la potence et exécutée avec son mari Jacques Bertaut pour le meurtre de leur gendre. Suzanne Duval avait quitté la colonie et était retournée en France avec son mari. Quant à Anne Vuydant, son second mari Etienne Blanchon, criblé de dettes, sans cesse poursuivi en justice, quitta subrepticement la colonie et retourna dans son pays natal, laissant à leur sort son épouse, ses enfants et la meute de ses créanciers. Pour subsister, la pauvre femme dut exercer diverses besognes pour en arriver à être tenancière d'un cabaret et à subir tous les désagréments de ce métier sous la surveillance des représentants de la morale publique.

Après sa dernière déconvenue, Loyseau semble avoir écouté la voix de la raison. Il espéra patiemment que la sérénité ou la stabilité conjugale s'offre d'elle-même à lui. Il attendit en vain.

De tempérament sédentaire, il n'éprouvait aucun attrait pour l'aventure de la traite des fourrures. Il continua à séjourner au Cap et s'installa au logis d'Hélie Grimard où le situe le recensement de 1666. Il songe à aller comme plusieurs de ses compatriotes s'établir à Batiscan. Il obtient verbalement une des premières concessions. Il s'y rend travailler les mois d'été, mais sans enthousiasme. Dès l'automne il la cède, pour la somme de vingt livres, à Michel Peltier qui, d'accord avec son épouse, décide de quitter le Cap et de s'établir à cet endroit. Loyseau seconde les charpentiers Pierre Guillet et Hélie Bourbaux dans la construction de la maison et des bâtiments de ferme. Puis Peltier ayant acheté la concession du beau-frère de son épouse, Benjamin Anseau qui désirait rester au Cap, Loyseau s'engage par contrat dûment notarié à la mettre en valeur. C'est un des rares documents qui témoigne de son cousinage avec Jacqueline Chamboy.

Mais son destin allait une fois de plus changer.

Michel Peltier, ayant finalement décidé d'aller développer la seigneurie de Gentilly, qui appartenait au premier mari de son épouse, Jean Poisson, il se désista de ses concessions de Batiscan et de ses propriétés du Cap pour gagner son nouveau domaine dont il était devenu le seigneur attitré et où il commença à recruter des colons. Loyseau, comme parent de la seigneuresse, fut-il invité à se joindre à eux? Refusa-t-il? Quoi qu'il en soit, il retourna au Cap.

C'est en effet au Cap-de-La-Madeleine que nous le retraçons au recensement de 1667 où il figure sous son simple prénom de Jacques dans la famille de cet autre Tourouvrain qu'était Nicolas Rivard. Ce dernier ayant décidé d'aller se fixer définitivement à Batiscan, Loyseau, qui approche de la cinquantaine, s'en va loger de nouveau chez son vieil ami Hélie

Grimard et, pour subsister, il accomplit ici et là divers travaux de ferme. Grimard mourut octogénaire en 1675 et Loyseau lui servit sans doute de compagnon les dernières années. Son fils aîné Jean avait déjà gagné Batiscan. L'autre, Hélie dit La Taupinière, était parti à l'aventure et on ignorait tout de lui. Loyseau demeurait donc seul avec la veuve et l'aida à mettre ordre à ses affaires, jusqu'à ce qu'elle projette d'aller terminer ses jours chez son fils à Batiscan, où elle fut inhumée le 12 mars 1685.

Nous perdons toute trace de Jacques Loyseau pendant quelques années. Son nom ne figure dans aucun des documents régionaux que nous avons pu consulter. Je ne puis que l'imaginer égrenant les jours d'une vieillesse solitaire, s'entretenant avec lui-même, ressassant ses souvenirs. En 1697 un Jacques Loyseau est inscrit, sans autre identification, sur la liste des malades de l'Hôtel-Dieu de Québec pour dix jours. Et de nouveau le 1er février 1699, une inscription au même registre pour vingt-huit jours, au nom de Jacques Loyse. S'agit-il de lui? Probablement. À cette date il avait près de 80 ans.

Il mourut obscurément, je ne sais où et quand. J'avoue ne pas avoir entrepris de recherches systématiques pour le savoir. Ce qui m'intéressait en lui, c'était l'individu, le personnage vivant. Le type de paysan français parti à la recherche d'un sort meilleur dans un monde inconnu, un pays vaste, imprévisible et capricieux comme le destin.

Notes sur
Philippe Louis Badelart.
(1728-1802)

Par Sylvio LeBlond

Badelart (ou Badelard) était un excellent chirurgien. Tout le monde le reconnaissait.

Venu en Nouvelle-France en 1757 comme chirurgien major des Armées, il s'attire l'antipathie de Montcalm, de Bourlamaque, de Lévis et des autorités françaises de la colonie. Il n'est pas anticlérical, mais il *ne va pas à l'église* et affiche une indifférence marquée pour les choses de la religion. Quand même, les prêtres du Séminaire de Québec et le personnel de l'Institution recourent à ses soins.

En mai 1758, il épouse la veuve Riverin qui accouche trois mois et demi plus tard d'un fœtus qui réussit à vivre dix-huit jours.

Après la bataille des Plaines d'Abraham il choisit de demeurer au pays et devient chirurgien de la milice canadienne. Sa bonne réputation lui permet d'être choisi par Sir Guy Carleton pour visiter et traiter les malades atteints du Mal de la Baie. Il devient assistant major de la Garnison. Ses services et sa compétence sont appréciés des nouveaux maîtres.

Il *n'est pas toujours commode* cependant et son franc parler lui attire parfois des désagréments.

Sa femme le quitte et va demeurer chez un de ses enfants Riverin, ce qu'approuve son gendre Antoine Panet.

L'abbé Gazelles (Gazel), prêtre français émigré vécut à Québec quelques années. Il connut Badelart à l'Hôpital Général. Retourné en Angleterre en 1792, il entretient une correspondance assidue qui avait surtout pour but d'amener le récalcitrant Badelart à une conversion religieuse.

À sa mort Badelart laisse à l'Hôpital Général une somme de 12 000 livres (2000 $) devant servir à abriter, nourrir et soigner deux personnes démunies au cours de l'hiver. Son gendre sera l'exécuteur testamentaire.

Il meurt en février 1802. Il sera inhumé dans le cimetière de la paroisse Ancienne-Lorette auprès de son épouse qui l'y avait précédé en 1795. (1)-(2)-(3)-(4).

Portrait présumé de Philippe Louis Badelart (1728-1802).

*

* *

Il était né à Coucy-le-Château (5), petit village de Picardie, le 25 mai 1728, tel que nous l'apprend son acte de baptême conservé à Laon, aux archives de la Préfecture de l'Aisne, et qui se lit comme suit:

AHERN, Michael & George.
    1. Notes pour servir à l'histoire de la Médecine au Bas-Canada. Québec. 1923. «BADELARD.» pp: 21 à 32.

SULTE, Benjamin.
    2. «BADELARD«. La Patrie. 28 janvier 1892.

PRÉVOST, M. et *D'AMOT,* Roman.
    3. «BADELARD, Louis Philippe»
Dictionnaire de Biographie française. Tome IV Paris VI Librairie Letouzey et Ané. 87 Bld Raspail 1948. p: 145.

ABBOTT, Maude:
    4. History of Medecine in the Province of Québec. Toronto: The Macmillan Company of Canada Ltd. 1931.

TANGUAY, Cyprien
    5. Dictionnaire généalogique des familles canadiennes 1871-1890. Vol II, p: 99. Ed. 1975.

«Le vingt-cinquième jour de May mil Sept Cent vingt-huit est né et a été baptisé le lendemain par moy prestre desservant soussigné Philippe Louis François, fils de Philippe Martin Badelart, tonnelier et de Esther Bruyer son épouse lequel a eu pour parein (parrain) Philippe Badelart, Marchand et pour Mareine (marraine) Jeanne Roüy, femme de François humeth (ou dumeth), qui ont signé et marqué. Aussi signé Badelard, marqué Jeanne Roüy et signés. «Amelob» prestre desservant.»

Ses parents s'étaient épousés un an auparavant dans la même église, le 27 mai, et on retrouve leur acte de mariage aux mêmes Archives de Laon. Nous verrons que Badelart est aussi souvent écrit avec un «d» qu'avec un «t». Le certificat de baptême de Philippe-Louis contient un «t». Tanguay dit qu'il est né le 25 mai 1730, et cette affirmation a provoqué chez certains auteurs des affirmations erronées.

À Coucy (6), il y avait un château célèbre à travers toute la France. Il constituait un des joyaux de l'époque féodale. Outre ses tours à chacun des quatre coins des murs, il possédait un donjon qu'on considérait comme un des plus beaux du Moyen-Âge. La famille Coucy qui le fit construire de 1225 à 1230 sur les ruines d'un autre château datant du XIème siècle, habitait Coucy depuis la fin du XIIème siècle.

En 1400, Louis d'Orléans, frère de Charles VI, l'achète et l'embellit. Au XVIIième siècle Mazarin le détruit et les habitants de Coucy utilisèrent par la suite et sans gêne les pierres et les ruines pour leur propre usage.

En 1856, Viollet-le-Duc est chargé par Napoléon III *de faire* des fouilles et de remanier le château. Ce petit pays a été sur la route des envahisseurs et a vu de nombreux étrangers arpenter ses rues et violer ses demeures, depuis les Turcs en 1397, jusqu'aux Allemands en 1917 qui firent sauter le château et son donjon.

MELLEVILLE, F.
6. Histoire de la ville et du Lieu de Coucy-le-Château LAON — 1868.

En 1673, Louis XIV donne Coucy en apanage à Philippe de France, duc d'Orléans, qui s'occupe de relever l'Hôtel-Dieu alors en piètre état. En 1735, Louis d'Orléans obtient des lettres patentes pour cette maison. Il y ajoute des lits et fait venir de Laon des Sœurs «Marquette», d'une fondation locale, pour y soigner les malades et enseigner aux jeunes filles.

Deux concitoyens de Badelart devinrent chirurgiens. Claude Pipelet était né en 1718 et son frère François, en 1722. Claude étudia à Paris et, en 1750, il obtenait une maîtrise en chirurgie. Il présenta dit-on plusieurs mémoires à l'Académie Royale de Chirurgie. Il devint un des directeurs de cette Académie. Il est mort à Paris en 1792. Son frère François va aussi à Paris et revient à Coucy pratiquer la chirurgie. Son frère lui recommande fortement de revenir à Paris, ce qu'il fait, et devient, lui aussi, directeur de l'Académie de Chirurgie. Il revient à Coucy en 1792, à la mort de son frère. Il y meurt en 1809.

Les frères Pipelet ont peut-être influencé Philippe Badelart qui devint chirurgien au lieu de tonnelier ou marchand comme son père et son grand-père.

*

* *

Jusqu'à la Révolution Française, la Médecine et la Chirurgie évoluèrent séparément, surtout en France. La Médecine était considérée comme une science pure. Le médecin regardait de haut le chirurgien qui, en somme, pour lui, n'était qu'un homme de métier. Le médecin parlait latin, portait robe et ordonnait au barbier ou au chirurgien l'intervention qu'il devait opérer. Le médecin étudie son Art à la Faculté de Médecine de l'Université qui lui donne un diplôme après mûrs examens. Le chirurgien français reçoit son droit de pratique du Collège de Saint-Côme et de Saint-Damien.

En 1686, Louis XIV est opéré d'une fistule à l'anus par son chirurgien Félix. Celui-ci est grassement payé et anobli. À partir de là, la Chirurgie devient une science et le chirurgien devient quelqu'un que l'on vénère.

En 1731, l'Académie Royale de Chirurgie est fondée et la Déclaration Royale de 1743 donne au chirurgien un statut égal à celui du médecin, et Louis XV signe la «Déclaration des Droits des Chirurgiens».

En 1708, un édit royal avait créé un Corps de Santé Militaire. Les règlements du 20 août 1717, modifiés le 22 novembre 1728 et le 1er janvier 1747, traçaient d'une façon précise l'exercice de la chirurgie dans un hôpital militaire. La discipline était sévère. On logeait à l'hôpital. On ne pouvait s'absenter sans permission ni se tromper dans l'exercice de sa profession. La moindre erreur motivait le renvoi immédiat. Le nombre de «garçons» dans chaque hôpital militaire doit être d'un pour cinquante malades, un pour quinze blessés et un pour dix soldats, cavaliers, dragons ou autres atteints du mal vénérien. Le chirurgien-major fait tous les jours la visite et les pansements. Il doit consulter le médecin-chef si une opération importante est indiquée et sur l'emploi des remèdes à utiliser au cours des pansements à effectuer (7).

Dans les grands hôpitaux militaires, on donne l'hiver, des cours d'anatomie et de technique opératoire et, l'été, des leçons d'ostéologie et sur la pratique des bandages et pansements.

Deux compatriotes de Badelart, Alexis Terni et Thomas Cossoneau, ont témoigné devant l'abbé Briand en mai 1758 et ont affirmé que Badelart n'était pas marié. Il devait se marier le 23 du même mois. Ils nous ont appris que Badelart avait fait sa chirurgie à Metz. Terni était soldat du régiment de Berry depuis huit ans. Il connaissait Philippe Louis Badelart dont le père, Philippe, vivait maintenant de ses rentes à Coucy-le-

---

7. Répertoire universel et raisonné de jurisprudence civile, criminelle, canonique et bénéficiale. Paris. Tome 3. 1786, p: 457.

Château. Alexis Terni avait 29 ans. Il venait de Crécy dans le diocèse de Soissons, à une lieue de Coucy-le-Château. Il connaissait Badelart depuis vingt ans. Il l'avait vu à Metz alors qu'il servait à l'hôpital. Il l'a vu en janvier 1757, chez son père à Coucy, alors qu'il s'attendait de partir pour les Indes et non pour le Canada. Terni savait que Badelart n'était pas marié. Il avait été fortement question de mariage, mais son départ pour le Canada avait tout fait rater.

Thomas Cossoneau, dit duRozel, tailleur d'habits au service du Roi depuis trois ans, est âgé de 28 ans. Il croit que Badelart n'est pas marié. Il sait qu'il ne l'était pas lorsqu'il était à l'hôpital de Metz où lui, Cossoneau, a passé trois mois en même temps que Badelart. Lui aussi s'était engagé à la «toussaint» 1756 dans la Compagnie des Indes, d'où on l'a tiré pour l'envoyer au Canada et l'attacher au régiment de Berry.

Aux archives municipales de la ville de Metz où je m'étais adressé pour obtenir des renseignements sur Badelart et les services de Santé Militaire de cette ville, on m'a suggéré de m'adresser au Général Bolzinger, de l'Académie Nationale de Metz. Celui-ci m'a appris que toutes les archives pouvant contenir les noms et autres renseignements pertinents concernant les élèves et les étudiants en chirurgie sont disparues au cours des guerres et des invasions qu'a subies la ville frontière de Metz au cours des trois derniers siècles.

Le 23 avril 1961, à Metz, on apposait à l'entrée de ce qu'est aujourd'hui le Centre de Formation de Sidérurgie, une plaque commémorative, car cet édifice a abrité de 1732 à 1850 l'Hôpital Amphithéâtre d'Instruction et de Perfectionnement des Officiers du Corps de Santé Militaire de Metz. Cette école cessa son enseignement le 1er mai 1850, mais l'édifice servit quand même d'Hôpital de la Garnison de Metz jusqu'à 1912. À cette occasion on publiait une plaquette racontant la fondation et les activités de cet hôpital d'autrefois. Le Médecin

Général Raymond Bolzinger dirigeait alors le service de santé de la 6ème région militaire. Il a eu l'amabilité de m'en adresser un exemplaire. On y apprend aussi que cette journée-là, le 23 avril 1961, la Médecine Militaire Française rendait un hommage au Général Bolzinger, qui prenait sa retraite. Le Médecin Général Inspecteur Raymond Debenedetti, le Médecin Général Hamon, Directeur du Val-de-Grâce et le Médecin Général des Cilleuls, historien, ont raconté la fondation, les activités de l'École et le milieu culturel dans lequel le tout à évolué. C'est dans cette école qu'avait étudié Badelart, cette école qui avait formé plus de 2000 chirurgiens pour les Armées françaises. Sa formation semble avoir été appréciée surtout par les autorités anglaises après la Conquête.

Une fois ses études terminées, Badelart retourne à Coucy, chez son père, et en janvier 1757, il s'attend de partir pour les Indes. Il vint plutôt au Canada, en Nouvelle-France. Il devait se rapporter avec sept autres chirurgiens à André Doreil, commissaire ordinateur de l'Armée du Canada et de la Nouvelle-France, au pays depuis 1755.

La Guerre de Sept Ans débuta officiellement en 1756. L'Angleterre qui, depuis longtemps désirait chasser les Français de l'Amérique, avait provoqué la France en 1755. L'Amiral Boscawen avait attaqué une flotte française de 100 vaisseaux. La France avait répondu en envoyant le Baron J. Armand Dieskau pour prendre charge des armées françaises au Canada. Celui-ci fut battu par le Général Johnson au Fort Lydius en juillet 1755.

Au printemps 1757, le chirurgien major Philippe Louis Badelart arrive à Québec où la situation n'*est pas rose*. La famine, les dissensions, les exactions règnent, et le pauvre Canadien crève de faim, se fait aracher ses biens et ses réserves par le groupe de l'intendant Bigot et ses affidés, qui s'enrichissent honteusement et retournent en France gros, gras, et le porte-feuille bien garni. Tout cela sous l'oeil bienveillant ou ignorant de la Cour. Les officiers de l'Armée Française, venus avec Montcalm en 1756, s'entendent mal (8) avec ce groupe formé de l'Intendant Bigot, le chevalier de Péan et son épouse, la belle Angélique des Méloises, les messieurs Varin, Cadet, Martel et quelques autres. On reproche au Gouverneur, le marquis de Vaudreuil, de n'être pas français. Il est né au Canada.

En 1755, l'expédition de Dieskau avait été un échec. Lui-même avait été blessé et fait prisonnier. En 1757, Montcalm s'empare du Fort Georges, mais la conduite des Indiens qui massacrent les prisonniers anglais gâta les honneurs de la victoire. Plusieurs Acadiens dispersés en 1755 s'étaient assemblés dans la région de Miramichi et de la rivière Saint-Jean, en Acadie. Eux aussi crevaient de faim. Un bon groupe parvint, à travers les portages, à rejoindre Québec. Ils formèrent le village de L'Acadie.

En France on poursuivait la guerre mais sans enthousiasme. Louis XV avait fait mauvaise figure au cours de la Guerre de la Succession d'Autriche et avait vu sa popularité diminuer en Europe. En 1757, par le jeu des Alliances, il se retrouve en guerre avec l'Angleterre qui s'est jurée de chasser les Français de l'Amérique du Nord. En France, les philosophes, les encyclopédistes dont Voltaire était un des chefs, disaient à qui voulait l'entendre que la Louisiane valait la peine d'être conservée, mais pas le Canada.

Le 13 octobre 1759, un mois après la chute de Québec, Voltaire écrivait à Madame du Deffand: «Nous avons eu l'esprit de nous établir en Canada sur des neiges entre les ours et les castors.» Candide, sur le petit bateau hollandais qui l'amenait avec Martin à Portsmouth disait: «Vous connaissez l'Angleterre. Y est-on aussi fou qu'en France?» C'est une autre

---

LÉVIS, Chevalier de

    8. Lettres du Chevalier de Lévis. Journal du Chevalier de Lévis en Canada: 1756-1760 Montréal. Beauchemin & Fils. 1889. Vol. I.
Lettres du Chevalier de Lévis concernant la guerre du Canada.
Lettres de M. De Bourlamaque au Maréchal de Lévis Vol 5.
Lettres du Marquis de Montcalm au Chevalier de Lévis. Vol 16.

espèce de folie, dit Martin, Vous savez que ces deux nations sont en guerre pour quelques arpents de neige vers le Canada, et qu'elles dépensent pour cette belle guerre beaucoup plus que tout le Canada ne vaut (9).»

Les Canadiens, naturellement, ne savaient pas ce que pensaient Voltaire et ses amis, mais ils s'expliquaient mal pourquoi la France envoyait si peu de soldats et si peu de secours.

Les provisions étaient saisies par l'intendant dès leur arrivée, et emmagasinées à la «Friponne» et vendues à des prix exorbitants. Malgré tout ils restaient fidèles à la France et à son Roi, Louis le Bien-Aimé. Ils auraient bien pu, dans leur détresse, souhaiter de mettre un terme à leur détresse, souhaiter de mettre un terme à leurs épreuves et sympathiser avec l'ennemi pour favoriser une solution rapide. Nulle part, cependant, tant chez Garneau, Ferland que Salone, chez Thomas Chapais, Lower ou Costain, je n'ai trouvé trace d'un semblable sentiment. Il y eut des désertions, sans aucun doute, mais bien rares furent ceux qui passèrent à l'ennemi. Il y en eut cependant quelques-uns. Garneau et Ferland racontent que deux soldats déserteurs avertirent le Général Wolfe que des vivres seraient déchargés au cours de la nuit du 12 au 13 septembre au Foulon. Wolfe profitant du renseignement, débarquait au Foulon dans le cours de la même nuit. Au Français qui demandait: «Qui est là?» deux officiers écossais qui parlaient bien le français, répondirent: «Ne faites pas de bruit, ce sont les vivres.» On les laissa passer. Au haut de l'escarpement, il y avait un poste et le commandant fut saisi dans son lit. Ce commandant, nous dit Garneau, était l'inepte Vergor qui, trois ans auparavant, avait rendu aux Anglais le fort de Beauséjour, sans combat.

*
* *

VOLTAIRE: Candide. Contes et Romans de Voltaire
      9. Œuvres de Voltaire. Cha- XXIII p. 88
Éditions de Cluny, 35 et 37, rue de Seine. Paris VI. 1938.

C'est dans ce pays déchiré qu'arrive au printemps 1757 le chirurgien major Philippe Louis Badelart. Il n'a que vingt-neuf ans et n'est pas marié.

André Doreil (10) avait été nommé coordonnateur de l'Armée en Nouvelle-France, durant son séjour à Québec de 1755 à 1758, pendant que Jacques Prévost remplissait les mêmes fonctions pour la Marine, à Louisbourg. Ils recevaient les chirurgiens qu'on leur adressait, les situaient, organisaient des hôpitaux, voyaient aux soins des blessés et à l'efficacité des chirurgiens dont quelques-uns étaient fortement recommandés en haut lieu.(11)

Doreil eut de constants problèmes avec ses recrues. Le sieur Polémond, chirurgien major, parti en bateau pour aller rejoindre le baron Dieskau et ses troupes, se noya dans la petite rivière Du Chesne, sur la rive sud. Parti le 16 juillet 1755 avec les sieurs Berthemet, Blin, aides-majors, du Verger et Boizard, garçons chirurgiens, ils furent surpris, à 5 lieues des Trois-rivières, par un gros vent de nord-est et une pluie torrentielle. Le sieur Polémond eut peur et exigea qu'on gagna la terre. On débarqua sur la rive sud. Il y avait là une petite rivière à traverser, la rivière Du Chesne. Un habitant des environs les fit traverser dans une mauvaise pirogue. Au deuxième voyage la pirogue chavira. Tous se sauvèrent sauf le sieur Polémond qui se noya dans quelques pieds d'eau. Doreil obtint de l'Intendant que le chirurgien André Arnoux remplaçât le sieur Polémond. Il n'avait que des éloges à faire de ce chirurgien, de même que des sieurs du Verger et de Bonne. Il avait envoyé à l'Isle Royale le sieur Guérin de la Tour, à qui il trouvait «une tête fort légère». Le sieur Blin était «un sujet fort faible à tous égards et trop jeune.» Le sieur Berthemet ne

---

ROY, Antoine: Lettres de Doreil.
    10. Rapport de l'Archiviste de la Province de Québec 1944-45 pp: 1 à 171.

ROY, Pierre-Georges. Lettres du Commissaire des Guerres,
    11. DOREIL.
Les Cahiers des Dix. No 9. p: 124 et seq.

lui paraît pas plus sérieux que le sieur Blin. Le sieur Boizard est «un peu adonné au vin.»

C'est à Doreil que dut se rapporter Badelart à son arrivée à Québec. Et, le 24 septembre 1757, Doreil écrivait au Marquis de Paulmy: «J'ai attaché, ainsi que j'ai eu l'honneur de vous le marquer par ma lettre du 14 août, le sieur Badelard, chirurgien major au premier bataillon de Berry et le sieur Pezes que j'ai fait aide major, sous votre bon plaisir, sera au second (bataillon) et partira avec lui.»

Le 30 avril 1758, il écrivait: «Le sieur Arnoux, chirurgien major sera envoyé à Carillon pour devancer les troupes. Le sieur Badelard arrivé l'année dernière et que j'ai attaché au second bataillon de Berry (et non plus au premier) s'est très mal comporté jusqu'à présent. J'aurais fait justice si je l'avais interdit et rayé de l'État du Roy. M. le Marquis de Montcalm m'en a même prié sur les justes plaintes qui ont été portées par les officiers de ce bataillon. Je lui ai fait approuver qu'il fit la campagne après laquelle nous le ferons passer en France, s'il ne change pas de conduite. J'ai été forcé depuis peu de le consigner dans les quartiers occupés par le bataillon auquel il est attaché.»

Il n'a pas dû rester longtemps sous consignation, car le 23 mai il épousait la veuve Riverin, à l'Ancienne Lorette. Il n'était pas à Carillon le 8 juillet 1758.

Le 1er juin 1758, Doreil écrivait encore au Marquis de Paulmy: «Vous aurez vu, Monseigneur, par celle que j'ai eu l'honneur de vous écrire le 30 avril dernier, que je suis content des chirurgiens excepté des sieurs Emery et Badelard. J'espère qu'ils se corrigeront sans quoi je prendrais le parti de les renvoyer sous votre bon plaisir et de les rayer de l'État du Roy. Je serai bien plus flatté d'avoir occasion de vous rendre de bons témoignages sur leur compte à la fin de la campagne. Je les ai prévenus que leur sort dépend de leur bonne ou mauvaise conduite.»

Je n'ai pu trouver d'une façon précise ce qu'on reprochait au sieur Badelard, mais il semble bien qu'on le considérait comme un indiscipliné et un *têtu*.

Le 9 décembre 1758, Montcalm écrivait à Bourlamaque «... Quant à M. Badelard j'écris à M. Bernier un (sic) lettre pour qu'il soit rayé. Je réponds à sa protectrice la Mère Saint-Claude, que c'est un homme incorrigible et mon avis à la Rochette qui intercède pour lui, idem. Garde-le dans le dernier cas car toute la famille (ou pour mieux dire celle de sa femme) sollicitera que ce soit à la satisfaction d'Arnoux et trouvez moyen de vous faire solliciter par M. l'Intendant; inspirez cela; autrement refus à tout le monde.»

Et le 18 mars 1759, Montcalm écrit de nouveau à Bourlamaque: «Je répons (sic) par celle-ci, Monsieur, à la lettre que vous m'avez fait l'honneur de m'écrire le 14 (mars). L'affaire de Badelard doit être finie avant mon arrivée... Mais cependant vous avez plus lu la lettre de la dame Badelard que moi, car je vous l'avais renvoyé (sic) sans la lire. Doreil a boudé contre moi à Québec pour Badelard, mais il est parti bien content de moi, me le disputant avec M. de Vaudreuil.»

La Mère Saint-Claude dont parle Montcalm était dépositaire à l'Hôpital Général après en avoir été la Supérieure. Elle était la fille de Claude de Ramezay qui avait été gouverneur des Trois-Rivières. Elle était née aux Trois-Rivières en juillet 1697. Elle entre à l'Hôpital Général comme novice et fait profession en 1718. On peut donc croire que son intervention a été motivée par le fait que Badelart prodiguait ses soins aux patients de son hôpital, bien qu'on ne le signale pas, pas plus d'ailleurs qu'aucun autre médecin ou chirurgien, dans l'histoire de cet hôpital écrite par Sœur O'Reilly en 1882 (12).

*
* *

O'REILLY, Sister Hélène: Hôpital Général de Québec.»
12. Mgr de Saint Vâllier et l'Hôpital Général de Québec. Darveau. Imp. 1882.

Le Régiment de Berry (13).

Les chirurgiens ne faisaient pas partie d'un régiment. Ils y étaient attachés, du moins en Nouvelle-France, par le coordonnateur de l'Armée ou de la Marine. Chacune des provinces de France avait son régiment qui portait son nom. six bataillons de ces différents régiments faisaient du service au Canada. À l'Isle Royale étaient stationnés un bataillon du régiment d'Artois auquel André Doreil avait attaché l'aide-major Guérin de la Tour qui fut bientôt remplacé par le sieur Conil, un bataillon du régiment de Bourgogne auquel appartenait le sieur Blin et un bataillon du Régiment de la Reyne. À ce bataillon œuvrait le sieurDelpuech (14).

Le Régiment de Berry a été créé le 2 septembre 1684. Pendant la guerre de Sept Ans, ce régiment avait placé un détachement surles côtes de France, un autre aux Indes et un autre au Canada. Celui du Canada était commandé par le sieur Trivio. Chaque bataillon comprenait 9 compagnies de 60 hommes avec 3 officiers par compagnie. En septembre 1757, le deuxième bataillon allait hiverner à la Côte de Beaupré et le troisième à l'Ile d'Orléans. Ils étaient débarqués à Québec le 29 juillet 1757 après trois mois de traversée. Trois officiers et 200 hommes étaient morts d'une maladie épidémique qui sévissait sur le navire qui les transportait. En 1757, le régiment de Berry était commandé par le Colonel Marquis de Contade avec M. de Piat comme brigadier et M. Lacory de Mauléon comme major. M. de Trivio commandait le détachement canadien.

Badelart est venu à Québec au printemps 1757. Il a été attaché au régiment de Berry par Doreil et il semble avoir passé du 1er au 2ème, puis au 3ème bataillon de ce régiment. On lui reprochait apparemment d'être un indiscipliné et les autorités militaires s'en plaignaient. Il semble cependant que

MALCHELOSSE: Gérard: «Le Régiment de Berry.
    13. Les Cahiers des Dix No 14. 1949
Victor *Morin:* Les Cahiers des Dix. No 5. 1939.

SUZANNE, Général: Histoire de l'Infanterie française
    14. 5 Volumes. Paris 1876-77.

dès son arrivée il prodigua ses soins aux malades de l'Hôpital Général ainsi qu'aux Autorités du Séminaire qui, tous, l'aimaient bien.

Alors, pourquoi Badelart, ce jeune chirurgien major gradué d'une école militaire, dont la formation sera appréciée à l'égal de celle des chirurgiens anglais venus avec les Armées et restés au pays canadien après la Conquête, se comporte-t-il comme un indiscipliné?

Pourquoi s'attire-t-il les foudres des autorités tant civiles que militaires? L'état pitoyable de la colonie en serait-il la cause? Ou bien, encore, la rencontre de la jolie veuve bien nantie qu'il épousera lui aurait-elle fait perdre la tête jusqu'à en oublier ses devoirs militaires?

*

⚜ ⚜

Le 23 mai 1758, Philippe Louis Badelart se marie. Il épouse Marie Charlotte Guillimin, veuve de Jean Joseph Riverin. Elle a quarante ans. Il aura trente ans dans deux jours, le 25 mai. Il a dû auparavant fournir à l'Ordinaire, la preuve qu'il n'était pas marié, ce qu'ont fait pour lui ses compatriotes Alexis Ternui et Thomas Cossoneau, dit du Rozel, le 7 mai. Une lettre non datée signée Guillimin est adressée à M. Briand. C'est le frère de Marie Charlotte qui demande à celui-ci «de bien vouloir accorder à ma sœur Riverin, les dispenses des trois bans pour se marier avec le sieur Badelard, à telle heure et endroit qui lui sera plus convenable et cela par le ministre qu'il plaira à votre Grandeur de nommer.»

«Le Sieur Badelard est chirurgien major des bataillons de Berry. Les officiers des troupes connaissent bien le dit Sieur Badelard pour estre un bon chirurgien, qu'ils sont certains qu'il n'était pas marié en France et sur ce Rapport je puis attesté (sic) votre Grandeur, que le dit Sieur Badelard est libre.»

Guillimin (15)

GUILLIMIN, Guillaume: Témoignage de Guillaume Guillimin
    15. envers sa sœur Charlotte, veuve Riverin. Archives de la Province de Québec 1951-53. p: 52 et 159.

Doreil avait écrit le 30 avril 1758 au Marquis de Paulmy qu'il «avait consigné le Sieur Badelard dans les quartiers occupés par le bataillon auquel il est attaché».Il semble bien que cette consignation a été levée, du moins pour permettre le mariage.

Le mariage eut lieu à l'Ancienne Lorette, où demeurait l'épousée. Elle habitait une ferme que lui avait laissée son mari mort en 1756. Le même jour, le 23 mai 1758, on signait le contrat de mariage. Benjamin Sulte disait: «Nous le donnons comme un modèle assez curieux des choses du dix-huitième siècle (16).»

Qui était Marie Charlotte Guillimin? Elle était née à Québec le 16 septembre 1718. Elle avait épousé, le 27 juillet 1740, Jean Joseph Riverin (17), négociant et veuf de Marie-Joseph Perthuis. Elle avait 22 ans et il en avait 41. De sa première épouse, Jean Joseph Riverin avait eu dix enfants et il en aura sept de son deuxième mariage... Quatre seulement survécurent. À sa mort, survenue le 23 octobre 1756, il laissait une ferme à l'Ancienne Lorette, une autre à l'Île-aux-Grues, des maisons et des bestiaux.

Comme son père, Joseph, il était venu de la Touraine vers la fin du dix-septième siècle et il s'occupait d'affaires très diversifiées: bois, pêches, fourrures, etc.

Les Guillimin étaient d'origine bretonne (18). Charles, le père, venait de Concarneau, petit port de mer du Finistère, où il avait épousé Marguerite Moreau. Il vint à Québec à la fin du XVIIème siècle. Très actif il s'occupa d'établissements de pêche sur le saint-Laurent, les Iles de la Madeleine et à la Baie

---

SULTE, Benjamin: «Contrat de mariage de Badelart».
    16. Mélanges historiques compilés par Gérard Malchelosse
Ducharme, rue Saint-Laurent, Montréal. p: 99

AUGER, Roland: «JEAN-JOSEPH RIVERIN» Dictionnaire
    17. Biographique du Canada. Vol. 3 p: 603.

ROY, Pierre Georges: «Bulletin des Recherches Historiques»
    18. MARIE CHARLOTTE GUILLIMIN. Vol XXIII. No 4 p. 109. Avril 1917.

des Chaleurs, construisit des bateaux et des maisons et un grand magasin à Québec et un autre à Montréal. Il devint un riche négociant et un armateur. L'arrivée de la monnaie de carte ainsi que plusieurs naufrages de ses bateaux lui firent un tort considérable et il mourut pauvre et endetté le 27 février 1739.

En 1710, il avait épousé en deuxièmes noces Françoise, fille de François Lemaître de la Morille et de Marguerite Poulain, de Montréal. Il en eut neuf enfants dont Marie Charlotte qui, le 23 mai 1758, épouse Philippe Louis Badelart.

Guillaume, frère de Marie-Charlotte avait, comme on l'a déjà vu, fortement recommandé Badelart, son futur beau-frère, à l'abbé Briand, en 1758. En 1750, Guillaume avait été promu lieutenant-général de l'amirauté à Québec. Le changement d'allégeance survenu en 1759 le ruina complètement. Le 9 juillet 1766, il reçut du Gouverneur une licence d'avocat et de procureur. Il fut, dit Pierre-Georges Roy, le premier avocat canadien. Il eut dix enfants. Une de ses filles portant le nom de sa tante Marie-Charlotte, épousa en 1763, Joseph Amable Trottier dit Desrivières, fils de Jules Trottier dit Desrivières et de Louise Catherine Raimbault, et, en secondes noces, James McGill, fondateur de l'Université qui porte son nom.

De sorte que Philippe Louis François Badelart, fils de Martin Badelart, tonnelier de Coucy-le-Château, en Picardie, deviendra l'arrière grand-père du premier cardinal canadien, le cardinal Elzéar Alexandre Taschereau, et, l'oncle, par alliance de James McGill.

Trois mois et demi après son mariage, Madame Badelart mettait au monde un fils, Philippe Louis, qui vécut 18 jours, soit du 7 au 25 septembre. Apparemment il était bien conformé et parfaitement viable malgré son très jeune âge.

*
* *

Philippe Badelart était sur les Plaines d'Abraham le 13 septembre 1759. On a dit qu'il était près de Montcalm, mais il a été bien prouvé que c'était Arnoux, l'apothicaire, le frère d'André, le chirurgien, qui était là. Au moment où les troupes françaises se retiraient. Badelart se dirigea vers l'arrière où il trouva un soldat écossais qui saignait abondamment. Il pansa ses blessures et se constitua prisonnier ensuite. C'est ce que raconte le Dr. W.H.Drummond dans les *Pionniers de la Médecine au Canada*. Ce soldat s'appelait John Fraser. Comme Badelart il resta au pays après la bataille et ils devinrent voisins sur la rue Desjardins près de la rue Saint-Louis. Fraser ouvrit une école et enseignait l'anglais aux petits Canadiens. Ils restèrent de bons amis toute leur vie.

Pierre-Georges Roy raconte une autre version des faits. Badelart traitait les blessés à la bataille des Plaines d'Abraham le 13 septembre 1759. La retraite sonna et les troupes françaises se retirèrent. John Fraser, un géant highlander, vit Badelart qui fuyait et résolut de le faire prisonnier. Badelart leva son pistolet et visa Fraser, qui le désarma et le fit prisonnier.

Le Capitaine Fraser ouvrit une école, dit Pierre-Georges Roy, et en 1769, il remplaça James Jackson comme maître d'école officiel à Québec, et payé par le gouvernement.

Badelart resta prisonnier sur parole à Lorette sur la ferme de son épouse. C'est là que naquit Louise-Philippe le 11 avril 1761. Il menait la vie d'un bon fermier tout en prodiguant ses soins aux malades de l'Hôpital Général et au personnel du Séminaire de Québec. Il s'acquit bientôt une belle clientèle et l'estime des nouveaux maîtres. Pierre de Sales Laterrière qui, d'habitude, *ménageait* ses compliments, disait que Badelart était un excellent opérateur. Il impressionnait par sa belle prestance et portait toujours l'épée comme les bourgeois de Paris. Le Dr Frédéric Guillaume Oliva, qui pratiquait à Saint-Thomas de Montmagny, s'adressait à lui, en 1782 ainsi: «Monsieur Badelart, chirurgien très habile de la Milice Canadienne.» Le Dr C.N. Perrault président de la Société Médicale de Québec, en 1829, le cite, dans son discours d'adieu, comme étant un chirurgien très habile.

Prisonnier sous bonne garde, il n'était naturellement pas à Sainte-Foy avec Lévis, en 1760. Il n'était pas, non plus, avec le régiment de Berry quand celui-ci retourna en France en 1760.

Quand, en 1775, la milice canadienne fut réorganisée sous le commandement du Colonel Noël Voyer et du Lieutenant-Colonel Lecomte-Dupré, Badelart devint un des six majors. Il l'était à titre de chirurgien. En mai 1776, il fut nommé chirurgien de la garnison à Québec, où était déjà Adam Mabane, chirurgien devenu magistrat en 1764. Trop sympathique aux Canadiens, celui-ci fut révoqué en novembre 1766. Il n'avait pas abandonné la médecine pour autant. Ahern dit: «Ainsi, en 1762, il (Mabane) était avec Field, assistant-chirurgien de l'Hôpital Militaire de Québec où Fisher le remplaça en 1783».

Christian Rioux, agent de recherches historiques à Parcs Canada, section de Québec, a fait une étude intéressante sur ce qu'on appelait l'Hôpital Militaire à Québec de 1799 à 1871 (19). De 1759 à 1784, l'Hôpital de la Garnison dirigé par le Dr Adam Mabane loge à l'Hôtel-Dieu de Québec. En 1784 les soldats quittent l'Hôtel-Dieu et permettent ainsi aux religieuses de soigner de nouveau les pauvres. On aménage quatre chambres d'hôpital dans un endroit appelé *Provost Barracks*, puis dans des maisons louées, pour y traiter les soldats malades. Finalement, en 1811, un hôpital pouvant accommoder de 150 à 200 malades est construit. On achète, en 1811, la propriété de la veuve du juge Emsley qui comprend une maison située au 57, rue Saint-Louis actuel et un vaste terrain à l'arrière, qui s'étend jusqu'à la rue Sainte-Geneviève. L'hôpital est construit au fond de la cour arrière. Cet hôpital ferme ses portes en 1939 et brûle le 18 janvier 1940.

RIOUX, Christian: Agent de recherches historiques à
      19. «Parcs Canada», région de Québec.
«L'hôpital militaire à Québec 1759-1871.»
«La Société Canadienne d'Histoire de la Médecine.»
Newsletter-Nouvelles. Avril 1981.

Le Mal de la Baie.

En 1773 apparut à la Baie-Saint-Paul une maladie épidémique à manifestations externes, cutanées. Elle se répandit rapidement sur les deux rives du Saint-Laurent jusqu'à Montréal. On prétend même qu'elle avait fait souche à Michilimakinac. En 1775, le Gouverneur Sir Guy Carleton, envoya le Dr Menzies, assistant chirurgien du 7ème régiment, à la Baie Saint-Paul, pour y traiter les malades. L'invasion américaine créait un besoin urgent et Menzies fut bientôt rappelé à Québec. Il fut remplacé par Badelart dont le Gouverneur avait reconnu la valeur. Il parlait français et pouvait ainsi plus facilement communiquer avec les malades. Il partait pendant

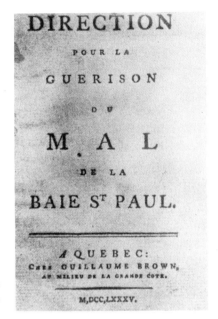

Page titre du rapport de Philippe Louis Badelart expliquant le traitement du Mal de la Baie St-Paul.

deux à trois semaines, faisait le tour des paroisses, traitait les malades, écrivait ses observations, etc. Benjamin Sulte dit: «qu'on envoya Badelard qui avait au moins 20 ans de service et de bons états de service.» Après le départ de Carleton, le Général Haldimand, dit Ahern, «maintint Badelart dans son poste, même après 1782, quand le personnel de l'hôpital fut diminué.»

La maladie continuait de faire des ravages et, le 9 février 1783, Mgr Briand, évêque de Québec, écrivait à ses curés, leur recommandant de collaborer de tous leurs pouvoirs à la recherche des malades et à inciter ceux-ci à se soumettre aux traitements recommandés.

À la demande expresse du Général Haldimand, Badelart publia un mémoire, le résultat de ses observations, les méthodes d'application des traitements mercuriels qui se montrent efficaces, etc. Ce mémoire fut publié dans la *Gazette de Québec* du 5 août 1784, sous le titre de:

Observations sur la maladie de la Bay par Monsieur Badlar, chirurgien du Roi, données au public par ordre de Son Excellence le Gouverneur (20) (Voir Annexe I).

Ce mémoire avait déjà *été publié d'ailleurs* dans le même journal le 29 juillet précédent.

Badelart y décrit la maladie telle qu'elle s'est présentée à lui. Cette maladie, malgré tout gagna du terrain. C'était une syphilis à l'état épidémique. Le 18 avril 1785, le Général Haldimand quitte le pays et le Général Hamilton qui le remplace comme administrateur charge James Bowman, assistant-chirurgien des Armées, de visiter les paroisses, traiter les malades, faire rapport et produire son compte de dépenses.

Dans une conférence patronnée par le Collège Royal des médecins et chirurgiens du Canada, le Dr Emile Gaumond (21) racontait, en 1941, l'histoire de la syphilis au Canada français, et s'arrêtait longuement sur l'évolutiondu Mal de la Baie.

*
* *

Badelart avait un grand cœur et un esprit charitable. Il intervenait auprès des autorités quand il s'agissait d'aider un pauvre ou un malade et il y allait souvent de son argent.

Le 17 septembre 1782, le Dr Frédérick Guillaume Oliva adresse une lettre à «Monsieur, Badelard, Chirurgien très habile de la Milice Royale.» Le Dr Oliva était d'origine alle-

---

GAUMOND, Émile: «La Syphilis au Canada français. Hier et Aujourd'hui.»
    20. Laval Médical. Québec. Vol 7. Janvier 1942 No I.

LEBLOND, Sylvio: «Le Mal de la Baie, était-ce la syphilis?»
    21. Journal de l'Association Médicale Canadienne (C.M.A.J.) 4 juin 1977. Vol. 116. pp.: 1284-1288.

mande, nous apprend Ahern, et était venu au Canada avec le régiment de Brunswick. Il avait épousé le 30 janvier 1782 Catherine Couillard des Islets, veuve de Pierre Dambourgès et cousine germaine du seigneur de Saint-thomas. Il en eut huit enfants. Il pratiquait la médecine à St-Thomas (Montmagny). Il mourut en 1820. Sa prolifique veuve épousa en troisième mariage le Dr François Fortier (Annexe II).

*

* *

Déjà en 1758, Badelart procurait ses soins au personnel du Séminaire de Québec. Dans la liste des comptes du Séminaire de 1756 à 1767, on constate que le 15 mai 1758 on paya à M. Badelard pour un «mémoire de remèdes et soins pour plusieurs personnes du Séminaire et pour soins donnés à la petite ferme: 170. Entre 1765 et 1767, avait fait à M. Gravé, directeur du Séminaire, plusieurs saignées, donné des médecines, des pilules de différentes espèces. En 1767, il note «j'ai purgé le petit Louis à son départ pour la France. Il ne m'a pas payé, et comme c'est ma faute je m'en accuse ici. J'ai fait deux voyages à St-Joachim et ait (sic) donné plusieurs médecines et une saignée à Billaudeau, plusieurs pansement(s) ou application (s), des Cataplasmes, etc. Pour le tout 4 piastres. Dans deux différentes occasions j'ai soigné et purgé de manne et de casse et donné de plusieurs bouteilles d'eau de tamarine au petit Monsieur dict Martin, pour le tout 3 piastres. J'ai reçu à compte sur le présent mémoire la somme de cent quatre vingt douze livres..-- à Québec le 3 janvier mil sept cent soixante sept..... Badelard.»

Le 15 juin 1768, il est payé par le Séminaire pour «Mémoire pour Messieurs les prêtres du S.M.E, leurs engagé (sic) et domestique (sic). En deux année (sic) Monsieur Gravé pour le traitement d'une fièvre inflammatoire dans laquelle il fut saigné 3 ou 4 fois, pris plusieurs purgatifs composés, en d'autre temps saigné purgé & pour soins opération remède et honoraire (sic). La somme de 3 louis. M'sieur de Hubert pour le traitement d'une esquinancie dans les premiers jours de laquelle Monsieur de Hubert à été saigné 4 fois et émétisé pour en d'autre temps soigné et purgé.. Le tout deux louis. Le bonhomme Jean-Marie pour dix pansement (sic) d'une plaie à la jambe y compris les Onguent, etc. 2 piastres. Au même pour trente pansement (sic) en dix huit jours de plusieurs plaies à la teste, a eu contusion au péricrâne et au crâne 36, pour onguent, remède et saigné: 12.»

«Messieurs du Séminaire de Québec doivent au Dr Badelard ce qui suit: Savoir: Pour plusieurs saigné (sic) à Monsieur le Supérieur (Gravé), plusieurs potions purgatives ses peines et soins, son assistance aux Bains que M. le Supérieur a pris: 48.»

Messieurs du Séminaire de Québec doivent à M. Badelard pour les pansements d'un ulcère au pied de Mons. Labbé Bédard et pour ceux faits à Mons. Labbé Bally à l'occasion d'un coup de feu au bas-ventre, pour quelques petits objets à Mr le Supérieur ensemble des drogues, opérations ou onguents pour le tout 3 portugaises ou vingt-quatre piastres.»

*

* *

«Il a fait à M. Hubert plusieurs saignées (22) pour maux de gorge, donné plusieurs purgatifs, émétiques, et tisanes et gargarisme: une portugaise et demie. De Jean-Marie pour ouverture d'un panaris, pansement pendant trois semaines et médicament employé à cet Egar (Egard). Une portugaise. Pour plusieurs voyages à la Canardière chez Bilodeau qui souffre de pleurésie, plusieurs saignées, médecines de casse manne et kermesse. Ai traité le Jardinier: plusieurs saignées au bras ou au pied dans une fièvre inflammatoire, putride, plusieurs pintes d'eau de casse et de tamarine, différents purgatifs de kermesse, plusieurs voyages à l'hôpital: 4 piastres.

SÉMINAIRE DE QUÉBEC:

22. Notes sur Badelard. Archives du Séminaire.
Lettres «Z» No 3.
Liste des comptes: C. 35. p: 16 . Archives du Séminaire.

«Pour les avis à M. Prenard que je n'ai point voulu saigner ni droguer et à qui j'ai recommandé de beaucoup se promener et qui s'est toujours bien porté depuis.»

Le 8 avril 1784, il écrit: «J'ai reçu des Messieurs du Séminaire par les soins de Madame Jérôme Martinot vingt-cinq guinées pour mes soins, mes avis, mes pansements et opérations dans la maladie de Monseigneur Brillant (Briand). Québec, le 8 avril 1784. Chirurgien du Roi.»

Mgr Louis Philippe Mariauchaud d'Esgly, évêque de Québec, avait été curé de Saint-Pierre de l'Ile d'Orléans. En 1784, à la mort de Mgr Briand, il est appelé à l'épiscopat. Il meurt en 1788. Il était resté à Saint-Pierre et n'avait pas voulu se déménager à Québec. M. Nicolas Gaspard Boisseau, fils, raconte dans la Revue Canadienne de novembre 1907 (23) «que le soir du 28 mai 1788 Mgr d'Esgly tomba malade d'une fièvre intermittente accompagnée de frisson. On mande le Dr Just de Sainte-Famille qui le saigna mais ne put tirer que quelques gouttes de sang. Le lendemain, M. Hamel, son secrétaire, fit venir le Père Glapion, jésuite, qui arrive le soir vers huit heures avec le Dr Badelard.»

«Mgr allait mal. Le lendemain Mgr se leva. A dix heures il se confessa. À midi, M. Badelard lui donna un grain d'émétique qui le fit vomir deux fois. La condition empira et l'intervention du Dr Badelard fut très réduite. L'évêque était fortement atteint. Il mourut le 4 juin.»

*
* *

Tous ces faits nous démontrent combien ses activités professionnelles étaient multiples et recherchées. La Gazette de Québec du 11 février 1802 disait dans sa notice nécrologique que Badelart détestait l'hypocrisie, ce qui voulait dire à l'époque qu'il était nettement anticlérical et imbu des idées voltai-

BOISSEAU, Nicolas Gaspard (fils)
23. La Mort de Mgr d'Esgly. La Revue Canadienne.
1907. Vol. 2. No 53 PP: 395 à 433.

riennes répandues en Europe et surtout en France à la veille de la révolution de 1789.

Les Archives Publiques du Canada possèdent trois lettres de l'abbé Gazelle à Badelart datées des années 1797 et 1798 (24). L'abbé Gazelle (25) était du groupe de prêtres qui avaient fui la France à la Révolution et s'étaient réfugiés en Angleterre. Quelques-uns émigrèrent au Canada. En 1793, l'abbé Louis Joseph Desjardins vient à Québec avec son frère. Il sera le lien entre le Canada et le clergé français émigré en Angleterre. Il se met à la disposition de l'évêque de Québec.

L'abbé Gazelle (Gazel, écrit N.E.Dionne), accompagne l'abbé Desjardins à Québec. Il est de la maison de Navarre et ancien principal de ce collège. Il est aussi chanoine de Genève et docteur en Sorbonne. À Québec, il est aumômier de l'Hôpital Général. De santé délicate, il doit quitter et rentrer en Angleterre en 1796, après trois années de services non rémunérés.

À l'Hôpital Général il avait rencontré Badelart qui y apportait ses soins aux malades et vieillards. Ils deviennent tous deux de bons amis. L'abbé déplore l'irreligion chez un homme aussi bon et aussi charitable que Badelart et entreprend de le ramener à la pratique religieuse. À son départ de Québec, en octobre 1796, il n'avait pas encore réussi à le convertir. Il *entretient* avec lui une correspondance où, à travers les nouvelles de toutes sortes, il continue ses «sermons».

Le 1 avril 1797, de Londres, il lui rappelle leur comune amitié. Il lui raconte que depuis qu'il est à Londres son état de santé n'est pas très bon: rhumes, engelures, points de côté, douleurs rhumatismales, etc. Le climat y est plus malsain que

---

ABBÉ GAZELLE:

24. Trois lettres obtenues des Archives Publiques du Canada. Ottawa. Trois lettres de l'abbé Gazalle à Badelard.

DIONNE N.E.:

25. Les ecclésiastiques et les royalistes français réfugiés au Canada à l'époque de la Révolution française de 1791 à 1802. 1905.

celui de Québec. Il s'occupe à donner des leçons à quelques
«demoiselles», ce qui lui permet de vivre sans être obligé d'accepter les 85 shillings mensuels qu'accorde aux émigrés le
Gouvernement Anglais. «Il termine, en continuant, dit-il, le
sermon qu'il lui délivrait dans sa dernière lettre. Il voudrait
devenir un jour son «Confesseur». Il le sait éloigné de la reli-

gion, mais il espère le voir revenir aux bons principes de son enfance et il prie Dieu de lui accorder la grâce de sa conversion.

Dans sa lettre du 3 octobre 1797, il raconte qu'on lui a offert de revenir à Québec et il est heureux d'apprendre que Badelard veut bien assumer les frais de son voyage. À l'Hôpital Général on l'avise que seul son retour au Canada pourrait réussir à convertir le Dr Badelard et à le «ramener sincèrement et tout à fait à Dieu? Il viendrait immédiatement s'il était sûr de réussir. Il ne semble pas que Badelard l'ait tellement rassuré sur les résultats de ses efforts de conversion. L'abbé lui raconte que les émigrés qui sont retournés en France ont, pour la plupart, été arrêtés et guillotinés. Il lui raconte l'anecdote du curé des «jacques» qui s'était converti et qui fut martyrisé. Et il termine cette lettre en lui disant encore que s'il était bien sûr de le convertir, il n'hésiterait pas à s'embarquer pour le Canada, et il l'incite à se reconnaître pour éviter l'horreur de mourir en dehors de la religion, etc. Il ne vint pas et Badelard, semble-t-il, mourut dans l'impénitence. Il est mort le 7 février 1802. Mgr Pierre Denault était évêque de Québec, mais il demeurait à Longueuil. Il écrivit sant tarder à Mgr O.Plessis, son coadjuteur, à Québec, lui conseillant de consulter l'abbé Desjardins, alors vicaire général. D'une façon ou d'une autre, il croit que le mieux est de tout abandonner à la justice divine. Malgré tout, il fallut la puissante intervention de son gendre, Antoine Panet, pour que le curé de l'Ancienne Lorette accepte de l'inhumer dans son cimetière, aux côtés de son épouse, qui reposait là depuis 1795.

Edmond Roy écrivait le 2 février 1896 dans le *Bulletin des Recherches Historiques* que Badelard était mort le 7 février 1802 «après avoir donné des preuves indiscutables de sa croyance et de sa confiance en son créateur divin». Il avait 74 ans. On retrouve dans les Registres de l'Ancienne Lorette conservés aux Archives Nationales, service de Généalogie, le certificat d'inhumation suivant:

Certificat d'inhumation.

L'an mil huit cent deux, le neuf février, je, soussigné, curé de l'Ancienne Lorette, ai vu inhumer dans le cimetière de cette Église le corps de Monsieur Philippe Louis François Badelart, Médecin décédé à Québec, le sept du présent mois au matin, natif de la paroisse de Saint-Sauveur de Coucy, diocèse Laon en France. Il était âgé de soixante treize ans huit mois et treize jour. M'ayant été produit un certificat qui prouve qu'il a été chanté sur son corps un service à la paroise de Québec. Étaient présents Dép. Con(..) Antoine Panet, son gendre, l'Honorable Bernard Antoine Panet, son petit-fils Monsieur Jea, le Major de Salaberry, Monsieur le Capitaine Marcoux, Monsieur le Dr Fischer et autres Messieurs qui ont signé avec nous. Signatures: de Salaberry, James Fisher, Jh Plante, J.C.Just, A.Caron, Lanaudière, Lelièvre, N. Berthelot, Chs. Frémont, L.J. Baby, M. LeChasseur, G. Vanfelson, François Bello, Pierre Bruneau, A. Panet, B.A.Panet, Ducheneau. DELAUNAY (vic.)

On ne connaît apparemment aucun détail sur les circonstances de sa mort. De quoi est-il mort? A-t-il été malade longtemps? Qui lui a prodigué ses soins? Benjamin Sulte n'en parle pas.

Le 3 septembre 1800, il avait fait son testament. Il léguait à l'Hôpital Général la somme de 12000 livres devant pourvoir au logement et à la nourriture de quelques pauvres pendant l'hiver.

Le 4 mars 1803, Mgr Denaut écrit à son coadjuteur Mgr Plessis, que la Mère Saint-Alexis, supérieure des religieuses de l'Hôpital Général de Québec, lui demande permission d'accepter les 12 000 livres léguées par M. Badelard aux conditions proposées par M. et Mme Panet. Cinq cent trente louis qui vont briller aux yeux de ces pauvres filles qui n'ont que des dettes, excitent, animent le désir de les posséder; et dans l'indispensable nécessite de réparer leur maison, dont une partie n'est plus logeable, elles voudraient déjà en jouir.

Le 20 mars 1803, ayant probablement reçu une réponse favorable de Mgr Plessis, Mgr Denaut permet à la Mère Saint-Alexis d'accepter l'offre que fait à sa communauté M. Panet, un des exécuteurs testamentaires de feu M. Badelard, sous les conditions proposées. (26) Antoine Panet, le gendre et exécuteur testamentaire, laissa à son épouse le soin de choisir les sujets à profiter des gratifications de son père, le Dr Badelard.

*　*　*

Louise-Philippe Badelard est née à l'Ancienne Lorette le 11 avril 1761. Elle fit ses études chez les Ursulines à Québec. À 18 ans, soit le 7 octobre 1779, elle épousait Jean Antoine Panet (27) avocat et notaire, de dix ans son aîné. Il était le frère de Bernard Antoine, évêque de Québec qui avait succédé à Mgr. O. Plessis, décédé en 1825.

Jean Antoine fut élu à la présidence du premier Parlement canadien de 1792 à 1794, puis président de la Chambre d'Assemblée de 1797 à 1815. Ils eurent cinq enfants: Bernard, Philippe, Louis, Marie-Louise et Charles. Marie-Louise épousa Jean Thomas Taschereau qui, après une carrière politique, accéda à la magistrature. Ils eurent deux enfants: Jean-Thomas, magistrat, et Elzéar Alexandre, le premier cardinal canadien. Ainsi Badelard, l'incroyant, fut le grand-père d'un cardinal!

Badelard était un habile chirurgien, un excellent opérateur. C'était un ami fidèle. Il aimait son travail et ses malades. Il était zélé, charitable, gai et franc. Il était très sociable, fréquentait les milieux gouvernementaux qui le tenaient en grande estime. On trouvait son nom au bas des pétitions importantes, aux adresses aux gouverneurs ou administra-

DENAULT,
26. Mgr Pierre Denault: «Inventaire de la Correspondance de Mgr Pierre Denault.: 1794-1806.»
Rapport de l'Archiviste de la Province de Québec.
1931-32. pp: 127 à 242.

PANET, Antoine: «Dictionnaire Général du Canada»
27. R. Lejeune, M.I. Ottawa. 1931. p: 401.

teurs. Il n'était pas toujours d'un commerce agréable, cependant. Sa femme l'avait quitté, sur l'avis de son gendre, Antoine Panet, en 1769, et alla vivre chez son fils du premier mariage, Antoine Riverin.

Charlotte Guillimin, épouse de Philippe Louis Badelard fait son testament le 31 août 1786 en l'étude du notaire Louis Duchesnaux, rue des Pauvres, en présence du notaire J. Pinguet. Elle demeure à Saint-Vallier depuis 1769, chez son fils Antoine Riverin, à qui elle lègue sa lingerie et sa literie en récompense des soins que sa famille lui a prodigués. Le reste de ses biens est estimé à 25 813 livres, 7 sols et trois deniers. Elle veut partager cette somme ainsi que sa ferme de l'Ancienne Lorette entre ses huit enfants. Pour éviter tout procès, elle suggère de faire accepter ses décisions par son mari, et nomme son gendre, Antoine Panet, son exécuteur testamentaire. Elle est morte en décembre 1795 et a été enterrée à l'Ancienne-Lorette suivant ses désirs.

* * *

Badelard était très sociable, on l'a déjà dit. Il était de tous les mouvements charitables et gouvernementaux.

Le 17 juin 1785, on adresse une lettre élogieuse à l'Honorable Thomas Dunn, administrateur du pays, qui se rend en Angleterre pour affaires. Badelard signe cette lettre avec 45 autres notables de Québec.

La *Gazette de Québec* du 4 novembre 1790 publiait une requête demandant à Lord Dorchester l'établissement d'une université au Québec. On déplore «le triste et humiliant état des sciences dans la Province et le danger que représente l'envoi de nos jeunes à l'étranger pour s'instruire.» Simon Sanguinet de Montréal avait laissé en mourant, par un testament daté du 14 mars 1790, une somme subtantielle et la Seigneurie la Salle pour l'établissement d'une université. Cette université serait libre et ouverte à toutes les dénominations religieuses. Les dons de Simon Sanguinet ajoutés aux biens des Jésuites et à ceux que Sa Majesté voudrait y ajouter seraient sûrement suffisants pour fonder une université qu'on pourrait appeler: l'Université de la Province de Québec» 173 citoyens ont signé cette requête, dont Badelard, George Longmore, chirurgien, John Gould, assistant-chirurgien, Mervin Nooth, surintendant des hôpitaux, les trois Dénéchaud: Joseph et ses fils Pierre et Claude, etc.

Le 25 janvier 1800, Badelart est nommé Commissaire Examinateur des candidats à la pratique de la médecine. Ces nominations relevaient du Gouverneur. Voici la lettre de H.W.Ryland, secrétaire civil du Gouverneur, lui annonçant sa nomination:

Castle of St-Lewis
Québec, 25 Jany 1800.

Dear Sir,

«The Lt Governor desires an Instrument may be prepared appointing Dr Longmore and M. Badelard Commissioners for examining Persons who may apply for Licences to practice Physic in the district of Québec in the room of the late Mr Lejuste & Dr Davidson, jointly with Dr Fisher, the present Commissioner.

I am with great Regard Dr, Sir
Your obdt Servt. H.W. Ryland...

N.B.: His Excellency wishes the commission to be prepared for signature to-day.»

Monsieur Lejuste dont il est question était en réalité François Lajus, né à Québec en 1721, et fils de Jourdain Lajus. Celui-ci était né au Béarn en 1672. On le retrouve à Québec en 1697. Il était chirurgien. Il est mort en 1742. François Lajus était chirurgien comme son père. James Davidson était à Québec en 1779. Il était chirurgien et apothicaire et, en 1787, il était nommé par le Gouverneur, Lord Dorchester, chirurgien de la British Milita à Québec et, par le même Gouverneur, membre du premier Bureau d'Examinateurs en médecine de Québec le 11 juillet 1788.

Je n'ai pas l'impression que Badelart ait eu à siéger bien fréquemment sur ce comité, puisque deux ans plus tard exactement il mourait.

* * *

En France, on avait guillotiné Louis XVI le 21 janvier 1793. Les désordres qui existaient dans ce pays inquiétaient les autres pays d'Europe et la jeune république américaine. La France révolutionnaire envoya aux États-Unis comme représentant «le citoyen» Genet qui, malgré son court séjour en Amérique (avril à août 1793) avait eu le temps de diriger vers le Canada français une propagande intensive et subversive. Le

10 juin 1794, une adresse est présentée au Gouverneur Général par un groupe de citoyens de Québec et de la région environnante. On y déplore la situation désordonnée qui règne en France où n'existent ni autorité, ni lois, ni religion. On proteste contre la propagande destructive qui se répand dans la province du Canada. On s'engage à défendre avec énergie la constitution qu'elle s'est donnée en 1792. Et on termine ainsi: «And we declare our determination steadfastly to take all steps for those loyal purposes as are or may be within power for the maintenance of the laws and the support of the Government under which we happily live.»

Badelart avait signé cette adresse au Roi avec 64 de ses compatriotes d'origine française de Québec et du district environnant.

On connaît peu de choses concernant les relations qu'il pouvait entretenir avec sa famille de Coucy. Dans une lettre adressée à son gendre, Antoine Panet, le 13 septembre 1784, il annonce qu'il doit partir pour l'Europe en octobre. On ne sait s'il fit le voyage. Par contre, en 1789, il est à Paris. La *Gazette de Québec du 1er* octobre 1789 raconte que «le Dr Badelart arrive d'outremer sur le Brig. Maxwell, Capt, John Edwards, venu de Londres en 7 semaines et 3 jours.» Il avait une sœur à Coucy, Louise-Suzanne, veuve du Sieur Thuillier, marchand de bois de son vivant. Il lui fait don des propriétés qu'il avait héritées de ses parents.

*

*   *

On lit dans l'*Hôpital Général* de sœur O'Reilly ce qui suit: «la fondation à perpétuité dans notre maison de deux pensions d'invalides dites «Fondation Badelard» appartient aussi à cette année 1802. Les pauvres en ont obligation à M. *Philippe Louis François Badelard*, médecin, décédé à Québec le 7 janvier de la même année; il avait légué pour cette bonne œuvre un capital de deux mille piastres. Son exécuteur testamentaire, M. Antoine Panet, avocat, traita l'affaire avec notre communauté d'une manière fort obligeante. «C'est la seule mention que la Sœur Hélène O'Reilly fasse de lui ou de tout autre médecin dans son *Monseigneur de Saint-Vallier et l'Hôpital Général de Québec,* publié chez Darveau en 1882.

Les pauvres qui en profitaient étaient admis pour la saison froide, soit du 1er novembre jusqu'au 1er mai. À cette date, ils devaient quitter et pouvaient revenir à l'automne, si besoin.

Antoine Panet avait abandonné à sa femme, Louise Philippe Badelard, le choix des sujets qualifiés pour bénéficier de la fondation. On conserve aux Archives Nationales des documents ayant appartenu à Antoine Panet intitulés: Memento ou Faits remarquables à Québec. On y retrouve une liste des bénéficiaires de la fondation. La veuve Félicité Trudel, recommandée par l'abbé Desjardins, Vicaire du Curé de Québec, est admise en juillet 1803, et décède le 28 janvier 1804; la veuve Martin Labady, aussi recommandée par le même abbé, est admise au même temps et décède le 10 février 1804. La veuve Lamontagne est adressée à Madame Panet par la Sœur Sainte-Claire de l'Hôtel-Dieu de Québec. Le 25 novembre 1803, Jean Lafond, âgé de 109 ans, est trouvé sur la route presque inconscient. Il est admis le 7 juin 1804, mais il quitte le lendemain. Plusieurs autres ont profité de cette charité de Badelard, mais il serait trop long d'en faire une énumération complète.

Apparemment Badelard n'a jamais eu de problèmes financiers et, déjà, en 1758, soit environ 15 mois après son arrivée à Québec, il déclarait sur son contrat de mariage posséder IBS 6075, ce qui, à cette époque, constituait une somme assez rondelette.

Jusqu'à 1784, il a habité rue DesJardins, et sa propriété était contiguë à celle du highlander Fraser qui l'avait fait prisonnier sur les Plaines d'Abraham le 13 septembre 1759, et lorsqu'ils se rencontraient, Fraser ne manquait jamais de saluer Badelard en lui diant: «Bonjour, mon prisonnier.» Fraser mourut un an après Badelard, soit le 18 février 1803.

La *Gazette de Québec* du 27 octobre 1785 rapporte que «M. Morlière, perruquier de Paris et Londres, et Mme Morlière, modeuse et faiseuse d'habillements de femme (Milliner and Mantuamaker), s'installent à Québec. Ils demeurent dans la maison de M. Badelart, près des Ursulines.» Badelart possédait aussi deux maisons sur la rue Saint-Louis. Il vécut dans une de ces maisons au 39, rue Saint-Louis. Cette maison était située un peu en biais de celle qu'habitait en 1792, le duc de Kent et la belle Julie. Et souvent, le matin, ils se saluaient de leur fenêtre respective.

La Gazette de Québec du 11 novembre 1802, soit neuf mois après le mort du Dr Badelart, publiait l'annonce suivante: «Ira Weldin informe respectueusement les Dames et Messieurs de Québec qu'il ouvrira son école de danse Lundi prochain, le 15, et Mercredi, 17ème jour du présent mois à la maison ci-devant occupée (formerly) par le feu Dr Badelart, rue Saint-Louis.» La maison qu'il avait occupée le fut par la suite et pendant plusieurs années par Charles Panet, avocat. Cette maison fut démolie lors de l'agrandissement du Palais de Justice.

*   *   *

Badelart avait la répartie facile. J. Edmond Roy raconte dans le *Bulletin des Recherches Historiques* de février 1896 (Vol. 12. No 2. p: 27) l'Anecdote suivante:

«Dans les premiers temps de l'occupation anglaise, il (Badelart) avait été invité à dîner chez le Gouverneur. Comme on le sait nos compatriotes d'Albion aiment à manger des viandes saignantes et préfèrent un roastbeef à n'importe quel autre plat. Les Français, invités à dîner à l'hôtel du gouvernement, n'étaient pas habitués à ce régime culinaire. «Comment trouvez-vous votre roastbeef? demanda le Gouverneur au chirurgien Badelard.

Délicieux, excellent reprit le convive courtisan. Mais se retournant aussitôt vers son voisin de table, Badelard reprit: «Délicieux... Délicieux... Il beugle encore.»

Il y avait à cette époque, à Québec, dit Ahern, une marquise, la marquise d'Albergati Vazza qui s'appelait avant son mariage Charlotte Aubert de la Chesnaye. Elle connaissait Badelart et un jour elle lui écrivit une lettre de sottises lui disant qu'il avait embauché sa servante juste au moment où elle venait de l'habiller à neuf. Il lui répond «qu'il ne l'a pas embauchée du tout et que la fille était aussi dénuée de hardes qu'elle l'était de charmes».

Cette marquise était bien connue d'ailleurs. Elle avait créé des problèmes aux Sœurs de l'Hôpital Général. L'abbé de Rigauville, leur aumônier était décédé vers 1781, en laissant à Mademoiselle Madeleine de l'Estingan Saint-Martin deux cents livres de rente viagère. Celle-ci meurt au bout de cinq mois. La veuve d'Albergati, probablement une proche parente, devient héritière d'une somme annuelle de cent-vingt livres, qu'elle refuse pendant quatre années. Brusquement elle décide de récupérer les sommes refusées et elle s'adresse à la loi. La cour refuse d'obtempérer aux désirs de la marquise. Non satisfaite, elle intente une nouvelle action qui, elle aussi, fut déboutée le 3 juillet 1786. Les Religieuses en furent fort heureuses et remercièrent de tout cœur Monsieur Joseph François Cugnet, leur avocat, et le docteur Adam Mabane, un de leur fidèle et sympathique médecin, dont l'intervention favorable ne faisait pas de doute.

L'Association Médicale Canadienne avait été créée à Québec, en 1867. L'année suivante elle réunissait ses membres à Montréal. Le Dr Joseph Painchaud avait préparé un travail qu'il comptait pouvoir présenter à une de ses séances, mais, à son grand désappointement, on n'accepta que les rapports des comités qui suffisaient aux discussions et aux besoins de l'organisation de la nouvelle Association. Les Archives du Séminaire de Québec ont conservé ce projet de discours daté du 3 septembre 1868 et intitulé: «Projet de discours pour la prochaine réunion de l'Association médico-fédérale à Montréal.» (Archives du Séminaire de Québec, carton 50, no 67.) Cette conférence du Dr Painchaud fut présentée 100 ans plus

tard, soit le 29 janvier 1968 à la Société Canadienne d'Histoire
de la Médecine et reproduite dans les Cahiers d'Histoire de la
Société Historique de Québec, Cahiers intitulés: *Trois siècles
de Médecine québécoise* 1970 (pp 56-65.) Elle s'intitulait:
«Quelques biographies de contemporains,» et racontait Jean
Baptiste Chrétien, John Conrad Just, François Lajus, et Philippe Louis Badelard.

Jos. Painchaud avait, en 1868, 81 ans. Il avait 15 ans à la
mort de Badelard en 1802. Il raconte cependant qu'il l'a
entrevu au travers de sa fenêtre. C'est donc que le petit gars de
Saint-Roch (Painchaud) allait de temps à autre se ballader à la
Haute Ville et sur la rue Saint-Louis. Painchaud obtint sa
licence de pratique de la Médecine en 1811. Bien connu
comme conférencier, il utilisait avec un certain plaisir des
expressions grivoises que certaines dames et surtout les journalistes lui reprochaient d'utiliser, mais qui lui attiraient de
nombreux auditeurs. Dans sa conférence Painchaud parle
ainsi de Badelard:

Le Dr Badelard vivait de ce temps-là, mais il ne pratiquait
pas. Je l'ai entrevu au travers de sa fenêtre, où il se tenait toute
la journée pour voir les passants, et j'en suis, moi-même presque rendu à ce point! Badelard était vieux et petit, mais plein
d'esprit; il en avait tant qu'il voulait, comme un français qu'il
était, bon médecin, habile chirurgien et célèbre surtout
comme opérateur de lithotomie. «Voici une de ses espiègle-
ries, entre mille. Il était médecin de la belle famille Bouchaux,
la vénérable mère était grosse, littéralement comme tonne,
qu'on me pardonne la comparaison. Mais, pour les demoiselles, c'était la beauté, l'amabilité et les grâces personnifiées.

Un jour le compte du Dr Badelard arrive; on le trouve
surchargé, comme l'ordinaire. L'avocat consulté, s'aperçut
que plusieurs items, tous semblables, avaient des prix différents, de la moitié, au moins. «Laissez-moi faire, dit-il, je
ferai débouter l'action à mon aise.»

Il y avait dans le compte: «Injection à madame, cinq chelings, ditto à mademoiselle, un écu.» La Cour de justice était

pleine de curieux, qui connaissaient la veuve et le médecin français (Badelard). Le juge demanda explication pour des items semblables.

Badelard se lève, avec son air goguenard, et dit: J'obéis, votre honneur, et je m'explique puisque M. l'avocat l'exige, mais ses clientes ne l'en remercieront pas j'en suis sûr! Oui, j'ai chargé cinq chelings pour une injection domestique à madame (on appele cela, en France, des lavements), mais grand dieu! quel derrière repoussant! un marécage à se perdre, j'était toujours à tâtons! et certainement cela valait plus d'une piastre! Pour les demoiselles! Ah! c'était une toute autre chose! Oh! que c'était ravissant! rien que d'y penser l'eau m'en vient à la bouche! quels charmants! quels mignons!... je n'ose achever la phrase que le docteur Badelard prononça tout au long, en pleine Cour de Justice, et il ajoute: «Ah! oui, j'en aurais donné des lavements aux demoiselles Bouchaux tous les jours pour rien, gratis, c'est pour cela que je n'ai chargé qu'un écu.» Le procès fut gagné, et des tonnerres de ricanements ébranlèrent la voûte de la salle!»

* * *

Le portrait de Badelart qui accompagne cette publication nous vient de Margaret Charlton. C'est la reproduction d'une peinture que possédait le Musée de l'Université Laval, et que Margaret Charlton avait incorporée dans son travail intitulé: «Outlines of the History of Medicine in Lower Canada» et qu'elle avait publié dans *Annals of Medical History* (28), en 1923.

Maude Abbott dans son *History of Medicine in the Province of Québec*, reproduit la même photographie et attribue la peinture à Joseph Légaré, et pourtant Légaré n'avait que 13 ans en 1802, année de la mort de Badelart. Il serait bien étonnant qu'il ait eu à cet âge une formation suffisante pour se lancer dans la grande peinture et surtout le portrait. D'ailleurs, M. Porter, spécialiste des œuvres de Légaré, ne reconnaît pas un Légaré dans ce portrait.

Le juge Ernest LaRue, un descendant d'Antoine Panet et de Louise Philippe Badelart, disait que ce portrait que possédait le Séminaire de Québec était la copie de l'original qu'il possédait. Il ajoutait que cette copie avait été peinte par Théophile Hamel. Hamel est né en 1817, c'est-à-dire 15 ans après la mort de Badelart. Qui a donc peint l'original? En somme Légaré était trop jeune et Hamel n'a pas connu Badelart.

Et... cette peinture est disparue. En 1933 elle était au Musée de l'Université Laval sous la cote 272. Au grand inventaire de 1950, le tableau avait disparu. J'ai fait les corridors du Grand Séminaire et du Pavillon de Ville de l'Université et ne l'ai vu suspendu à aucun mur.

Louis Panet, notaire comme son père Antoine, était devenu conseiller législatif et plus tard sénateur. (1874). Il avait épousé Marie-Louise, fille du Dr Frédéric Oliva. Leur fille, Louise Badelart-Panet, avait épousé en 1841, Ed. Wilbrod Larue, notaire et fils du seigneur de Neuville et de Pointe-Aux-Trembles, Michel Edouard Larue.

Jules Ernest Larue, juge de la Cour Supérieure, avait épousé Marie-Louise Badelart Angers, sa cousine et fille de François Réal Angers et de Marie Louise Panet. Ils étaient tous les deux, les arrière-petits enfants de Philippe Badelart.

Ahern raconte que les Jules Ernest Larue avaient en leur possession les boutons de manchettes de leur ancêtre, Philippe Badelart, son sceau avec initiales, sa montre à répétition ainsi que sa propriété de l'Ancienne Lorette. On appelait Madame Larue, Madame Badelart Larue.

Le Dr Jean Marie Lemieux raconte dans le Vie Médicale au Canada français de novembre 1972 (28) que Fraser remit à Badelart en 1810, son pistolet. À cette époque ils étaient morts tous les deux: Badelart en 1802 et Fraser en 1803. Il semble cependant que ce pistolet ait été entre les mains de Bernard

CHARLTON, M.
    28. «History of Medecine in Lower Canada.» «Annals of Medical History. Vol 5. (1923) p: 150-174. Portrait de Badelard. p: 171.

Panet, un des nombreux petit-fils. Celui-ci en fit cadeau à son ami James Lemoine (plus tard Sir James) qui le remit au fils de Bernard en 1859. Ce pistolet de poche à deux coups était monté en argent et portait sur la culasse les initiales de Badelart (P.B.)

Pierre Georges Roy, dans le *Bulletin des Recherches Historiques de mars 1896* écrivait que ce pistolet avait été remis au coroner Panet, un descendant de Badelart, un de ses nombreux petit-fils, le 13 septembre 1859, cent ans exactement après la batailles des Plaines d'Abraham, et il ajoutait: «Cette arme est aujourd'hui disparue.» Dans le numéro de mai 1896 du même Bulletin, C. Panet-Angers, magistrat vivant à Montréal, écrivait qu'il était l'heureux possesseur du pistolet de Badelart.

* * *

Depuis quelques années, je cherche le tableau représentant Badelart, le nom de son auteur, son possesseur ainsi que celui de ses bijoux et de son pistolet. J'ai fait pratiquement le tour de tous les Larue de Québec et de Montréal, le tour des corridors du Petit Séminaire de Québec, du Grand Séminaire et de l'Université et de son musée, et je n'ai rien trouvé. Peut-être me faudra-t-il faire le tour des Panet. Les recherches se poursuivent et j'espère que parmi les gens qui me liront quelques-uns seront en mesure de m'apporter des renseignements et des directives.

* * *

Cet homme, originaire de Picardie, Philippe Louis Badelart, avait une façon toute personnelle de se comporter. Peu sympathique à ses compatriotes français de la Nouvelle-France, il fut bien vu des nouveaux maîtres anglais après la Conquête. On lui confia des postes de responsabilités. Il a décrit le mal de la Baie Saint-Paul et indiqué le traitement.

Benjamin Sulte écrivait en novembre 1915: »Par ses alliances avec les Guillimin, les Panet, les Taschereau, ses services dans l'Armée, son rapport sur le mal de la Baie Saint-Paul, Badelart doit avoir sa place dans nos recherches historiques (29).»

Il fut le père, le grand-père et l'arrière-grand-père d'une nombreuse descendance de Panet, de Taschereau, de Larue, d'Angers et de bien d'autres encore.

SULTE, Benjamin.
   29. «Bulletin des Recherches Historiques.» Vol. XXII. No 11. p. 343-347. 1915.

APPENDICE I

Observations sur la maladie de la Bay par Monsieur Badlar, chirurgien du Roi, données au public par ordre de son
Excellence le Gouverneur. La Gazette de Québec. 5 août 1784.

«Il a régné dans quelques parties de cette province une
maladie que le gouvernement a fait traiter et que l'on connaît
par le nom de Mal de la Baie — elle est devenue contagieuse et
elle s'est répandue dans beaucoup d'endroits.

«Les symptômes en sont si univoques, si certains qu'on
ne peut pas se tromper. Elle commence, chez tous les sujets, de
toutes constitutions, de tout âge, toujours par un mal de
gorge, une sécheresse, un enrouement et une inflammation de
la voûte du palais, des amygdales et de la luette, qui s'ulcère et
qui est bientôt emportée, par une difficulté, une douleur a
avaler des aliments solides et qui le sont d'autant plus que les
glandes de la bouche sont obstruées et ne fonctionnent plus;
par des ulcères blancs et calleux aux côtés de la langue; par des
pustules plates et écailleuses à la racine des cheveux et au
front; par les mêmes pustules ulcérées au périnée et aux parties
qui les avoisinent dans les hommes et à toutes elles qui occupent la même région dans les femmes. Voilà les premiers
symptômes. Ceux qui les suivent rapidement et qui marquent
le second temps de la maladie sont, les douleurs aigues et con-
tinuelles dans les articulations; un mal-être universel et une
lassitude qui tient les malades dans une inertie invincible.

«La dernière période de la maladie est marquée par le
gonflement douloureux du périoste; par des exostoses nais-
santes; par la carie des lames spongieuses et des cartilages du
nez. C'est alors un malheur de ne pas agir avec la plus grande
célébrité parce que toutes les glandes et les vaisseaux de cette
partie refluent la cause morbifique dans le torrent des
humeurs et détruit bien vite le principe conservateur et l'individu.

On a donné pour cause occasionnelle à cette maladie une fable que je ne rapporterai pas; elle pourrait être examinée mais cela ne conduirait peut-être qu'à beaucoup arguer. J'ai cru encore assez longtemps qu'elle pouvait être dans le principe de la population, et qu'elle s'était développée par une cause homogène. Quoiqu'il en soit ce qu'il y a de certain, c'est que toutes les préparations mercurielles guérissent, sûrement cette maladie dans tous les sujets, où le mal n'est pas invétéré et où il n'a pas subjugué la nature. J'ai fait prendre à la plus forte dose et avec le plus grand succès possible le sublimé corrosif à des malades de tout âge et de tout état de la maladie, ceux qui j'ai pu tenir l'œil et la main ont tous été guéris ainsi que ceux qui ont été suivis par des personnes intelligentes sur de simples directions.

«J'ai observé que tous les malades sur qui la salivation a pu prendre, ont été guéris sûrement et sans retour. Tous les malades qui ont pu vaincre le dégoût du remède et le porter, suivant la direction jusqu'à 20 à 25 jours, quoiqu'ils n'aient salivé, ont été guéris même au dernier degré de la maladie. Tous ceux qui ont été en état de se préparer par 5 ou 6 bains d'eau tiède et quelques purgatifs, et qui ont suspendu leurs travaux en prenant le remède ont été plus vite et plus sûrement guéris. Il y a beaucoup de sujets qui n'ont senti aucune indisposition des effets des remèdes et chez qui tous les symptômes de la maladie ont cessé et qui sont parfaitement guéris. Il y en a beaucoup d'autres que la misère ou la paresse ont fait négliger tout régime, toute précaution, qui ont pris des remèdes dans tous les temps, à la plus haute dose, et qui ont guéri parfaitement.

«Je ne prétends point infirmer les méthodes de personne, puisque je crois que toute préparation mercurielle peut guérir cette maladie.

«Je me suis servi moi-même de frictions dans les sujets où j'ai cru connaître une débilité d'entrailles, et j'ai également bien réussi.

«J'ai donné encore avec succès aux enfants le calomel uni à deux tiers de poudre de jalape et les pilules de Keifer. Mais le mercure pris dans les préparatifs de sublimé m'a paru plus pénétrant plus actif et plus facile à donner aux gens de la campagne qui peuvent suivre eux-mêmes ce traitement.

«C'est pourquoi chez ceux où la maladie était à sa deuxième ou à sa dernière période, j'ai commencé par les faire baigner 10 ou 15 fois selon leur force, leurs constitution et leur état de maladie. Ils ont été purgés avant et après les bains et ils ont pris pendant 10, 15, 20, ou 30 jours un grain de sublimé corrosif par jour, lavé par au moins trois livres de tisane de mauve, d'orge ou de riz. On a toujours mis quand on l'a pu faire, un quart de lait. On peut, pour éviter le dégoût de l'eau-de-vie de bled, faire fondre dans une petite partie de cette liqueur la dose de sublimé en poudre très fine; on y joint alors une livre et demie de tisane de mauve, orge ou riz. Cette livre et demie de liqueur dans laquelle sont entrés les quinze grains de sublimé, que j'ai donné sans accident au plus haut degré de la maladie, contient 48 cuillerées (à soupe) qui, à 3 jour, font pour 16 jours. Mais les 4 premiers jours les malades n'en prennent que le matin avant leur déjeuner; les 4 jours qui suivent ils n'en prennent encore que deux fois, c'est-à-dire le matin et le soir et ils ne commencent que le neuvième jour à en prendre trois fois; ce n'est par conséquent pas un grain par jour. (Chaque cuillerée contient 5) 16 de grain de sublimé. M.J.A.) On observera de bien laver le remède en buvant chaque fois au moins une chopine de tisane coupée avec un quart de lait. Le régime lacté et les racines ou les légumes sont préférables à tous autres.

«Les accidents qui peuvent arriver sont la salivation abondante, mais c'est une sûreté de guérison. Il faut dès que la salive se montre, par l'inflammation de la bouche, cesser le remède au bout de deux jours; de même que si la diarrhée prenait trop vivement. Il arrive aussi quelquefois des coliques et un flux d'urine alors qu'il faut cesser pour quelques jours et purger avec la rhubarbe.

«Dans la première période de la maladie, au bout de 5 à 6 jours de traitement tous les symptômes disparaissent mais il faut continuer jusqu'au 15ème jour sans cela on n'aura rien fait.»

(Une livre égale une chopine; une cuillerée à soupe égale une 1/2 once)

J. Haldimand, Gouverneur en Chef, Québec. 29 juillet 1784.

Reproduit de: AHERN, Michael J. et Geo.
Notes pour servir à l'Histoire
de la Médecine dans le Bas-Canada.»
Québec. 1923. pp: 28 à 31.

APPENDICE II

Lettre du Dr Fr. G. Oliva à M. P. Badelart.

1782
17 septembre

À la pointe Levi, le 17''7bre 82.

Monsieur et mon cher ami,

Un habitant de cette paroisse étant venu me consulter sur un flux rouge (Dysenterie) de la plus méchante Espèce le 7, de ce mois, et qui, à présent n'est pas encore parfaitement rétabli, vient me raconter ce matin qu'il a eu le malheur de vendre inocentement un pair de culottes et un pain à un Déserteur, quelque tems passé, que l'on la condamné, de payer 22 piastres, et d'être outre ça un mois en prison aussitôt que la récolte est fait et qu'il a tombé malade aussitôt que d'être arrivé de la ville et que ses travaux par conséquent aient souffers par sa maladie considérablement. Comme il va mieux, mais, qu'il n'est pas parfaitement rétabli, vous mobligeré, cy bien, en voulant lui procurer sinon la Dispensation entière, pourtant la Dispensation de son arrest, jisqu'à ce qui parfaitement rétabli de Mons. Baby, le Colonel de la Milice.

J'ai lhonneur d'être
Votre hble et obéisst Serv.
Oliva.

Le nom de cet homme
c'est batiste Carrière

Lettre autographe signée

Lettre procurée par les Archives publiques du Canada (Photocopie) Cote MG 24, L3 pages 5027-5028

(29 septembre 1976)

Remerciements

La production de ce traité a exigé de nombreuses recherches et de précieuses collaborations.

Malgré tout parmi les nombreuses questions que je me suis posées, plusieurs sont restées sans réponses. Qui a fait le portrait de Badelard, (ou Badelart). Où se loge actuellement ce portrait? Où est son pistolet? Où sont ses boutons de manchettes, etc.?

Je compte bien que parmi les lecteurs assidus des Cahiers des Dix, quelques-uns pourront m'apporter des réponses satisfaisantes.

Je dis un grand merci à ceux qui de loin m'ont fourni littératures et références. Je veux signaler entre autres Dom Guy Oury de l'Abbaye de Solesmes à Sable-sur-Sarthe, en France, correspondant européen de la Société des Dix, le Médecin Général Raymond Bolzinger, de Metz, en Lorraine. M. André Desrosiers, des Archives Publiques du Canada, m'a gracieusement adressé de nombreuses indications référentielles des copies de lettres, en particulier celles de l'abbé Gazelle à Badelard.

Merci à tous ceux et celles qui m'ont permis de connaître et d'estimer cet homme qu'était Philippe Louis Badelart.

Les métiers du livre à Québec
(1764-1859)

Par CLAUDE GALARNEAU, S.R.C.

Le vieil humanisme classique avait privilégié depuis la Grèce ancienne l'étude des textes, des auteurs et de leurs œuvres. La renaissance européenne des XVe-XVIe siècles avait repris le flambeau de la culture littéraire au moment où naissaient les littératures nationales, une fois sortie de la culture grammaticale et de la culture logique du moyen âge. La religion chrétienne elle-même s'intéressa alors plus que jamais aux textes sacrés dans les combats de la Réforme et de la Contre-Réforme. L'histoire, comme toutes les autres disciplines issues de l'humanisme, s'est développée et s'est maintenue longtemps dans la culture littéraire. Peu à peu, elle déborda sur les marges pour investir le passé de toutes les activités humaines. Jusqu'à une date récente, elle négligea pourtant certains domaines comme celui de la communication, qui fait aujourd'hui l'objet de vastes recherches dans plusieurs spécialités des sciences sociales et humaines. Ainsi du monde de l'imprimerie, qui n'a suscité que peu d'études chez nous.

L'histoire de l'imprimé et du livre a été d'abord l'apanage des bibliothécaires et des bibliographes. Nous devons ainsi des travaux remarquables et toujours utiles à Barthélemy Faribault, Philéas Gagnon, N.-E. Dionne, Aegidius Fauteux, Marie Tremaine et Antonio Drolet, pour ne nommer que ceux-là. Plus près de nous, André Beaulieu et Jean Hamelin ont continué ce travail avec leur monumental ouvrage sur *La presse québécoise*[1]. John Hare et Jean-Pierre Wallot ont

---

1. *La presse québécoise des origines à nos jours*, t. I: 1764-1859, Québec, Les Presses de l'Université Laval, 1973.

voulu reprendre le travail où Marie Tremaine[2] l'avait laissé.
Ils ont publié un premier volume jusqu'à 1810 et devraient
nous en livrer un autre sur la décennie suivante[3]. C'est la
Bibliothèque nationale du Québec qui, désormais, s'occupera
de la bibliographie rétrospective, puisqu'une pareille entreprise dépasse les capacités de quelques chercheurs isolés. Pour
sa part, Jean-Louis Roy a étudié le commerce du livre à Montréal dans son livre sur la librairie d'Édouard-Raymond
Fabre[4] et il en prépare un autre sur la librairie des frères Crémazie de Québec. Ces deux études de cas nous donneront une
idée de l'histoire de la librairie dans la première partie du
XIXe siècle. Après les imprimés et leurs diffuseurs, il convient
de se pencher sur le monde de ceux qui fabriquent le produit,
les imprimeurs. S'il est encore beaucoup trop tôt pour parler
d'une histoire de l'imprimerie dans la province de Québec
depuis le milieu du XVIIIe siècle, il est néanmoins possible
d'en faire une première évaluation pour la ville de Québec,
berceau de l'imprimerie et longtemps la première ville imprimante du Canada, avant qu'elle ne cède le pas à Montréal et à
Toronto. Il importe d'abord de tenter de faire une pesée globale des hommes — patrons et ouvriers — qui ont composé les
effectifs des différents métiers de l'imprimerie, de leur activité
et de leurs conditions de travail. Il s'agira ensuite d'identifier
les techniques utilisées par les imprimeurs et de signaler les
types d'imprimés que pouvaient commander leurs clientèles.

Une analyse chiffrée comme celle que nous avons faite
exige qu'on s'explique rapidement sur les sources qui ont permis de l'établir. Nous avons systématiquement dépouillé les
almanachs de 1780 à 1840, les annuaires (*directories*)de la
ville, qui n'ont paru que cinq fois avant 1847-1848 pour devenir annuels à partir de ce moment, ainsi que les annuaires du

2. *A Bibliography of Canadian Imprints 1751-1800,* Toronto, University of Toronto Press, 1952.

3. *Les imprimés dans le Bas-Canada 1801-1840. Bibliographie analytique,* T. I: *1801-1810,* Montréal, Les Presses de l'Universtité de Montréal, 1967.

4. *Edouard-Raymond Fabre, libraire et patriote canadien (1799-1854). Contre l'isole-ment et la sujétion,* Montréal, Hurtubise HMH, 1974.

Les métiers de l'imprimé à Québec (1764-1859)

Décennie	Métier					Groupe lingustique			Quartier			
	I	R	G	NS	Total	F	A	Total	BV	HV	FSJB	FSR
1760-1769	2	2			4	1	3	4		3		
1770-1779	1	1			2	1	1	2		1		
1780-1789	2	1	1		4		4	4	3			
1790-1799	8	2	4		14	7	7	14	6	5		
1800-1809	6	2		2	10	4	6	10	1	1		
1810-1819	6	3		20	29	13	16	29		2		
1820-1829	24	8	7		39	18	21	39		26		
1830-1839	16	1	1	25	43	27	16	43		1	1	
1840-1849	46	5	11		62	40	22	62	8	26	9	10
1850-1859	119	17	22		158	106	52	158	16	53	56	23
	230	**42**	**46**	**47**	**365**	**217**	**148**	**365**	**34**	**118**	**66**	**33**

Légende

I : imprimer
R : relieur
G : graveur
NS : métier non signalé

F : francophone
A : anglophone
BV : Basse-Ville
HV : Haute-Ville
FSJB : Faubourg Saint-Jean-Baptiste
FSR : Faubourg Saint-Roch

Canada des années 1850. La *Gazette de Québec* de 1764 à
1859, le *Canadien* depuis 1806 et le *Journal de Québec* à partir
de 1842 nous ont apporté d'autres éléments. Ces grandes
séries documentaires ont été complétées par des renseignements pris dans la collection Neilson, dans la collection
Gagnon[5], dans les archives notariales ainsi que dans les travaux des historiens. Des métiers du livre, qui comprennent
ceux d'imprimeurs, de relieurs, de graveurs, d'éditeurs, de
papetiers et de libraires, nous n'avons retenu que les trois premiers, gardant les trois autres comme occupation d'appoint.
Une étude sera ailleurs consacrée aux libraires et autres vendeurs de livres.

Le tableau ne comprend que les nouveaux hommes de
métier qui sont apparus dans chaque décennie et ne prétend
pas avoir recensé tous les artisans durant le siècle, étant donné
l'absence des annuaires durant de longues périodes. Absence
que le livre des salaires payés par John Neilson à ses employés
de 1802 à 1822[6] et que l'*Album-souvenir* du centenaire de la
Société typographique fondée en 1836 ont permis de combler
en partie par une cinquantaine de noms ajoutés à ceux fournis
par les séries déjà citées[7]. Ceci dit, nous arrivons au total de
365 hommes — patrons et ouvriers —, qui ont exercé l'un des
métiers de l'imprimerie à Québec. Ils étaient deux dans la première décennie et 158 nouveaux dans la dernière. On remarque encore qu'il y a eu régression dans la seconde et la cinquième décennie, qu'un premier bond se produit en 1790, un
second en 1810 et que le véritable décollage arrive dans la dernière décennie, qui compte plus de 43% du total du siècle. Le
premier bon se fait sentir au moment où la guerre de l'indépendance américaine et ses séquelles sont enfin terminées, le
second suit le changement de structure économique amené par

---

5. La collection Neilson est conservée dans trois dépôts différents: aux Archives nationales du Québec, à Québec et à Montréal, et aux Archives publiques du Canada, à Ottawa.
La collection Gagnon est aux Archives de la ville de Montréal.

6. ANQ (Québec), AP-N-2-62, «Salaires des employés».

7. *100e Anniversaire Union Typographique de Québec, no 302. Album-souvenir,
17-18 octobre 1936.*

les problèmes que le blocus continental avait causé à l'Angleterre. Le décollage coïncide avec la plus forte augmentation de la population que la ville ait connu durant le siècle.

Quant au métier exercé, ce sont les imprimeurs qui l'emportent nettement avec 230, auxquels il faut sans doute ajouter la plupart des 47 unités dont le métier n'est pas signalé. Quant aux imprimeurs, c'est une catégorie qui comprend les typographes et les pressiers de même que ceux qui possèdent une imprimerie, mais sans avoir appris l'un ou l'autre métier. Ce serait par exemple le cas de N.A. Aubin éditeur et rédacteur de nombreux journaux, qui a fini par posséder une imprimerie[8].

Sur le plan des groupes linguistiques, les anglophones sont les plus nombreux jusqu'à 1820, alors que les francophones l'emportent nettement à partir de la décennie suivante et jusqu'à la fin. Le plus grand nombre vient de Québec et y a appris le métier. Les autres sont arrivés des îles britanniques et quelques-uns des États-Unis. Quant aux Français, nous n'en avons trouvé que trois venus de l'ancienne métropole. Le quartier d'habitation ou d'exercice du métier est connu dans 251 cas et la Haute-Ville constitue le lieu préféré avec 118, suivie des faubourgs Saint-Jean-Baptiste avec 66 et Saint-Roch avec 33, et de la Basse-Ville avec 34. La Basse-Ville, c'est celle de l'époque, c'est-à-dire la mince bande de terrain qui contourne le cap depuis l'Anse-des-Mères sur le Saint-Laurent jusqu'à la rue Saint-Roch. La Haute-Ville, le quartier où s'établissent surtout les imprimeurs, c'est la ville intra-muros. Les changements d'adresse sont fréquents et on voit souvent des imprimeurs et des relieurs commencer dans la Basse-Ville ou les faubourgs et monter quelques années après à la Haute-Ville. Ce n'est d'ailleurs qu'à la dernière décennie qu'un atelier quittera la Haute-Ville pour s'installer plus commodément au faubourg Saint-Jean-Baptiste. Les imprimeries les

---

8. Voir J.-P. Tremblay, *À la recherche de Napoléon Aubin,* Québec, Les Presses de l'Université Laval, 1969.

plus importantes ont pignon sur rue durant tout le siècle, dans un axe qui part de la rue Saint-Pierre à la Basse-Ville, monte à la Haute-Ville par la rue de la Montagne, pour suivre ensuite les rues Buade et de la Fabrique et déboucher enfin dans la rue Saint-Jean jusqu'à la porte du même nom. Les principaux imprimeurs, les relieurs, les libraires et autres vendeurs s'y retrouvent en rangs serrés, tels que les Neilson, les Fréchette, les Cary, les Côté, les Crémazie, les Sinclair, les Brousseau pour ne citer que les mieux connus. Les autres avaient leur atelier non loin de cet axe, soit dans les rues Desjardins, Sainte-Ursule, Sainte-Anne, Laval, Sainte-Monique ou Sainte-Famille. Neilson et la *Gazette de Québec* sont restés durant plus de 70 ans dans la côte de la Montagne. Cette espèce de *via sacra* de la ville de Québec logeait tout ce qui comptait en fait de religion, de négoce et d'affaire.

Le nombre des gens de métier et le lieu de leur installation étant connus, il faut cerner d'un peu plus près le nombre des ateliers et tenter d'en estimer l'importance à défaut de mesure plus précise. De 1764 à 1788, la ville n'a eu qu'un atelier d'imprimerie, celui de la *Gazette de Québec,* fondé par William Brown et Thomas Gilmore et dirigé par Brown après la mort de son associé. En 1788, William Moore ouvre le deuxième atelier. En 1810, il y a 3 imprimeries jusqu'au mois de mars, alors que les presses du *Canadien* sont saisies et les propriétaires et rédacteurs arrêtés par ordre du gouverneur. Dans l'annuaire de 1822, on trouve 14 personnes qui sont reliées à l'imprimé, dont 7 imprimeurs, 1 libraire, 2 graveurs et 4 relieurs. Le libraire est francophone, les 2 graveurs anglophones et 3 relieurs sont francophones. Les 7 imprimeurs se partagent 6 ateliers. Thomas Cary fils est rue Buade, William Cowan et Samuel Neilson, fils de John, dirigent la *Gazette de Québec,* rue de la Montagne. William Shadgett, imprimeur et professeur est dans la rue Hope (rue de Léry ou Sainte-Famille), Charles Vallée dans la rue Saint-Joseph (rue Garneau), Flavien Vallerand, rue de la Montagne, George Wright, rue Saint-François et Charles Lefrançois, rue Laval. Les 4 ateliers les plus importants appartiennent à des Anglais. En 1836, année de fondation de la Société typographique de Québec, la ville aurait compté 12 ateliers et 66 hommes de métier[9]. En 1847-1848, on pouvait en dénombrer 14 et 11 dix ans après. Il se peut que certains petits imprimeurs tenant boutique ne soient pas inscrits dans ces annuaires, mais le nombre des ateliers ne paraît pas avoir beaucoup varié à partir de la décennie 1830.

La plus grosse imprimerie fut celle de la *Gazette de Québec*, fondée en 1764, et qui fusionnera en 1874 avec celle du *Morning Chronicle*. Elle a été la propriété de la famille Brown-Neilson durant 85 ans. Il y eut ensuite l'Imprimerie canadienne qui publia le *Canadien,* avec des propriétaires différents pour les trois premiers journaux du nom et sous la gouverne de la famille Fréchette de 1831 à 1862. En 1798, P.E. Desbarats achète la New Printing Office/Nouvelle Imprimerie de W. Vondenvelden, et qui éditera le *Quebec Mercury* durant de longues années avec Thomas Cary fils. Établi à la fin des années 1830 ou au début de la décennie suivante, Augustin Côté s'allia à son beau-frère Jos. Cauchon pour lancer le *Journal de Québec* en 1842. Décennie qui compte encore de nouveaux ateliers, tels que ceux de R. Middleton, de Charles Saint-Michel, de W. Cowan and Son, de Stanislas Drapeau, de Gilbert Stanley, de William Pooler et de Bureau et Marcotte. La dernière décennie voit la disparition de la famille Neilson, qui vend la *Gazette* à Middleton, le retour de G.P. Desbarats et S. Derbishire, qui suivent le gouvernement du Canada Uni. La grosse entreprise montréalaise de Lovell s'installe rue de la Montagne dès 1852, pendant que naissent celles de Rollo Campbell, de Donoghue, des frères Brousseau, Docile, Léger et Jean-Thomas, et de Pierre Lamoureux. Enfin, l'imprimerie a connu de véritables dynasties, comme celle des Brown-Neilson et des Cary qui ont tenu durant trois générations et celle des Fréchette, durant deux générations.

---

9. *Album-souvenir.*

Les ateliers étaient souvent dirigés par des imprimeurs réunis en société. Ce fut le cas de l'atelier de la *Gazette de Québec,* dirigé par William Brown et Thomas Gilmore de 1764 à 1773, par William Cowan et Samuel Neilson de 1822 à 1836, par Robert Middleton et John Neilson de 1848 à 1852. Il y eut R. Lelièvre et P.E. Desbarats à la Nouvelle Imprimerie en 1798-1799, P.E. Desbarats et Thomas Cary en 1812, avec en plus William Kemble en 1826 et J.C. Fisher en 1833. La décennie 1840 vit se former les sociétés A. Côté et Cie, W. Cowan and Son, E. et P. Fréchette, Middleton et Saint-Michel. Dans les années 1850, ce sont Derbishire et Desbarats, Middleton et Dawson, Lamoureux et Lovell, Saint-Michel et Darveau qui s'unissent pour quelques années. C'est incidemment un phénomène très fréquent que celui des dissolutions de société, que l'on ne saurait expliquer dans l'état actuel de l'histoire des entreprises.

Si des imprimeries on passe aux ateliers de reliure et de gravure, on constate que leur nombre est beaucoup plus restreint. Nos recherches ont en effet dénombré 42 relieurs et 46 graveurs, alors qu'on a compté 230 imprimeurs et plus. Chez les patrons, on trouve William Ritchie, tailleur et relieur, inscrit à l'annuaire de 1790. En 1822, il y en a quatre: Louis Hianveux, Louis Lemieux, Charles Lefrançois et Charles Lodge, tous à la Haute-Ville. Hianveux est le premier d'une dynastie qui, plus tard alliée aux Lafrance, se maintiendra jusqu'au milieu du XXe siècle. Peter et William Ruthven forment la première société de relieurs vers 1827 et Peter Sinclair, l'un des plus gros libraires de la décennie 1850, également papetier, régleur et fabricant de livres de comptabilité fait aussi de la reliure et s'associe d'ailleurs un moment à Crombe pour la reliure. Alexandre Lafrance, A. Dredge, John et William Wyse sont d'autres relieurs importants arrivés après 1850. On connaît 2 graveurs avant 1800, soit J.G. Hochstetter et François Letourneau, auxquels s'ajoutent vers 1820 Edward Bennett, David Smilie et James Smilie, ce dernier lapidaire et bijoutier. William Leggo, qui se disait *copper-plate printer and ruler* apparaît au même moment et sera là jusqu'à la fin des années 1840. Il y a enfin les plus importants ateliers, qui regroupent tous les métiers de l'imprimerie, ceux d'imprimeur, relieur, graveur, régleur, doreur — les relieurs sont souvent régleurs et doreurs —, qui ont un commerce de librairie et de papeterie et qui sont aussi éditeurs de journaux. C'est le cas des Brown-Neilson, de Thomas Cary fils, de J.-B. Fréchette, d'Augustin Côté, de J.-T. Brousseau, qui ont édité respectivement la *Gazette de Québec,* le *Quebec Mercury,* le quatrième *Canadien* et le *Courrier du Canada.*

La comparaison avec Montréal et Toronto est intéressante à plus d'un point de vue. Les recherches dont les résultats nous sont connus permettent de glaner quelques indications. Celles de madame Buono[10], de J. Hare et J.-P. Wallot sur Montréal s'arrêtent à 1820. Entre 1776 et 1820, Montréal aurait compté 19 imprimeurs tandis que Québec n'en a eu que 12 en tout. Nombre qui ne préjuge pas de leur importance respective, puisque les propriétaires de la *Gazette de Québec* avaient des intérêts dans d'autres imprimeries à Québec comme à Montréal. A Toronto, selon Elizabeth Hulse, la ville a dans son premier *Directory* paru en 1833 une liste de 8 ateliers d'imprimerie, de 3 relieurs et de 3 libraires-papetiers[11]. L'imprimerie, là comme à Québec, est surtout concentrée dans les ateliers où on édite un journal. En somme, et peu importe les chiffres, l'imprimerie naît et se développe selon les mêmes tendances dans les trois villes, comme elle s'était développée aux États-Unis avant 1830.

*   *   *

Les métiers de l'imprimerie comme tous les autres domaines de la fabrication avant l'ère industrielle exigeaient une longue période de formation professionnelle de ceux qui vou-

---

10. Yolande Buono, *Imprimerie et diffusion de l'imprimé à Montréal 1776-1820,* maîtrise en bibliothéconomie, Faculté des études supérieures, Université de Montréal, 1980.
11. *A Dictionary of Toronto Printers, Publishers, Booksellers and the Allied Trades 1798-1900,* Toronto, Anson-Cartwright Editions, 1982.

laient s'y engager. L'apprentissage était déjà solidement installé dans les principaux métiers du Canada au moment où l'imprimerie arriva. William Brown et Thomas Gilmore ayant appris leur art à Philadelphie, ils allaient inaugurer le système de l'apprentissage de l'imprimerie sur les bords du Saint-Laurent, sans être dispensés de faire appel à quelques imprimeurs des îles britanniques ou des États-Unis. L'atelier de la *Gazette de Québec* chercha tout de suite à recruter des apprentis et fit paraître des annonces dans son journal au moins à neuf reprises de 1764 à 1798. Les autres imprimeurs-éditeurs de journaux firent de même, tels que J.-B. Fréchette au *Canadien* à partir de 1831 et Augustin Côté au *Journal de Québec* après 1842. Il sera impossible d'en faire le dénombrement complet et l'étude sociale aussi longtemps que les travaux sur l'apprentissage n'auront pas été complétés avant 1860. Les renseignements que nous possédons permettent cependant de faire quelques observations.

La durée de l'apprentissage est de cinq à sept années, suivant les contrats que nous avons repérés, en ce qui concerne les imprimeurs. Chez les graveurs, il y a des contrats de quatre ans et de six ans, et chez les relieurs, de cinq, six et sept ans. Sauf exception, les apprentis sont mineurs et leur âge d'engagement varie de 12 à 17 ans. Dans le cas de l'atelier de la *Gazette de Québec* de John Neilson, au moins de 1802 à 1822, l'engagement se fait sans que nous ayons retrouvé de contrat d'apprentissage, tandis que les autres maîtres imprimeurs passent par devant notaire. C'est le cas de P.E. Desbarats, de Thomas Cary fils, de William Shadgett, ainsi que des graveurs Isaac Watson et John Rennie, des relieurs Louis-Charles Hianveux et Charles Lodge. Dans les gros ateliers de Neilson, de Desbarats et Cary et, plus tard, de Fréchette et de Côté, on prend des apprentis à la reliure aussi bien qu'à l'imprimerie. Les clauses des contrats sont les mêmes que celles des autres métiers et donnent à l'avance le salaire qui sera versé de la première à la dernière année et un montant forfaitaire accordé à la fin de l'apprentissage. A défaut de contrat notarié chez

John Neilson, il y a des documents pour nous renseigner sur le taux des salaires. Ainsi, vers 1815, chez Neilson comme chez Desbarats et Cary, les salaires vont de 12 à 25 livres par an de la première à septième année.

Le livre des salaires de John Neilson nous fournit d'autres informations sur ce métier encore difficile à bien connaître sous tant d'aspects. Il donne le nom de 57 personnes différentes, apprentis et compagnons, plus celui de quelques domestiques. On y trouve 14 compagnons, dont le métier est indiqué, à savoir 5 imprimeurs (*printers*), 2 pressiers (*pressmen*), 1 clerc, 5 relieurs et 1 traducteur. Les 14 apprentis sont inscrits sans autres précisions. Mais la plupart sont apprentis-imprimeurs puisqu'on les retrouve plus tard exerçant ce métier. Sur les 57, on compte 27 francophones et 30 anglophones, mais deux fois plus d'apprentis francophones. Comme les employés signent à chaque trimestre la page où est inscrite la somme que John Neilson leur doit suivant le taux de leur salaire, on voit par là la situation de l'alphabétisation des ouvriers. Trois seulement signent d'une croix, soit un pressier, un apprenti et le troisième sans métier indiqué. Ce qui fait un excellent taux d'alphabétisation, contrairement à ce qui existait en Angleterre et aux États-Unis, où le nombre des analphabètes était encore important dans l'imprimerie avant 1850. Cela venait de ce que l'apprentissage était considéré comme une institution où l'assistance publique mettait d'office les jeunes garçons abandonnés ou sans famille. De ceux qui ont ainsi appris leur métier chez Brown-Neilson, on peut citer quelques noms qui ont fait leur marque à Québec, à Montréal et en Ontario. Avant 1800, il y eut les trois frères Roy, Louis, Joseph-Marie et Charles. Ce dernier fut l'imprimeur du *Canadien* en 1806. Louis fut le premier imprimeur du Haut-Canada de janvier 1793 à l'été 1794, à Newark ou Niagara-on-the-Lake[12], avant de revenir à Montréal s'associer

---

12. William Roy, «Louis Roy: First Printer in Upper Canada», *Ontario Historical Society,* vol. XLIII, no 3 (July 1951), p. 123-142.

avec son frère Joseph-Marie pour publier la *Gazette de Montréal*. L'association fut rompue en 1797[13] et Louis s'en alla à New York, où le Dr François Blanchet apprit à John Neilson que Louis Roy était mort de la fièvre jaune vers le 20 août 1799 à l'hôpital de New York. Roy travaillait alors comme «compositeur de gazette» chez madame Greanleaf. Le Dr Blanchet avait d'ailleurs rencontré là deux autres jeunes imprimeurs canadiens, à qui il a conseillé en vain de rentrer à Montréal, ajoutant que «c'est ainsi qu'un pays naissant comme le nôtre se voit privé de sujets» qui pourraient avoir une existence heureuse au lieu de vivre dans la «dissipation»[14]. John Bennett, prote à la *Gazette de Québec*, alla travailler chez Edwards à Montréal, en 1797, peut-être au départ de Louis Roy. Parmi les anciens apprentis de Neilson qui ont ouvert leur propre atelier à Québec, on peut citer Charles Lefrançois, William Cowan — futur associé de Samuel Neilson —, Flavien Vallerand, qui fut le propriétaire du troisième *Canadien* et J.-B. Fréchette, qui reprit l'Imprimerie canadienne et le quatrième *Canadien* en 1831.

L'entente entre patrons et ouvriers ne devait certes pas être toujours excellente puisque les journaux dénoncent de temps à autre la fuite d'un apprenti. D'ailleurs, les patrons de la *Gazette de Québec* se plaignent souvent de l'instabilité des compagnons, ce qui était une constante en Europe comme en Amérique depuis le début de l'imprimerie[15]. Cela venait du fait qu'ils étaient plus instruits que les autres artisans, qu'ils en étaient conscients et que, en Amérique, la demande était forte et les salaires élevés. Ils avaient le goût de bouger, de voir du pays. Ceci dit, les ouvriers du livre ne paraissent pas avoir tenté de se réunir avant 1836, pour autant qu'on sache. Cette année-là, la Société typographique canadienne fut fondée à Québec. Une assemblée des «compagnons imprimeurs» avait

---

13. ANQ, M, greffe de P. Lukin, 30 mars 1797.

14. APC, MG. 24 B. 1, collection Neilson, 11 août 1800.

15. J. Hare et J.-P. Wallot, *Les imprimés au Québec 1760-1820,* colloque de l'IQRC, novembre 1981, p. 37.

été convoquée à la taverne de Blucher à la Haute-Ville, le 3 novembre à 7 heures du soir[16]. L'*Album souvenir* du centième anniversaire donne la liste des «membres fondateurs» de la société, qui comprend 66 noms, regroupant les deux groupes linguistiques, dont le président était A. Jacquies père et le secrétaire, Chs Greffard. Jacquies était un Français arrivé vers 1820 à Québec et qui sera l'imprimeur du *Fantasque*. Le 26 août 1837, la *Gazette de Québec* annonce qu'une messe sera chantée en l'honneur de saint Augustin, patron des imprimeurs. Selon Jules Plamondon, la S.T.C. n'aurait vécu que huit années consécutives, pour reprendre vie de mai à octobre 1852. Et ce n'est que le 21 août 1855 que la «Société typographique de Québec» allait renaître pour de bon sous la présidence de Charles Langlois. Au début de l'année suivante, la S.T.Q., qui compte une soixantaine de membres, se réunit à l'Hôtel Saint-Jean au faubourg du même nom, en séance solennelle, où plus de trois cents personnes avaient été invitées. C'est une société de bienveillance et une association d'ouvriers de bonne volonté cherchant mutuellement à s'instruire, comme l'écrit le journal. Norbert Duquet, typographe à l'atelier du *Journal de Québec,* présidait la séance et Stanislas Drapeau, prote au même journal, y avait fait une conférence intitulée *Une page sur l'histoire du pays.* Si les «amateurs typographes» ont présenté une pièce de théâtre sous la direction de N. Aubin en 1841, la S.T.Q. a mis sur pied un «club dramatique» en 1858, qui présente un spectacle, répété plusieurs fois chaque saison. Elle regroupe toujours les compagnons des deux groupes linguistiques. Au nombre de 67 en 1855, les membres actifs ne sont plus que 47 en 1861. La S.T.Q. a aussi monté sa propre bibliothèque, avec un cabinet de lecture attenant, où l'on peut lire livres et périodiques et où des réunions et conférences sont offertes aux membres[17]. Les relieurs auraient peut-être voulu éviter une pareille union de

---

16. *La Gazette de Québec,* 3 novembre 1836.

17. *Société typographique de Québec. Règlements de la société fondée le 1 août 1855,* Québec, Desbarats et Derbishire, 1861; *Règlements de l'Union typographique de Québec, no 159,* Québec, Imprimerie de l'Événement, 1873.

leurs compagnons. En 1856, on voit en effet A. Dredge donner un grand dîner à ses ouvriers et à quelques amis dans son atelier décoré pour la circonstance. Dans le compte rendu que la *Gazette* en fait, le rédacteur ajoute que la confiance et la bonne volonté devraient toujours exister entre employeurs et employés et qu'une excellente façon d'y arriver est de faire comme M. Dredge[18].

La société des typographes de Toronto a connu une pareille évolution à ses débuts. La *York Typographical Society* fut fondée en octobre 1832 par un groupe de 24 compagnons, presque tous d'origine britannique. Ils avaient peut-être connu ou avaient entendu parler des changements que les nouvelles machines à imprimer apportaient dans la profession[19]. Mais il y eut une raison plus immédiate à cette fondation: c'est le problème des salaires lié à celui de l'engagement des apprentis qui n'ont pas terminé leur temps, que les maîtres imprimeurs embauchaient sans vergogne à moindre salaire, main d'œuvre que les bons ouvriers appelaient les *half-way journeymen* ou *half-taught workmen*. La première grève fut déclenchée en octobre 1836 par la Y.T.S., mais elle ne dura que huit jours et rata complètement. Les troubles de 1837 achevèrent l'Union, qui disparut cette année-là. Elle refit surface en 1844 lorsque George Brown, du *Globe,* voulut réunir les patrons imprimeurs contre les compagnons. Brown n'a pas réussi, mais la Toronto Typographic Union connut encore des années difficiles avant 1851. Il faut ajouter enfin que la première tentative de fédération des unions d'imprimeurs américains avait eu lieu à New York en 1836. Mais ce n'est qu'en 1850 que la National Typographical Society deviendra la International Typographical Union. Il n'est pas du tout impossible qu'en vertu de la mobilité des imprimeurs, la Société typographique de Québec ait été rassemblée dans le

---

18. *La Gazette de Québec,* 19 janvier 1856.
19. Sally F. Zerker, *The Rise and Fall of the Toronto Typographical Union 1832-1972: A case study of foreign domination,* Toronto, University of Toronto Press, 1982, chap. 2.

même contexte nord américain. C'est un imprimeur venu de France, Adolphe J. Jacquies, qui avait été l'organisateur de la société en 1836. La société de Québec fut dissoute en 1873 et remplacée par l'Union typographique de Québec, no 159, pour les francophones, et par l'Union, No 160, pour les anglophones, qui avaient demandé une charte à la International Typographical Union l'année précédente. La bibliothèque et le cabinet de lecture étaient passés aux mains de l'Union des francophones.

Une bonne grève, qui aurait duré quelques semaines, avec arrestations et condamnations, nous aurait certes fourni d'utiles renseignements sur les problèmes de l'imprimerie et de ses métiers. Il n'y en eut point à Québec durant la période étudiée. Sur le nombre de compagnons et d'apprentis que pouvaient compter les ateliers, il faut pour le moment se contenter de l'infime partie de la documentation dépouillée de la collection Neilson. Le livre des salaires de 1802 à 1822 nous donne quelques indications. En 1802, 9 hommes ont touché un salaire, soit 7 compagnons — dont 4 imprimeurs, 2 relieurs et 1 commis —, et 2 apprentis; 3 compagnons et 1 apprenti sont francophones. Dix ans après, il y a 14 employés au registre, dont 11 compagnons — 8 imprimeurs, 2 relieurs et 1 commis —. Quatre étaient francophones ainsi que les 3 apprentis. Il sera intéressant de savoir combien d'hommes les Neilson auront embauchés entre 1820 et 1848 lorsque les travaux seront plus avancés. Si la ville comptait 12 ateliers et 66 ouvriers en 1836, on peut supposer que Neilson et Cowan en avaient plus d'une quinzaine et les 11 ateliers devaient se partager les autres ouvriers. À Montréal, Ludger Duvernay employaient de 15 à 18 hommes en 1837 et une dizaine en 1846, tandis que John Lovell disait en employer 30 à Montréal et 41 à Toronto en 1851, sans compter les apprentis[20]. Ce qui veut dire que, sauf les ateliers où l'on imprimait les journaux,

---

20. Jean-Marie Lebel, *Ludger Duvernay et la Minerve. Etude d'une entreprise de presse montréalaise de la première moitié du XIXe siècle,* maîtrise d'histoire, Université Laval, 1982, p. 78-79.

la plupart n'avaient qu'un ou deux hommes, comme ailleurs en Amérique et en Europe. Cela signifie également que plusieurs n'avaient qu'une presse à imprimer.

* * *

Des hommes de métier, on est ainsi amené à s'interroger sur le matériel dont ils pouvaient disposer. C'est à Londres que Thomas Gilmore est allé chercher à la fin de 1763 une presse à imprimer, des caractères, du papier et les autres instruments nécessaires à l'ouverture d'un atelier. Cinq ans après, Brown et Gilmore avaient remboursé leur dette à William Dunlap, leur patron de Philadelphie, qui avait prêté l'argent dont ses deux anciens employés avaient besoin. Ils en profitent alors pour faire venir une seconde presse. William Brown, seul propriétaire après la mort de Gilmore, se procure une presse à estampe en 1779[21]. L'atelier importe de Londres tout ce qui lui est nécessaire et le signale de temps à autre dans la *Gazette*. Ainsi par exemple le 22 mars 1792, Samuel Neilson annonce que le *Magasin de Québec/The Quebec Magazine,* qu'il publiera bientôt, sera composé avec de nouveaux et élégants caractères. Dans un inventaire fait par John Neilson le 13 février 1801, qui comprend une liste de quatre pages, on trouve un matériel abondant: dans la salle des presses, quatre presses dont une à estampe et une avec un levier en métal, deux «machines» pour chauffer les planches de cuivre et des frisquettes. Dans l'imprimerie s'entassent des casses et des caractères de toutes sortes, y compris pour le chant et la musique, de même qu'une paire de casses de pica grec et une boîte de caractères grecs (*never used*)[22]. Nous ne pouvons affirmer que la *Gazette de Québec* a doté son atelier d'une presse Stanhope en 1811, même si des *Instructions* illustrées pour l'assembler sont venues de chez le fournisseur londonien de Neilson[23]. William Shadgett, en ouvrant son atelier en 1820, disait qu'il

21. H. Pearson Gundy, *Early Printers and Printing in the Canadas,* Toronto, Canadian Bibliographical Society, 1957; la *Gazette de Québec,* 11 février 1779.

22. ANQ-M, 06/P35/15, collection Neilson, 13 février 1801.

23. ANQ-M, 06/P35/14, collection Neilson, P.W. Wynne.

publierait un journal sur de beaux caractères choisis dans son ancien atelier de Londres. Il ne publia qu'un an après l'*Inquirer* et, devenu maître d'école, il vendit son matériel en 1824, qui comprenait une presse en métal, la seule de cette sorte au pays, disait-il[24].

De l'atelier du *Canadien* avant 1831, on ne sait pas grand chose. Un contrat passé par devant le notaire Lelièvre entre Claude Dénéchaud et l'imprimeur Charles Roy nous apprend que le premier s'engage à fournir au second une presse à imprimer pour la publication d'un journal «dans la langue la plus commune du pays», avec les caractères, le papier et autre matériel, de même qu'un local avec poêle, bois de chauffage et chandelle. Il lui paiera même L80 ainsi que 20 sols par mois pour un apprenti. Roy s'engage à publier un hebdomadaire de quatre pages, dans lequel on ne trouvera rien contre les bonnes mœurs, la religion, le gouvernement ou la réputation des personnes, une telle faute annulant le contrat. Dénéchaud interdit toute publicité dans le journal, mais il l'autorise sur des feuilles libres. Et Roy devra remettre logement et matériel à la fin de l'année[25]. En mars 1810, Craig fit arrêter l'imprimeur et les propriétaires du *Canadien* et saisir les presses. Un an après, le Dr François Blanchet cédait tous ses droits à six acquéreurs en copropriété, qui sont Pierre Bédard, Joseph Levasseur Borgia, François Bellet, François Huot, Thomas Lee et Jacques Leblond[26].

P.E. Desbarats s'était porté acquéreur de la New Printing Office/Nouvelle Imprimerie à la fin de XVIIIe siècle. Il s'allia par la suite à Thomas Cary fils, à William Kemble et à John Charlton Fisher. Lors de ces successifs renouvellements d'associations, les contrats donnent un inventaire du matériel. En 1798, l'atelier vendu par William Vondenvelden comprenait une presse à estampe (*steel rolling press*) et une presse

24. *La Gazette de Québec,* 30 mars 1820 et 5 juillet 1824,
25. ANQ, greffe J. Plante, no 4457, 25 octobre 1806.
26. ANQ, greffe J. Plante, no 5728, 28 mai 1811.

à relier verticale (*standing press*). La transaction fut établie à L724[27]. En 1812, l'inventaire inscrit une nouvelle presse, une presse à estampe et une presse à relier et l'inventaire est évalué à L4361[28]. En 1826, un nouveau contrat entre les associés donne la liste du matériel d'imprimerie envoyé par le Bristol Observer Office à Québec, qui indique 16 boîtes et 17 «cases», essentiellement des caractères, des casses et autre matériel[29]. Cet atelier imprimait le *Quebec Mercury,* alors que Desbarats était en plus King Printer et que John Charlton Fisher était l'éditeur de la *Gazette de Québec par autorité.* C'était sans doute le second atelier en importance avant 1830 à Québec. Un coup d'œil dans quelques inventaires et ventes après décès fournit encore quelques renseignements. On trouve une «petite imprimerie portative» dans quatre cas[30], une *press with silver seal* et une *printing machine,* chez un fonctionnaire du bureau de la marine du port de Québec[31], et une presse à papier chez un marchand[32].

Thomas Tweddle (ou Tweedle), forgeron devenu propriétaire d'une fonderie en 1830, annonce trois ans après qu'il fabrique et vend des *Spence patent machine press and self inking machine.* La semaine suivante, dans un journal de Montréal, le même Tweddle dit fabriquer des rouleaux à encre[33]. En 1843, le relieur Louis Lemieux a amélioré son atelier de Québec, où il prétend avoir relié 1900 volumes de 400 à 500 pages et avoir ouvert un second atelier avec A. Lafrance à Trois-Rivières[34]. Cinq ans après, les élèves du Petit Séminaire de Québec ont créé une société par actions pour éditer leur journal, l'*Abeille.* Pour l'imprimer eux-mêmes, ils font acheter une presse à platine à Boston, une Boston Press no 211,

27. ANQ, greffe Félix Têtu, 23 mai 1798, 16 novembre 1799, 7 juin 1800.
28. ANQ, greffe W.F. Scott, 20 février 1812.
29. ANQ, greffe W.F. Scott, 8 décembre 1826.
30. ANQ, greffe Jacques Voyer, 2 janvier 1804; greffe Jean Bélanger, 15 octobre 1812, 28 juillet 1813; greffe J. Plante, 15 septembre 1819.
31. ANQ, greffe Jacques Voyer, 9 janvier 1807.
32. ANQ, greffe L.T. McPherson, 24 décembre 1827.
33. *La Gazette de Québec,* 4 janvier 1833; *La Minerve,* 10 janvier 1833.
34. *Le Canadien,* 18 octobre 1843.

chez Seth Adams and Co. [35]. Dans la dernière décennie, E.R. Fréchette, propriétaire du *Canadien,* va en France acheter des caractères, qui arrivent à l'été [36]. Quelques mois après, il a une presse lithographique à vendre. La même année, Augustin Côté installe au *Journal de Québec* une Albion Press de 1847 et renouvelle tout son matériel d'imprimerie [37]. Jean-Thomas Brousseau, imprimeur de la rue Buade, va à son tour à Paris, où il achète un fond de caractères grecs [38]. Bien entendu, des fabricants de Montréal, tels que Thomas Guérin, J.W. Walker ou la Montreal Type Foundry et Richard Hoe, de New York, insèrent des annonces dans les journaux de Québec. Les presses lithographiques de la garnison de Québec n'existaient que pour les besoins militaires et c'est N.A. Aubin qui aurait installé la première du genre en 1840 [39].

Il ne semble pas que les presses à vapeur aient été introduites avant 1860, le tirage des journaux dépassant à peine les mille exemplaires. Des presses en bois avec levier en métal, quelques presses en métal, voilà bien le matériel qui aurait répondu aux besoins des imprimeurs québécois, même dans les ateliers les plus importants où on pouvait avoir jusqu'à cinq presses à imprimer, plus une ou deux presses pour l'impression en taille-douce et une autre pour la reliure. Le tout, matériel et presses venant surtout d'Angleterre jusqu'en 1850. On peut voir sur ce point une autre différence avec la ville de Montréal, où L. Duvernay va acheter une presse en métal Imperial Smith et des caractères chez William Hagar à New York en 1830. Obligé de se réfugier aux États-Unis en 1837, il ne reprendra la publication de *La Minerve* que cinq ans après.

---

35. *L'Abeille,* vol. II, no 34 (25 juillet 1850); ASQ, Journal du Séminaire, vol. I, p. 28, novembre 1849; J.-E. Roy, *Souvenirs d'une classe au Séminaire de Québec (1867-1877),* Lévis, 1905, p. 165-168.

36. *Le Canadien,* 9 mai 1853.

37. *Le Journal de Québec,* 7 juin 1853.

38. ASQ, Université 40, no 75, lettre de Ls Casault à T.-E. Hamel, le 22 février 1855.

39. J.-P. Tremblay, *À la recherche de Napoléon Aubin,* Québec, les Presses de l'Université Laval, 1969; Mary Allodi, *Printmaking in Canada. The Earliest Views and Portraits. Les débuts de l'estampe imprimée au Canada. Vues et portraits,* Toronto, Royal Ontario Museum, 1980, p. XIX, 140-145.

Il achète alors une J.N. Walker à Montréal et une autre presse chez C.T. Palsgrave en 1848. Ce dernier venait d'acquérir la Montreal Type Foundry. A Toronto, E. Ryerson et W.L. MacKenzie s'étaient procuré des presses en métal à Albany, Boston et New York en 1833[40].

Si tout le matériel était importé d'Angleterre, cela comprenait également le papier. Tout au long du siècle, les commandes de papier à Londres se poursuivent et les papetiers sont fiers d'en annoncer les derniers arrivages encore après 1850. Il faut néanmoins rappeler que le premier moulin à papier a été établi à Saint-André d'Argenteuil en 1804, près de Montréal, et qu'il a duré une vingtaine d'années. Dans la région de Québec, une tradition locale parle d'une fabrique de papier vers 1700 à l'embouchure de la rivière Jacques-Cartier. C'est le lieu même où se trouve aujourd'hui la gare de Donnacona et l'usine de la Domtar, lieu également où le premier moulin connu a été mis en opération par le seigneur Allsopp. Artémas Jackson, qui avait travaillé à Saint-André d'Argenteuil, fut le premier ouvrier de Allsopp. Certes on y fabriquait le papier à la main, avec chiffons et cordages. En 1833, la veuve Allsopp mit son moulin en location et quatre Écossais, établis depuis quelques années aux États-Unis, vinrent prendre la succession. Ce fut la société Miller, McDonald and Logan[41]. Assez vite Miller alla à Montréal s'occuper d'écouler les produits de la société. Angus McDonald, dès le début le meilleur homme du groupe, prospecta les bords de la rivière Portneuf à douze kilomètres en amont. Il y installa la première machine de type Fourdrinier vers 1840. McDonald and Logans devinrent vite de gros fabricants, dont les deux tiers de la production prenait le chemin de Montréal[42]. En 1855, un autre moulin était aménagé à Lorette, sur les bords de la Saint-

---

40. J.-M. Lebel, *op. cit.,* p. 58-59, 77.

41. George Carruthers, *Paper-Making.* Part II. *First Century of Paper-Making in Canada*, Toronto, The Garden City Press Co-Operative, 1947, p. 325-351.

42. C. Galarneau, «Angus McDonald», DBC, vol. XI, p. 603-604.

Charles, qui produira jusqu'à la fin du siècle. Quant au moulin de McDonald, il est toujours en activité.

On ne saurait terminer sans dire un mot des imprimés sor-
tis des presses de la bonne ville de Québec. Livres et brochures, documents de l'administration civile, journaux et travaux
de ville, voilà les grandes catégories d'imprimés. Avant que la
bibliographie rétrospective entreprise par la Bibliothèque
nationale du Québec ne soit achevée, il y aura peu à dire de ce
côté. Cependant, grâce aux travaux de Tremaine et de Hare et
Wallot, il existe une première évaluation pour la période de
1764 à 1820: il y aurait eu moins de 1200 imprimés publiés à
Montréal, Québec et Trois-Rivières, dont 78% à Québec. Et
plus de la moitié de ces imprimés ont moins de 4 pages. Le
nombre des brochures et des livres ira certes en augmentant,
puisque dès 1810-1820, le nombre des 4 pages n'est déjà plus
que de 42%. Ce sont les livres religieux, les manuels scolaires,
les documents de l'administration et du gouvernement qui
auraient été les plus nombreux dans ce type d'imprimés, avec
les almanachs et les annuaires[43]. L'imprimé le plus important,
à notre point de vue, c'est celui des périodiques, journaux et
magazines. Sur 326 périodiques différents édités dans la province durant le siècle, Québec en a fait paraître 88, Montréal
189 et le reste de la province 49. Selon la langue, à Québec, 38
ont paru en anglais, 44 en français et 5 ont été des journaux
bilingues[44]. Quant au reste, ce sont les travaux de ville qui
furent l'occupation quotidienne de la plupart des ateliers et
des imprimeurs, aussi nombreux que les besoins des différentes clientèles. En bons fils de la culture livresque, de la culture
cultivée, selon Edgar Morin, les historiens de toute obédience
ont toujours négligé cet aspect de l'imprimerie pour ne s'occuper que de la matière noble, c'est-à-dire du livre. Or les
besoins des populations, des masses, surtout depuis le début
du XIX^{e}siècle, ont été ceux des travaux de ville et des impri-

---

43. J. Hare et J.-P. Wallot, *Les imprimés au Québec 1760-1820,* IQRC, p. 8 et 17.
44. Suivant nos propres calculs, à partir du Beaulieu et Hamelin, t. I.

més autres que le livre. Ce sont les exigences du *jobbing and periodical printing* qui ont poussé aux plus importantes innovations et inventions dans l'imprimerie après 1800[45]. Les travaux de ville comprenaient les cartes de visite et d'invitation, les faire-part, le papier à entête, tous les types de bordereaux et de factures, les billets, les avis, les formulaires de multiples sortes pour les banques, les marchands et les professions libérales, les administrations religieuse et civile. Si des millions de ces articles ont été imprimés, il est difficile d'en trouver aujourd'hui ailleurs que dans les fonds d'archives. Il faut remercier John Hare d'avoir publié une partie de sa collection sous forme de cahier ronéoté[46].

*   *   *

L'imprimerie s'était très tôt installée aux colonies espagnoles, mais longtemps à l'usage exclusif de la religion. Elle apparut également vite aux colonies anglaises, mais fut durant un siècle ostracisée et pourchassée par les gouverneurs. La France de Louis XIV et de Louis XV ne permit pas qu'elle s'établisse en Nouvelle-France, ni pour l'usage des jésuites et des sulpiciens après 1660, ni pour ceux de l'administration vers 1750. C'est la conjoncture internationale qui dépêcha à Québec deux imprimeurs itinérants partis de Philadelphie. Et les différents emplois de l'imprimerie furent presque immédiats, puisque tout fut permis en même temps, à savoir l'imprimerie pour tout le monde et pour tous les besoins, ce qui avait demandé plus de deux siècles en Europe et un siècle en Amérique. Le journal est en effet né au même moment que le premier atelier, qui a produit également feuilles, brochures et livres pour les Églises et pour l'État, en fournissant en travaux de ville les commandes du marchand, de l'avocat ou du bourgeois. Bien entendu, l'essor de ce véhicule polyvalent de la

---

45. Michael Twyman, *Printing 1770-1970. An Illustrated History of its development and uses in England,* London, 1970.

46. John Hare, *Formules. Printed forms, Québec, 1765-1850,* Université d'Ottawa, CRCCF, 1972, 50 p. Voir aussi *A Century of Ontario Broadsides, 1793-1893. A Typographical exhibition in Toronto Public Library, June 1965.*

communication a suivi la croissance de la ville, dont la population s'est multipliée par sept, et de celle de la province de Québec, par quinze. Les exigences d'une ville et d'un pays en développement aussi rapide ne pouvaient que pousser à l'implantation de nombreux ateliers pour satisfaire à la demande des institutions en voie de se créer, qu'elles fussent politiques, économiques, religieuses ou culturelles.

Le tableau que nous avons tenté de brosser n'est qu'une esquisse et nous savons encore peu de choses. Si nous croyons avoir repéré le nombre à peu près exact et le nom des principaux ateliers, il nous manque sans aucun doute ceux de beaucoup d'autres hommes du métier, imprimeurs, relieurs, lithographes. Les aspects techniques et financiers de ces entreprises petites et moyennes seront mieux précisés lorsque les travaux sur l'imprimerie de Brown-Neilson seront plus avancés. Ce que nous sommes en mesure de bien voir dès maintenant, c'est que le métier s'est établi et s'est développé suivant le modèle américain de l'imprimeur-journaliste, des conditions analogues produisant un cheminement assez voisin, quoiqu'à une échelle infiniment plus réduite sur les bords du Saint-Laurent que dans la république américaine.

Claude Galarneau

L'affaire Maria Monk

Par PHILIPPE SYLVAIN, S.R.C.

Au début d'octobre 1835, un journal de New York, *The American Protestant Vindicator*, qui se spécialisait dans la propagande anticatholique, délaissait pour un moment la scène américaine pour s'en prendre aux institutions religieuses canadiennes. L'occasion lui en était fournie par les déclarations sensationnelles qu'aurait faites à l'un des directeurs du journal «une jeune Canadienne arrivée depuis peu dans la métropole américaine»:

«Il y a en ce moment à New York une jeune femme canadienne qui, à un âge encore tendre, fut mise dans une école de couvent pour y recevoir l'éducation que les religieuses se plaisent à donner. Trompée par les artifices que ces amantes des prêtres romains savent si bien employer, elle devint enfin une interne de l'Hôtel-Dieu de Montréal avec l'intention de demeurer dans cette cage d'oiseaux malpropres jusqu'à sa mort. Elle fut bientôt initiée à une grande partie des mystères inséparables de ces cachots d'infamie et d'angoisse. Mais à la fin, son âme se révolta devant les atrocités de meurtre et d'impudicité qu'elle était obligée de voir et de souffrir. Elle fut même obligée de commettre un assassinat par un ordre de la supérieure, renforcé de celui de Jean-Jacques Lartigue, qui porte le titre de monseigneur l'évêque de Telmesse, suffragant, auxiliaire et vicaire général, et de cinq autres prêtres, dans les circonstances que voici. On étouffa une jeune et malheureuse religieuse entre deux matelas de plume et les autres religieuses appuyaient de tout leur poids sur son corps. Pendant qu'on perpétrait ce crime, cinq prêtres catholiques, la supérieure et sept nonnes était présents, et tous les procédés étaient conduits par cet inquisiteur et ses acolytes. On l'assassinait parce qu'elle ne voulait pas se soumettre aux indignités révoltantes des prêtres. Elle avait également refusé de répondre aux questions qu'on lui adressait au confessionnal et refusait de se soumettre aux exigences atroces de Jean-Jacques Lartigue et des prêtres, compagnons de ses turpitudes. Le cadavre fut transporté dans un souterrain qui sert de réceptacle ordinaire aux victimes égorgées dans le couvent.»

L'article se terminait par l'annonce suivante: «Le récit complet et détaillé des scènes qui se passent à l'Hôtel-Dieu est sur le point d'être publié.»

Le 24 octobre 1835, le journal montréalais *L'Ami du Peuple, de l'Ordre et des Lois* s'élevait contre ces inventions en donnant les précisions suivantes:

«Une jeune femme est venue à Montréal, il y a environ deux mois, accompagnée d'un ministre méthodiste du nom de Hoyt. Ils logèrent dans un des principaux hôtels. Elle était grosse et devait accoucher quelques jours plus tard. Elle prétendit avoir été séduite par un prêtre et le ministre colportait partout la même histoire. Le personnel découvrit vite que les deux vivaient comme mari et femme. On fit avouer à la fille qu'elle était soldée pour débiter cette fable. Ils sont priés de quitter l'hôtel. Furieux, ils s'en furent trouver des magistrats et hommes de loi pour tâcher d'intenter une action. Ils sont partout repoussés. Le bruit se répand dans la ville et l'on découvrit la mère de la fille. Celle-ci raconta que le séducteur n'était nul autre que le ministre. Depuis lors, elle menait une vie fort libertine. Elle avait enfin suivi le ministre aux États-Unis. Elle n'avait jamais été à l'Hôtel-Dieu.»

Quatre mois plus tard, le 13 février 1836, le rédacteur en chef de *L'Ami du Peuple,* Alfred-Xavier Rambau, apprenait à ses lecteurs que l'ouvrage dont on avait annoncé la publication imminente avait paru à New York et qu'il en avait vu un exemplaire. Il s'intitulait: *Awful Disclosures by Maria Monk, of the Hotel Dieu Nunnery of Montreal.*

Cet ouvrage allait marquer un sommet dans la «croisade protestante» orchestrée aux États-Unis contre le catholicisme.

Selon les estimations de l'historien Ray Allen Billington, environ trois cent mille exemplaires des *Horribles exposés des crimes commis au couvent de l'Hôtel-Dieu de Montréal* s'écoulèrent jusqu'à la Guerre de Sécession[1]. Pour en comprendre le succès, il faut de toute nécessité replacer le phénomène dans le contexte de l'époque.

*   *   *

Jusque vers 1820[2], l'Église catholique fut tolérée aux États-Unis. Les premiers symptômes d'une opposition croissante commencèrent à se manifester ouvertement vers 1824 et 1825, mais ils se développèrent surtout à partir de 1829, sous l'influence de plusieurs facteurs. Les immigrants catholiques, irlandais et allemands, arrivaient de plus en plus nombreux. Des églises surgissaient ici et là sur le sol américain. Le clergé catholique témoignait d'un zèle qui prenait des formes multiples d'activité pour se manifester, mais qui par là même alertaient de jour en jour davantage la soupçonneuse méfiance des protestants.

La publication de journaux catholiques fut l'une de ces manifestations. En 1822 commençait à paraître, à Charleston, la première feuille catholique américaine: *The United States Catholic Miscellany*. Mgr John England, l'un des évêques qui ont le plus illustré la hiérarchie américaine par sa culture, son éloquence et, bien qu'il fût né en Irlande, par sa large compréhension de la civilisation américaine, en fut le fondateur et le principal rédacteur. Trois ans plus tard, *The Truth Teller,* un autre journal catholique, naissait à New York et en 1829, *The Jesuit* — dans la suite *The Pilot* — à Boston.

Ces journaux menaient de vives controverses contre les protestants. Ils soulignaient les progrès que le catholicisme ne cessait d'enregistrer sur le territoire des États-Unis. Conver-

---

1. Ray Allen Billington, *The Protestant Crusade, 1800-1860. A Study of American Nativism,* New York, 1938, p. 108.

2. Je reprends ici les pages que j'ai consacrées à la description du nativisme américain de 1820 à 1836 dans mon ouvrage *La Vie et l'Oeuvre de Henry de Courcy (1820-1861), premier historien de l'Église catholique aux États-Unis,* Québec, 1955, pp. 95-99.

sions, bénédictions d'églises, fondations d'écoles, de couvents, de séminaires, érections de nouveaux diocèses, ils ne négligeaient rien pour rendre spectaculaire l'accroissement du catholicisme. Ils reproduisaient volontiers, en ce sens, des lettres de missionnaires, qui avaient d'abord paru en Europe et qui, traduites en anglais, revenaient en Amérique.

Ces lettres étaient publiées pour la première fois dans les bulletins de trois sociétés qui étaient nées en France, en Autriche et en Bavière, pour venir en aide aux missions catholiques, principalement à celles de l'Amérique.

La première de ces associations. La *Société pour la Propagation de la Foi,* avait été fondée à Lyon, le 3 mai 1822, la seconde, l'*Association Léopoldine* — qui aura en 1838 une réplique bavaroise avec le *Ludwig-Missionsverein* — à Vienne, le 6 décembre 1828.

Dès sa fondation, la *Société pour la Propagation de la Foi* commençait de publier, d'abord sous le titre de *Nouvelles des Missions,* puis bientôt sous celui d'*Annales,* des rapports qui émanaient de la plume des missionnaires et dont le but était de faire connaître les besoins matériels des missions et de stimuler la charité des fidèles. Les premiers numéros paraissaient, sans date, à la fin de 1822 et en mai ou juin 1823. Ils étaient tirés à plus de dix mille exemplaires, mais le succès très vif qu'ils obtinrent d'emblée obligea les éditeurs à augmenter ce chiffre jusqu'à atteindre, vers 1830, quinze et même seize mille exemplaires pour chaque numéro, chiffre considérable pour l'époque, où les journaux les plus répandus ne tiraient guère au-delà de cinq mille exemplaires.

L'*Association Léopoldine* et le *Ludwig-Missionsverein* furent gratifiés, eux aussi, à l'instar de la société française, de publications officielles qui, bien souvent, surtout au début, n'étaient que les traductions des rapports qui avaient paru dans les *Annales de la Propagation de la Foi.*

Lorsque les numéros de ces publications parvenaient en Amérique, la presse catholique et protestante s'en emparait avec empressement, la première pour monter en épingle les conquêtes du catholicisme, la seconde, afin de s'indigner et clamer aux quatre coins du territoire le sort qui attendait les États-Unis si on ne mettait pas un frein à cette invasion étrangère et catholique.

Un autre fait contribua beaucoup à révéler la vitalité du catholicisme en Amérique. Ce fut la réunion du premier concile de Baltimore. Il eut lieu en 1829. D'autres devaient suivre à de brefs intervalles. Grâce à ces réunions, l'Église américaine prenait conscience de sa force, affermissait ses conquêtes et tâchait d'assurer celles de l'avenir.

Les protestants ne s'y trompèrent pas. Ils constatèrent que l'Église s'était définitivement implantée sur le sol américain et que, désormais, elle ne ferait que croître et étendre son influence. Aussi furent-ils pris de panique et multiplièrent-ils dans leurs journaux les cris d'alarme. On se mit à signaler presque quotidiennement l'arrivée des vaisseaux dans les ports et le nombre d'immigrants qui en étaient descendus. Pour certains journalistes, les Irlandais devenaient des jésuites déguisés; pour d'autres, Rome expédiait sur les rives américaines un grand nombre de pauvres et de criminels afin d'affaiblir la république en vue d'une conquête possible!

Sous l'influence de ces folles terreurs, il se constitua à New York, à la Nouvelle-Orléans, à Cincinnati et dans d'autres villes américaines des «Native American Associations», dont le but essentiel était d'exercer une pression sur le Gouvernement, afin que celui-ci rendît plus sévères les lois de naturalisation et mît des restrictions à une immigration qui s'avérait à leurs yeux pleine de périls pour l'avenir des États-Unis.

Un événement inouï allait révéler jusqu'à quel point les esprits étaient échauffés. En 1834 il se produisit en Nouvelle-Angleterre, plus précisément à Boston, une explosion de fanatisme telle qu'on n'en avait jamais contemplé de semblable jusqu'alors, et que la postérité allait considérer comme le plus tragique événement survenu dans l'histoire de l'Église catholique aux États-Unis. Il s'agit de la destruction violente du couvent de Charlestown, près de Boston, perpétrée dans la nuit du 11 août 1834.

Les ursulines s'étaient établies à Boston en 1820, sous l'épiscopat de Mgr de Cheverus. Mais la situation de leur maison au centre le plus bruyant de la ville avait décidé Mgr Benedict Fenwick, le successeur de Mgr de Cheverus, à les transférer à Charlestown en 1826. Deux ans plus tard, les religieuses y dirigeaient un pensionnat des plus florissants, à tel point que d'honorables familles protestantes y envoyaient leurs filles. Mais le fanatisme ne désarmait pas. Il était, au contraire, avivé par le succès de cette maison d'éducation qui s'affermissait d'année en année. De vieilles légendes calomnieuses sur les abominations des couvents étaient remises en circulation par des journalistes et des prédicants sans scrupules. L'un d'eux, Lyman Beecher — le père de l'auteur de l'*Uncle Tom's Cabin* — se distinguait entre tous par ses prédications sectaires. Au début de 1834 il se répandait à Boston en discours sur la perversité du «papisme» et en conférences dans lesquelles il confrontait «le démon et le pape de Rome». Des racontars au sujet d'une religieuse qui, disait-on, avait fui le couvent, parce qu'elle s'y trouvait malheureuse, mit le comble à la surexcitation de la populace bostonnaise, qui finalement décida de détruire ce château fort du papisme. Dans la nuit du 11 août 1834 le couvent de Charlestown flamba et les religieuses et leurs élèves durent prendre la fuite précipitamment pour ne pas tomber aux mains de leurs assaillants.

Les trois ou quatre années qui suivirent furent peut-être les plus sombres pour le catholicisme en Nouvelle-Angleterre et même sur l'ensemble du territoire américain. D'un bout à l'autre du pays, la campagne anticatholique parut prendre une nouvelle impulsion sous l'effet de l'exemple mis en avant par la populace de Boston et de Charlestown. À New York, le grand quartier général du mouvement, la *Société de la réforme protestante* essaya, en 1836, de mettre sur pied une organisation qui engloberait la nation, en affiliant les sociétés locales anticatholiques, en intensifiant la propagande protestante et en envoyant de tous côtés des conférenciers pour vitupérer contre les «abominations» et les périls du «romanisme». À New York également furent publiés les deux principaux journaux affectés à la défense de la cause, *The American Protestant Vindicator* et *The Downfall of Babylon*.

Dans la marée montante des pamphlets qui furent alors publiés, les *Awful Disclosures by Maria Monk* occupent un place prééminente.

*   *   *

Maria Monk racontait dans les pages qu'elle était censée avoir écrites les circonstances qui avaient entouré son enfance et qui l'avaient conduite à se faire religieuse catholique à Montréal.

Ses parents étaient d'origine écossaise et protestants[3]. Elle faisait de son père un militaire. Elle était née à une date qu'elle n'indiquait pas à Saint-Jean, sur le Richelieu. Lorsque son père mourut, sa mère aurait reçu une pension en sa qualité de veuve d'un militaire.

À l'âge de six ou sept ans, la fillette fut envoyée chez un Mr. Workman, un instituteur montréalais protestant, dont l'école était située rue Saint-Sacrement. Comme des compagnes de sa connaissance fréquentaient une école des sœurs de la Congrégation, Maria Monk, à l'instigation de sa mère, les y suivit en vue d'apprendre le français[4]. Au bout d'environ deux ans, elle quitta cette école pour en fréquenter d'autres et, grâce à l'influence de ses amies, elle se convertit au catholicisme et songea à devenir religieuse. Elle jeta son dévolu sur l'Hôtel-Dieu et confia cette intention à l'un des prêtres les plus âgés du Séminaire de Montréal[5].

---

3. Je donne mes références d'après l'édition publiée par Archon Books, Hamden, Connecticut, des *Awful Disclosures of the Hotel Dieu Nunnery by Maria Monk.* With an Introduction by Ray Allen Billington. Facsimile of 1836 edition, 376 pages. P. 20.

4. *Ibid.*, p. 21.

5. *Ibid.*, p. 32.

Novice durant quatre ou cinq ans, elle fit une fugue à Saint-Denis[6], mais revenue à Montréal, elle fut réadmise au couvent et, une fois ses vœux de religion prononcés, la supérieure lui enjoignit «d'obéir aux prêtres en toutes choses». Elle découvrit alors, «à son extrême étonnement et avec beaucoup d'horreur», qu'elle devait avoir des «relations criminelles»[7] avec des prêtres qui pouvaient se rendre chez les religieuses par le passage souterrain qui reliait le couvent au Séminaire[8]. Les enfants nés de ces unions sacrilèges étaient immédiatement baptisés puis étranglés, ce qui «leur assurait un bonheur sans fin», comme le lui expliqua la supérieure, «car le baptême les purifiait de toute souillure et, étant décédés avant d'avoir pu faire quoi que ce soit de mal, ils étaient introduits immédiatement au ciel»[9].

Dans la suite, elle assista à l'assassinat d'une religieuse qui résistait aux avances des prêtres[10] et à l'étranglement de deux bébés après leur baptême[11]. Elle découvrit l'endroit, dans le sous-sol de l'Hôtel-Dieu, où les petits cadavres étaient enfouis[12] et le tunnel qui communiquait avec le Séminaire[13].

Maria se trouva bientôt enceinte des œuvres d'un abbé Phelan, «prêtre rattaché à l'église de la paroisse de Montréal»[14]. Mais, incapable d'envisager le sort cruel qui serait infligé à son enfant, elle s'enfuit du couvent pour se retrouver bientôt à New York[15].

La première édition des *Awful Disclosures* s'arrêtait plutôt abruptement à cet épisode. Le succès de la publication permit une nouvelle édition, qui parut immédiatement après la

---

6. *Ibid.*, p. 43.
7. *Ibid.*, p. 56.
8. *Ibid.*, p. 145.
9. *Ibid.*, p. 58.
10. *Ibid.*, chap. XI, pp. 111-120.
11. *Ibid.*, p. 175.
12. *Ibid.*, p. 96.
13. *Ibid.*, p. 145.
14. *Ibid.*, p. 229.
15. *Ibid.*, p. 224.

première et contenait des détails propres à assouvir la curiosité
des lecteurs[16]. Hors de l'Hôtel-Dieu, Maria Monk se rendit
compte qu'il lui serait difficile de quitter Montréal sans être
interceptée dans sa fuite[17]. Prise d'un accès de désespoir, elle
résolut d'aller se jeter dans le canal Lachine[18], mais rescapée
par des ouvriers qui travaillaient tout près, elle fut convaincue
qu'elle devait survivre pour révéler les turpitudes du
«papisme». Elle gagna alors les États-Unis. Néanmoins seule
et sans amis dans la ville de New York, la tentation la reprit de
mettre fin à ses jours; heureusement des âmes charitables la
conduisirent à un hospice, où elle raconta ses aventures à un
pasteur protestant. Le ministre fut si impressionné par cet
exposé qu'il lui demanda de relater ces faits pour que l'on en
répandît la version dans le grand public[19]. L'ouvrage se terminait par le récit de l'excursion à Montréal de Maria Monk en
compagnie du révérend William K. Hoyt en vue de témoigner
de la véracité de ses assertions et des rébuffades qu'elle y rencontra. L'héroïne, qui avait échappé à tous les périls, se
retrouvait enfin en sûreté à New York[20].

* * *

Le succès de l'ouvrage permit à la vérité de se faire jour
quant à la part exacte prise par Maria Monk dans cette élucu-
bration. Car les auteurs de cette imposture ne tardèrent pas à
se quereller au sujet du partage des profits résultant de la vente
du livre. C'est ainsi que des dépositions devant les tribunaux
révélèrent que William K. Hoyt, adversaire résolu de catholicisme en sa qualité de président de la *Canadian Benevolent
Association,* avait aidé Maria Monk à s'enfuir aux États-Unis
et que les *Awful Disclosures* avaient été rédigées, à partir du
récit oral de Maria Monk, par le révérend J.J. Slocum assisté

16. *Awful Disclosures, by Maria Monk, of the Hotel Dieu Nunnery of Montreal,
Revised with an Appendix, also, a Supplement Illustrated by a Plan of the Nunnery,* New
York, 1836.
17. *Ibid.*, p. 257.
18. *Ibid,*, p. 266.
19. *Ibid,*, pp. 276-295.
20. *Ibid,*, pp. 296-323.

entre autres des ministres Hoyt et George Bourne, qui accaparèrent la majeure partie des profits de ce succès de librairie[21].

Pour conforter la véracité de ces révélations sensationnelles, apparut à point nommé à New York, durant l'automne de 1836, une autre fugitive qui disait venir également de l'Hôtel-Dieu de Montréal et qui s'appelait sœur Saint Frances Patrick: elle avait été religieuse en même temps que Maria Monk et pouvait corroborer chacune des assertions de cette dernière[22].

Cet événement indiquait probablement une scission qui s'était opérée parmi les nativistes de New York. Maria Monk était patronnée par le groupe qui gravitait autour de *The American Protestant Vindicator.* Samuel B. Smith, rédacteur de la feuille *The Downfall of Babylon,* jaloux du succès remporté par ses rivaux, résolut de concocter une histoire dont l'héroïne était également une religieuse fugitive au même titre que Maria Monk. Il publia donc en 1836 *The Escape of Saint Frances Patrick, Another Nun from the Hotel Dieu Nunnery of Montreal. To which is appended a Decisive Confirmation of the Awful Disclosures of Maria Monk*[23]. Preuve supplémentaire, les deux ex-religieuses furent convoquées à paraître dans une réunion publique au cours de laquelle, s'étant embrassées avec effusion, elles s'entretinrent quelque temps de leur commun séjour à l'Hôtel-Dieu[24].

* * *

La controverse divisait partisans et adversaires de Maria Monk. Pour en avoir le cœur net, une enquête sur place s'imposait. Le samedi 15 octobre 1836, *L'Ami du Peuple* apprenait à ses lecteurs que le colonel William L. Stone, rédacteur du *New York Commercial Advertiser,* s'était rendu à Mon-

21. Billington, *op. cit.*, p. 101.
22. *Ibid,*, p. 104.
23. New York: Office of the Downfall of Babylon, 1836, 29 pages. — Une photocopie de ce factum, ainsi que d'autres documents relatifs à l'affaire Monk, m'ont été aimablement communiqués par mon collègue Sylvio LeBlond. Je l'en remercie vivement.
24. Billington, *op. cit.*, p. 105.

tréal et avait obtenu l'autorisation de faire une visite complète de l'Hôtel-Dieu, le livre de Maria Monk à la main. Il aurait dit à Rambau avant son départ: «Au bout de dix minutes, leur imposture était devenue pour moi aussi claire que le soleil en plein midi. Je vous déclare, plus franchement et plus hardiment que jamais, que ni Maria Monk ni Frances Patrick n'ont jamais mis les pieds dans le couvent de l'Hôtel-Dieu[25].» Il en publia le résultat dans son journal, puis en brochure[26]

L'ouvrage de Stone reste un document précieux pour la description de l'ancien Hôtel-Dieu de Montréal. M. Robert Lahaise, dans ses études sur l'histoire et l'état des pièces de l'édifice[27], s'y réfère à maintes reprises comme à une autorité fiable.

Après avoir confessé qu'au début il avait été plutôt porté à ajouter foi aux déclarations de Maria Monk[28], Stone se rendit compte, dès son arrivée à Montréal, que les Canadiens, catholiques et protestants, unanimement, rejetaient ces fables comme «parfaitement absurdes et ridicules» et qu'ils étaient portés à croire que des «Américains intelligents étaient la proie de troubles mentaux prolongés»[29].

Une fois terminée la visite de l'Hôpital général des Sœurs Grises, Stone se rendit à l'Hôtel-Dieu, où une religieuse bilingue, sœur Beckwith, lui servit de cicerone à travers les pièces de l'édifice[30]. Elle avoua à l'Américain que, n'ayant pas lu les

---

25. *L'Ami du Peuple,* 15 octobre 1836.

26. *Maria Monk and the Nunnery of the Hotel Dieu. Being an Account of a Visit to the Convents of Montreal, and Refutation of the «Awful Disclosures.»* By William L. Stone. New York: Howe & Bates, 1836, 55 pages. Brochure datée de New York, October 12, 1836.

27. «L'Hôtel-Dieu du Vieux-Montréal (1642-1861)» dans l'ouvrage collectif *L'Hôtel-Dieu de Montréal, 1642-1973,* Montréal, 1973, pp. 11-57; *Les édifices conventuels du Vieux Montréal. Aspects ethno-historiques,* Montréal, 1980, 600 pages.

28. Stone, *op. cit.,* p. 9.

29. *Ibid.,* p. 10.

30. *Ibid.,* p. 14. — Anglophone née protestante, convertie au catholicisme et hospitalière depuis 1821, sœur Beckwith était «très souvent chargée d'accompagner les visites importunes des Voyageurs Américains qui avaient permission de fouiller tous les coins du monastère, dans le but de se convaincre eux-mêmes de la vérité ou faussetés des histoires de Maria Monk». Mais, ébranlée par ces controverses, sœur Beckwith finit par s'enfuir du monastère; toutefois elle revint plus tard au couvent, où on la réaccepta et y mourut en 1845. (Césarine Raymond, r.h.s.j., *Annales de l'Hôtel-Dieu de Montréal, 1756-1861,* pp. 117-122. Cité par Robert Lahaise, *Les édifices conventuels....,* pp. 92-93.)

Awful Disclosures, elle en avait entendu parler par une dame McDonell, directrice de l'Asile de la Madeleine, où Maria Monk avait été hébergée pendant un certain temps[31]. Une première visite permit à Stone de se rendre compte de «l'ordre admirable et l'attrait régnant dans l'appartement de l'apothicaire. C'est une grand pièce disposée d'une manière qui plairait au Collège des Pharmaciens de New York[32].»

Cette première visite était forcément incomplète, car Stone n'avait pas vu le cloître: une permission de Mgr Lartigue était nécessaire. En attendant qu'elle lui fût accordée, il se rendit à Québec et à son retour à Montréal, avec l'autorisation requise, il résolut «d'examiner minutieusement tout l'édifice, dans toutes ses parties, du grenier au soubassement, d'ouvrir toutes les trappes, de scruter toutes les voûtes, de débarrer toutes les portes, d'inspecter toutes les caves, de pénétrer dans tous les passages souterrains»[33].

Ce qui retint surtout l'attention de Stone fut la fameuse galerie souterraine qui, d'après les allégations de Maria Monk, reliait l'Hôtel-Dieu au Séminaire. Car il y avait bien un tunnel mais qui ne conduisait pas au Séminaire! Comme l'explique M. Lahaise, «les Hospitalières ont effectivement profité de la proximité du fleuve pour aller y laver leur linge. Toutefois, à titre de cloîtrées, elles ne peuvent traverser la rue Saint-Paul pour s'y rendre. Elles font donc creuser à cet effet un tunnel voûté — comme la plupart des couloirs conventuels — d'environ 7 pieds de hauteur sur 5 de largeur, avec une «maçonne» de 18 pouces d'épaisseur, qui aboutit au fleuve[34].»

Après avoir bien constaté que le tunnel de l'Hôtel-Dieu ne pouvait pas conduire au Séminaire, Stone conclut, au

31. Stone, *op. cit.*, p. 15.
32. *Ibid.*, p. 16.
33. *Ibid.*, p. 21.
34. Lahaise, *op. cit.*, p. 92 — Même page, gravure qui représente l'ouverture du tunnel. — L'histoire de ce passage souterrain, conduisant à «la Buanderie» du fleuve pour les religieuses, avait été racontée par R.C. Lyman, «Underground Montreal», dans *Canadian Antiquarian and Numismatic Journal,* vol. 2, 2nd series (July, 1892), pp. 88-101.

terme d'investigations qui durèrent environ trois heures, que c'était sa «plus intime conviction que Maria Monk était une mythomane insigne, qu'elle n'avait jamais été religieuse et qu'elle n'avait jamais séjourné dans le cloître de l'Hôtel-Dieu. Par conséquent, ses révélations étaient, sans aucune équivoque, complètement mensongères, du début à la fin»[35], et son livre, «dans tous ses tenants et aboutissants, essentiellement un tissu de calomnies»[36].

La réfutation de Stone fut le coup le plus direct porté aux inventions de Maria Monk. Des journalistes nativistes tentèrent de discréditer la crédibilité de ses déclarations en soutenant qu'il était soit stipendié par les Jésuites, soit complètement aveugle[37]. Ajoutée à celle de Stone, une réplique canadienne, publiée à New York, ne contribua pas peu, pour sa part, à éclairer les esprits honnêtes sur l'attitude à adopter à l'endroit du factum de Maria Monk et de ses complices.

* * *

L'initiative de ce travail fut prise par John Jones et Pierre-Edouard Leclère, propriétaires-éditeurs de *L'Ami du Peuple*. En leur qualité d'alliés des Sulpiciens[38], il leur appartenait de défendre le Séminaire de Montréal contre les calomnies atroces de Maria Monk. C'était d'ailleurs le rédacteur en chef du journal, le Français Alfred-Xavier Rambau, qui, le premier, avait signalé dans sa feuille les débuts de l'affaire Monk. Au Dr Blyth, de Saint-Henri-de-Mascouche, Mgr Jean-Jacques Lartigue écrivait, le 21 août 1836, pour le dissuader de rédiger une brochure contre le factum, car on imprimait alors à New York, lui apprenait l'évêque, une réfutation qui paraîtrait également à Glasgow et à Dublin: ce «serait donner trop d'importance à une histoire si pitoyable et

---

35. Stone, *op. cit.*, pp. 28-29.
36. *Ibid.*, p. 33.
37. «Stone-blind», Billington, *op. cit.*, p. 106.
38. B. Dufebvre, «Le roman de Maria Monk», *Revue de l'Université Laval*, vol. VIII, no 6 (février 1954), p. 572.

absurde»[39], au jugement de Mgr Lartigue, «qui fait avaler, doux comme miel, aux presbytériens et méthodistes des États-Unis, toutes ces absurdités»[40]. Le prélat faisait allusion au volume dans lequel Jones et Leclère, avec la collaboration de Rambau, avaient colligé un ensemble impressionnant de déclarations et de dépositions sous serment réfutant une par une les assertions de Maria Monk et donnant des détails précis et péremptoires sur la vie et la carrière de la femme dévoyée[41].

Le père et la mère de Maria Monk, William Monk et Isabella Mills, d'origine écossaise, s'étaient fixés après leur mariage à Saint-Jean-sur-le-Richelieu, où William Monk était casernier (barrackmaster), non un militaire[42]. Leur fille Maria, née en 1817, s'était révélée une enfant difficile. D'après le témoignage de sa mère, elle se serait enfoncé, vers l'âge de sept ans, un crayon d'ardoise dans une oreille, accident qui aurait endommagé irrémédiablement son cerveau[43]. Sa mère, devenue veuve à la suite du décès de son mari en 1824[44], se rendit à Montréal pour occuper l'emploi de ménagère au «Government House» (château de Ramezay), où séjournaient les gouverneurs anglais quand ils étaient de passage à Montréal[45]. C'est dans cette ville que Maria fréquenta pendant quelques mois, vers 1826, une école des sœurs de la Congrégation[46], puis, comme sa fille manifestait une propension au vagabondage et débutait dans la prostitution, la veuve Monk la fit interner, en novembre 1834, dans l'Asile de la Madeleine, située rue Sainte-Geneviève, maison de filles

---

39. *Rapport de l'archiviste de la Province de Québec pour 1944-1945,* Québec, 1945, p. 198.

40. *Ibid.,* p. 195.

41. *Awful Exposure of the Atrocious Plot Formed by Certain Individuals against the Clergy and Nuns of Lower Canada, through the Intervention of Maria Monk.* New York: Printed for Jones & Co. of Montreal, 1836, 130 pages.

42. *Ibid.,* p. 31.

43. *Ibid.,* p. 66.

44. *Ibid.,* p. 72.

45. *Ibid.,* p. 31.

46. *Ibid.,* p. 33.

repenties dirigée par Henriette Huguet-Latour McDonell[47], mais son comportement, loin de s'améliorer, la fit exclure en mars 1835. Elle était alors enceinte[48].

C'est cette dame McDonell qui, après avoir lu les *Awful Disclosures,* affirma que l'ensemble des allégations de Maria Monk correspondait à peu près, pour la description des lieux, du personnel et du déroulement des exercices quotidiens, avec l'Asile de la Madeleine, dont elle avait été la directrice jusqu'à sa fermeture en 1836[49].

* * *

Le révérend J.J. Slocum, l'auteur véritable des *Awful Disclosures,* directement mis en cause par cette réfutation qui tenait sa force des témoignages que l'on avait recueillis sur place à Montréal, s'empressa de brocher, au nom de sa protégée, une «réplique», qui parut au début de 1837[50]. «Maria Monk, mandait Mgr Lartigue à l'archevêque de Québec, Mgr Signay, le 22 janvier 1837, a donné au public un nouveau pamphlet, où elle vomit plus d'horreur que jamais contre le clergé de ce pays, où elle a l'ineptie de dire qu'elle a, par ordre, empoisonné elle-même une des Religieuses de l'Hôtel-Dieu de Montréal, lorsqu'elle était sa compagne.» L'évêque se demandait si on ne pouvait pas obtenir du gouverneur de l'État de New York l'extradition de cette personne pour la faire juger sur ses calomnies et ses libelles, «car il paraît que beaucoup de gens dans les États-Unis croient encore aux infamies qu'elle raconte»[51].

---

47. E.-Z. Massicotte, «Contribution à la petite histoire», *Les Cahiers des Dix,* no 9 (1944), p. 268. — Ce «refuge pour les filles repenties» avait été ouvert par Agathe-Henriette Huguet-Latour, qui avait épousé le capitaine Duncan Cameron McDonell le 12 mai 1816. Devenue veuve en 1824, elle fonda, avec l'approbation de Mgr Lartigue, son refuge en février 1829. Plus de 300 filles y avaient été admises de 1829 à 1836 (Massicotte, *ibid.,* pp. 265-267).

48. *Awful Exposition...,* by Jones, p. 78.

49. *Ibid.,* p. 71.

50. *Reply to the Priest's Book, Denominated «Awful Exposure of an Atrocious Plot formed by Certain Individuals against the Clergy and Nuns of Lower Canada, through the Intervention of Maria Monk»,* New York, 1837, 115 pages.

51. *Rapport de l'archiviste... 1944-1945,* p. 230.

Mais outre-frontière, la popularité de Maria Monk connaissait un sérieux déclin. Il fallait inventer d'autres incidents pour raviver l'intérêt du public dans une cause dont la crédibilité s'effilochait dangereusement. En août 1837, Maria Monk disparut soudainement de New York pour se retrouver à Philadelphie, où elle avoua qu'elle avait été kidnappée par des prêtres catholiques désireux de mettre un terme à ses révélations sur les couvents[52].

Toutefois, ses extravagances n'empêchaient pas certains nativistes d'ajouter encore foi aux allégations consignées dans une dernière publication qu'on lui attribua en 1837 au sujet de l'Hôtel-Dieu; pour corser le récit, à l'Hôtel-Dieu on ajoutait l'Ile-des-Sœurs! Les lecteurs y apprirent qu'à l'Ile-des-Soeurs, des religieuses des États-Unis et du Canada se rendaient pour y accoucher d'enfants illégitimes[53]. Les 18 mars et 24 avril 1837, Mgr Lartigue écrivait à Mgr Power, vicaire général de New York, qu'il croyait que les *affidavits* publiés dans le livre de Jones et Cie, ainsi que les témoignages du colonel Stone, témoin oculaire et non intéressé, étaient plus que suffisants pour confondre la prostituée Maria Monk. Cependant, pour se rendre aux exigences des fanatiques, il consentait à ce que le couvent de l'Hôtel-Dieu fût visité de nouveau par un comité de personnes respectables de New York accompagnées, si on le désirait, d'un architecte. Il avait obtenu, à cet effet, des religieuses, qu'elles se prêtassent encore une fois, pour l'honneur de la religion, à cette violation ouverte du Droit des Gens. À la lettre du 18 mars était annexé un certificat: «Je, soussigné, permets à un comité de personnes respectables quelconques approuvé par M. le colonel Stone à New

52. *An Exposure of Maria Monk's Pretended Abduction and Conveyance to the Catholic Asylum, Philadelphia, by six Priests, on the Night of August 15, 1837.* By W.W. Sleigh. Philadelphia, T.K. & P.G. Collins, Printers, 1837, 36 pages.

53. *Further Disclosures By Maria Monk; Also Her Visit to Nuns' Island, and Disclosures Concerning That Secret Retreat,* New York, Maria Monk, 1937, 194 pages. — En signalant cette édition qui reproduit celle de 1837, Gilles Janson écrit que Maria Monk «fut religieuse à l'Hôtel-Dieu de Montréal»! (*Revue d'histoire de l'Amérique française,* vol. 36, no 3 (décembre 1982), p. 471.) Certains mythes ont la vie dure!

York dans les États-Unis et composé de Mrs... de visiter en la meilleure manière qu'il l'entendra le couvent des religieuses de l'Hôtel-Dieu de Montréal dans toutes ses parties pour atteindre, s'il le peut, au but qu'il se proposera. Montréal, le 18 mars 1837. J.J. Lartigue, évêque de Montréal.» Dans sa seconde lettre à Mgr Power, il accordait à la même association protestante la permission de visiter également l'Ile-des-Sœurs, comme le réclamait un journal de New York[54].

Sans doute le résultat de cette enquête fut-il décisif, car la publicité entourant l'affaire Maria Monk finit par cesser complètement. La pauvre femme n'avait retiré aucun profit de ses confessions successives, ses complices lui ayant soutiré tout l'argent perçu des publications où elle figurait. En 1838, elle donna naissance à un enfant de père inconnu, cette fois sans se réclamer d'un prêtre. Elle se maria un peu plus tard, mais elle dissipa par son ivrognerie et ses extravagances les économies de son mari, au point qu'il la quitta bientôt. En 1849, elle fut arrêtée dans une maison mal famée pour avoir dérobé l'argent de son compagnon du moment et, enfermée dans la prison de la ville de New York, située sur Blackwell's Island, dans East River (aujourd'hui Welfare Island, rattachée administrativement à Manhattan), elle décéda à demi-démente au cours de l'été 1849. Elle était âgée de 32 ans[55].

Elle reste la triste héroïne de «l'ouvrage qui a exercé la plus large influence dans l'histoire américaine de la propagande anticatholique» et qui inspira une foule d'imitateurs et joua une large part dans le nativisme politique que l'Église catholique eut à combattre aux États-Unis[56].

La diffusion des *Awful Disclosures* avait gagné le monde anglo-saxon. En 1851, John Henry Newman les donnait

54. *Rapport de l'archiviste... 1944-1945,* pp. 236, 239.

55. Billington, *op. cit.*, p. 108.

56. Ray Allen Billington, «Maria Monk and her Influence», *The Catholic Historical Review,* vol. XXII (October, 1936), p. 296.

comme un exemple du pouvoir extraordinaire des fables sur l'esprit anglais, quand il s'agit du catholicisme[57].

Dans la campagne de diffamation que mena Charles Chiniquy, contre l'Église de son enfance et de son âge mûr, l'histoire de Maria Monk offrait une matière trop facile à exploiter, pour que l'ex-prêtre négligeât de l'ajouter à sa panoplie anticatholique. Dans son *Autobiographie,* il raconte qu'au printemps de 1847, soignant une indisposition à l'Hôtel-Dieu de Montréal, une sœur Hurtubise lui aurait confié qu'elle avait «bien connu» Maria Monk, qui avait «demeuré six mois» dans son couvent! Cette première allégation, fausse de prime abord, détruit complètement la crédibilité du témoignage que Chiniquy prête à la religieuse: «Comprenez-moi bien: je ne veux pas dire que tout soit vrai dans ces *Awful Exposures (sic),* mais il s'y trouve assez de vérités pour faire réduire en cendres tous nos couvents, si elles étaient connues comme je les connais[58].»

Cette *Autobiographie* était publiée à Montréal en 1946. Un siècle après sa disparition, Maria Monk, par l'intermédiaire de Chiniquy, refaisait surface pour alimenter une crédulité qui est prête à gober les contes les plus absurdes toutes les fois qu'il est question de l'Église catholique et de ses institutions.

Philippe Sylvain

57. Fernande Tardivel, *La Personnalité littéraire de Newman,* Paris, 1937, p. 190; Meriol Trevor, *Newman. The Pillar of the Cloud,* Londres, 1962, pp. 553-555.

58. *Mes combats. Autobiographie de Charles Chiniquy, apôtre de la tempérance du Canada,* Montréal, L'Aurore Publishing Co. Ltd., 1946, p. 347. — Édition qui réunit en un seul volume les publications précédentes de Chiniquy: *Cinquante ans dans l'Église de Rome* et *Quarante ans dans l'Église du Christ.*

L'abbé Groulx, raciste?

Par SÉRAPHIN MARION, S.R.C.

L'abbé Groulx en compagnie de Séraphin Marion

Au cours d'une douzaine d'années, l'abbé Groulx profita de la belle saison pour passer quelques semaines à Ottawa, aux Archives publiques du Canada, alors sises sur la rue Sussex. De 1925 à 1955, je fus fonctionnaire aux Archives, d'abord comme traducteur, puis comme directeur des publications historiques de ce département.

J'ai donc souvent rencontré celui qui était alors dans la fleur de son âge: tantôt je lui fournissais certains renseignements, tantôt je faisais avec lui la causette. Chacun de ses séjours à Ottawa se terminait par un souper, dans ma demeure, suivi d'une veillée au coin du feu. Ma femme et moi l'avons donc connu dans l'intimité. Ces soirées étaient pour lui une véritable détente.

Nous avions devant nous non plus le grand orateur galvanisant les foules par ses envolées, mais plutôt un modeste ecclésiastique face au destin de son peuple. Autant il était optimiste dans ses discours, autant il était pessimiste avec nous.

Je le comprenais bien et j'éprouvais beaucoup de sympathie pour lui. Moi aussi, j'étais optimiste devant les auditoires que j'ai eu le privilège de rencontrer, pendant plusieurs décennies, dans tout le Canada. Mais, moi aussi, je devenais pessimiste quand, après ces réunions pourtant réconfortantes, je regagnais seul la chambre de mon hôtel.

Bref, l'abbé Groulx et moi étions foncièrement pessimistes, mais pour des motifs différents: pour moi, c'était la persécution continuelle, sur le plan scolaire, des Franco-Ontariens, qui présageait un avenir sombre; pour lui, c'était la situation douleureuse et précaire de son «petit peuple» privé de chefs authentiques, des chefs qui, avant d'être des libéraux ou des conservateurs, des «rouges» ou des «bleus», seraient de véritables Canadiens français.

Car un chef n'est pas nécessairement un dictateur. Chef, dictateur, fachiste, hitlérien ne sont pas des synonymes. L'histoire mondiale abonde en chefs et en dictateurs qui n'avaient pas un grain de racisme, mais qui visaient à un grand idéal.

D'après l'abbé Groulx, le Canada français avait produit très peu de ces titans, de ces hommes d'État sachant guider leur peuple dans le chemin glorieux de son destin. Mon interlocuteur mentionna une seule fois Honoré Mercier (1840-1894), premier ministre du Québec, grand-croix de Saint-Grégoire, orateur prestigieux qui souleva l'indignation publique contre la pendaison de Louis Riel, «notre frère Riel». Mais le scandale de la baie des Chaleurs amena sa démission. Triste fin de carrière pour cet éminent citoyen.

Au cours de ses séjours à Ottawa, l'abbé Groulx aimait broder sur ce thème, son thème favori. Il scrutait l'horizon pour y découvrir cet oiseau rare. Il n'aimait pas Maurice Duplessis qui avait trop hésité, qui avait eu recours à trop de faux-fuyants avant d'adopter officiellement le drapeau fleurdelisé.

Un jour, alors que je cherchais avec lui sans succès, ne voilà-t-il pas qu'il m'interpelle: «Surtout ne venez pas me dire que cet oiseau rare, ce «rara avis» pourrait bien être Camilien Houde!»

Homme intelligent, aimable, pétillant d'esprit — je l'ai bien connu — Camilien Houde, alors maire de Montréal, n'était tout de même pas le premier venu. Lors des congrès internationaux tenus dans notre métropole, il ravissait ses auditeurs avec ses bons mots, ses ripostes cinglantes, ses reparties spirituelles. Mais pouvait-on se payer le luxe d'être dirigé, en ces années lointaines, par quelqu'un qui était d'abord un histrion ou un clown?

* * *

Louis XIV, le Roi-Soleil, allait, a-t-on dit, à la guerre en la saison. Chaque année, il y a la saison des cerises, la saison des pluies, la saison de la pêche, la saison de la chasse.

Chaque fois qu'un Canadien français devient premier ministre du Canada s'ouvre pour ses compatriotes de langue française là saison des pilules amères. Cette vérité, l'abbé Groulx ne l'ignorait pas.

Depuis la Confédération, trois Canadiens français ont présidé aux destinées de notre pays: sir Wilfrid Laurier, Louis Saint-Laurent, Pierre Trudeau. Tous les trois durent imposer aux Canadiens français de terribles compromis, d'authentiques pilules amères pour maintenir l'unité dite nationale.

Lors de la guerre sud-africaine de 1899, O.D. Skelton avait fait observer dans son ouvrage (*Life and Letters of Sir Wilfrid Laurier,* Vol. II, p.77) que «Quebec must provide all the sacrifices on the altar of harmony». «Québec doit faire tous les sacrifices sur l'autel de l'harmonie». Et le biographe de sir Wilfrid Laurier de stigmatiser l'intolérance des Protestants de cete époque «who were willing to accept privileges for a Protestant minority in Quebec, privileges always honorably preserved, but who were unwilling to carry out their share of compromise when a Catholic minority was involved». Pour moi, Franco-Ontarien, l'actualité donne à ces propos une tragique résonnance.

C'est avec la question des écoles séparées du Manitoba que Laurier fit avaler aux Canadiens français une première pilule amère. Croyons-en là-dessus Bruce Hutchison (*The Struggle for the Border,* p. 41) qui a écrit: «As a national leader Laurier had settle the Manitoba School Question in favor of English-speaking Protestants against the will of the Catholic Chruch.»

En 1899, Laurier fit avaler à ses compatriotes canadiens-français une deuxième pilule amère. La guerre sud-africaine, déclenchée par l'Angleterre, encourut la réprobation du monde civilisé. Selon Arthur Lower (*Colony to Nation,* p.447), «during the Boer War the people of practically all the great powers, including the United States, had been hostile in feeling towards Great Britain.»

Essayer de transformer l'hostilité des Canadiens français de 1899 en une approbation tacite ou active, c'était chercher la quadrature du cercle. Bruce Hutchison (*The Struggle for the Border,* p.446) a énoncé là-dessus une vérité pertinente: «The South African War had been, in the eyes of the French-Canadian habitants, only a British adventure and another conquest of harmless people like themselves.» Les Boers, gens inoffensifs comme les habitants canadiens eux-mêmes; qui pourrait en disconvenir?

Laurier hésitait à poser le précédent d'une contribution officielle en hommes et en argent aux guerres impériales de l'Angleterre. Ces hésitations exaspéraient les impérialistes et les orangistes de l'Ontario. J.W. Dafoe (*Laurier,* p.74) a souligné avec originalité cette frénésie raciale: «English-speaking Canadians were more British than the British, more loyal than the Queen».

Jusqu'en 1899, le Canada confédératif n'avait jamais rompu, en ce qui avait trait aux guerres impériales, avec une tradition franchement nationaliste et canadienne.

Lors de la guerre du Soudan, en 1884, sir John A. Macdonald refusa catégoriquement de jeter le Canada tête baissée dans cete aventure impérialiste. Écoutons à ce sujet Chester Martin (*Commonwealth and Empire,* p.333): «Sir John used language that was not to be mistaken: «Our men and money would therefore be sacrificed to get Gladstone and Co. out of the hole they have plunged themselves into by their own imbecility.» Cette fois-là, sir John emploie de gros mot à l'endroit de Gladstone, alors premier ministre libéral de l'Angleterre, en l'accusant de s'être jeté, comme un parfait imbécile, dans un bourbier.

Ce que le premier ministre Macdonald, anglo-protestant conservateur, avait refusé à l'Angleterre en 1884, le premier ministre Laurier, franco-catholique libéral, l'accorderait-il en 1899? Administrerait-il une autre pilule amère à ses compatriotes canadiens-français?

L'histoire proclame que Laurier finit, hélas! par céder à la frénésie impériale des conservateurs en général et des orangistes en particulier. «Laurier yielded to pressure» affirme Mason Wade («The French Canadians», p.476). Laurier céda à la contrainte.

Pourquoi chez sir Wilfrid cette abdication de son autorité de chef au bénéfice de quelques-uns des plus anticatholiques et antifrançais de ses lieutenants? Il n'y a qu'une réponse à cette question: il fallait sauvegarder à tout prix — aux dépens du Canada français — l'unité dite nationale.

Bref, en raison de ses exceptionnels services rendus à cette unité, Laurier aurait dû être l'idole du Canada anglais. Il en devint, bien au contraire, la tête de Turc.

À la fin de sa carrière, Laurier connut des heures terribles. Pour lui sonna à l'horloge de l'histoire du Canada l'heure la plus tragique, la plus sombre, celle dont parlent les Saintes Écritures: «hora et postestas tenebrarum»: l'heure et la puissance des ténèbres.

Premier ministre de 1896 à 1911, Laurier fut remplacé par Borden, premier ministre conservateur de 1911 à 1918, c'est-à-dire au cours de la première guerre mondiale. Alors chef de l'Opposition, Laurier s'opposa, en 1917, à la conscription.

La rage impérialiste et orangiste était à son faîte montée. Borden forma un cabinet d'union. Abandonné de presque tous ses anciens ministres de langue anglaise, mais fort de l'appui massif des siens du Canada français, Laurier livra une bataille d'avance perdue.

En 1917, les Anglo-Canadiens menèrent contre Laurier une campagne électorale des plus dégoûtantes. Peu d'historiens anglo-canadiens ont osé s'appesantir là-dessus; ils craignent, semble-t-il, de tomber dans un cloaque. L'un d'entre eux y descendit en se bouchant le nez. C'est un anglophone même s'il porte un nom français: D.M. LeBourdais (*Nation of the North,* p.61).

«Then followed a campaign the like of which had never been before experienced in Canada. With ample money, with almost the entire English language press, with high-prices speakers and writers, with newspaper advertisements, with the Protestant pulpit largely become an adjunct of the hustings, a steady barrage of abuse was rained upon Laurier and his supporters. From billboards in type four feet high, voters were warned that «A vote for Laurier is a vote for the Kaiser» and they were asked: «How would the Kaiser vote?»

Laurier, suppôt du Kaiser! Le premier ministre du Canada pendant quinze ans, un traître! Le chef de la loyale opposition de Sa Majesté au Canada, un pro-Allemand! La bassesse de ces calomniateurs s'étalait ainsi sans vergogne aucune. Telle était pour Laurier l'amer résultat d'une vie entière consacrée à l'édification d'une patrie canadienne où devaient cohabiter les représentants de deux grandes cultures.

Dans ses *Memoirs,* Borden prétend que: «On the whole I think there never has been a more impressive figure in the affairs of our country.» Nulle figure plus imposante que celle de Laurier, au dire de son adversaire victorieux. Hommage de grande taille. C'était à ce géant que s'attaquaient, en 1917, tant d'ignobles pygmées; ils prennent figure de serpents essayant de ronger une lime.

L'histoire proclamera que Laurier ne fut jamais plus grand qu'au moment où, au soir de sa vie, il connut les affres de la solitude, de l'ingratitude et de la trahison.

Laurier mourut le 17 février 1919, terrassé par les atteintes de la maladie, et aussi crucifié par le désenchantement et les méchancetés de certains hommes. Il rendit l'âme au moment où la bonne entente entre les Canadiens anglais et les Canadiens français semblait à jamais pulvérisée.

Les aléas de la petite politique expliquent les concessions surprenantes de certains grands hommes d'État. Laurier fit confiance à Clifford Sifton, l'homme alors le plus puissant de l'Ouest canadien. Ce fut non pas le bon, mais le mauvais génie de Laurier.

Certains prétendent que, au début du siècle, les Canadiens français devenus sédentaires ne convoitaient plus les lointains horizons. C'est faux. Descendants des coureurs de bois, de lacs et de rivières, plusieurs d'entre eux étaient assoiffés de paysages nouveaux et de vastes étendues.

En 1929, sous les auspices de l'Association des Canadian Clubs, je fis une tournée de conférences dans l'Ouest canadien. J'eus le privilège d'aller à quelque 200 milles au nord d'Edmonton. Quelle ne fut pas ma surprise d'y découvrir un autre petit Québec, un agglomération de villages comme Fahler, Donnelly, Girouxville, Bonnyville, Smoky River et bien d'autres centres presque tous peuplés majoritairement de Canadiens français venus du Québec sans aide financière d'Ottawa. Si on s'était porté à leur secours, il en serait venu un bien plus grand nombre et aujourd'hui les deux peuples fondateurs seraient mieux représentés dans toutes les provinces canadiennes. Mais Ottawa a préféré importer à grands frais non seulement des Britanniques, mais aussi des gens de l'Europe centrale sans oublier cette secte de Doukobors qui brûlent leurs écoles, détruisent leurs voies ferrées et, pour un rien, protestent avec des marches processionne de leurs femmes nues.

En cette conjoncture, le grand coupable fut nul autre que Clifford Sifton, ministre de sir Wilfrid Laurier. Le premier ministre du Canada n'osa pas désavouer une ligne de conduite marquée au coin d'un racisme éhonté. À ce sujet, un grand historien montréalais et anglophone, Joseph Schull, dans son ouvrage sur *Laurier*, aux pages 451 et 471, ne mâche pas ses mots: «Jealous and hard, bigoted and unforgiving, Sifton was still the Prairie politician who had set out with Joseph Martin to destroy the Catholic French(...) Sifton was filling the changing West with his thousands of English, Americans, Germans, Russians *anything but French.*»

Cet ostracisme racial frappait les descendants de ces hardis explorateurs, de ces célèbres découvreurs, de ces valeureux guerriers, de ces audacieux coureurs de bois, de ces pacifiques colonisateurs, de ces héroïques missionnaires, de tous ces fils du sol qui avaient ouvert le pays et s'y étaient acclimatés. Les frontières de l'Ouest canadien ouvertes à tout le monde, mais fermées aux Canadiens français. *Anything but French.* Voilà bien un racisme authentique, nu, débridé, sans retenue aucune. Telle est la cause majeure de la vie rachitique de nos frères de l'Ouest au XIXe comme au XXe siècle.

Certains quidams scrutent aujourd'hui les écrits de l'abbé Groulx afin d'y découvrir du racisme. C'est chercher midi à quatorze heures. Ils ne frappent pas à la bonne porte. Ils y perdront leur latin. Par contre, ils découvriraient chez Sifton un racisme flamboyant, privé de tout alliage, et surtout un racisme triomphateur.

Après la mort d'Ernest Lapointe qui s'était constitué le puissant rempart de ses compatriotes contre la conscription, Mackenzie King invita Louis Saint-Laurent à entrer dans son cabinet. Pour quelle raison? Parce qu'il avait besoin d'un lieutenant canadien-français pour imposer au Québec la conscription. Conscription mitigée, il est vrai, moins brutale que celle de Borden, «conscription if necessary but not necessarily conscription», donc conscription hypocrite, exécrable et exécrée dans le Canada français.

Pourquoi cette aversion systématique des Canadiens français pour la conscription? Le professeur Arthur Burt («*A short History of Canada for Americans*», p.243) nous éclaire sans réticence sur ce sujet: «The French (Canadian) hated conscription for to them it meant something terrible. It meant the realization of their old fear that the English-speaking and protestant majority of the Dominion might run a steam roller over them. They were crushed and they had horried visions of being crushed again in the dark uncertain future (...) It implied the ultimate loss of the liberty they cherished above all else, the liberty to be themselves, their liberty as a race».

Devenu premier ministre du Canada, Louis Saint-Laurent ne répudia pas, lui non plus, la politique des pilules amères administrées à ses compatriotes. Il se révéla centralisateur au grand dam de l'autonomie québécoise. Sans l'opposition de Maurice Duplessis, le Québec se fût ratatiné; il serait devenu une «municipalité boursoufflée», a «glorified municipality» selon l'expression des Anglo-Canadiens.

S'il n'en eût tenu qu'à Louis Saint-Laurent, ses compatriotes eussent dû avaler une autre pilule amère: la présence de l'Union Jack sur le nouveau drapeau du Canada. À son sentiment, le nouveau drapeau du Canada dépourvu de l'Union Jack était impensable. On trouve ce renseignements significatif dans l'ouvrage de Dale C. Thomson (*Louis Saint-Laurent*, p.177).

L'abbé Groulx n'a jamais cru au «Québec, province comme les autres». En quoi il s'oppose à Pierre Trudeau qui a toujours considéré le Québec simplement comme l'une des dix provinces du Canada.

* * *

Ici je voudrais rendre à Pierre Trudeau une élémentaire justice.

Du temps de Laurier, les pilules amères furent avalées par les Canadiens français. Le Canada anglais les esquiva toutes.

Pour la première fois depuis la Confédération, Pierre Trudeau a su innover en ce domaine comme en beaucoup d'autres. Au Canada anglais comme au Québec, il a voulu administrer une pilule: au Québec, la pilule du «Québec, province comme les autres»; au Canada anglais, la pilule du bilinguisme.

Incontestable nouveauté. Pour la première fois, on ne demande pas aux seuls Canadiens français de faire des sacrifices pour maintenir l'unité dite nationale.

Mais les choses n'arrivent quasi jamais comme on se les imagine. Un Canada bilingue «from coast to coast»? Si ce n'était là qu'un rêve, un beau rêve, mais un rêve qui jamais ne se transformera en une rayonnante réalité. Car il faut voir les choses telles qu'elles sont et non pas telles qu'on voudrait qu'elles soient.

Je suppose — supposition gratuite — que la moitié de notre pays, de Terre-Neuve à Winnipeg, accepte en théorie comme en fait ce principe du bilinguisme. L'autre moitié, de Winnipeg à Victoria, en fera-t-elle autant? Plusieurs Canadiens se posent cette question avec angoisse. Et comment ne pas partager cette angoisse quand on connaît l'histoire passée et présente de l'Ouest canadien, château fort, depuis qu'il existe, du fanatisme anglo-canadien et de l'orangisme exacerbé.

Comme il avait raison, le perspicace Armand Lavergne, de protester, il y a plus d'un demi-siècle, contre la décision fédérale de placer, dans la région des Prairies, les fils du sol et les nouveaux venus sur un pied d'égalité. Ramsay Cook (*Canada and the French-Canadian Question,* p.24) a traduit en anglais ce texte capital. À de graves divergences d'intérêts économiques qui ont toujours séparé et séparent encore l'Est de l'Ouest de notre pays, faudrait-il désormais ajouter un désaccord racial et total entre Anglophones et Francophones? L'unité dite nationale ne connaîtrait-elle pas alors sa crise par excellence, sa crise suprême?

Le 20 mai 1964, à Charlottetown, Vincent Massey, alors gouverneur général du Canada, ne crut nullement manquer à la vérité en disant: «Quebec is the home of French culture in North America and so it is more than just one of our ten provinces.» Le 6 janvier 1964, Lester B. Pearson, alors premier ministre du Canada, éparpilla aux quatre vents de la publicité une assertion catégorique. Même si elle est aujourd'hui exilée au pays des lunes éteintes, elle n'en conserve pas moins toute son actualité. La voici dans toute son ingénuité et son originelle candeur: «We must recognize that Quebec, in some vital respect, is not a province like the others, but the homeland of a people.»

Deux éminents Anglo-Canadiens admettent d'emblée l'existence d'un Québec, province pas comme les autres, tandis que Pierre Trudeau se déclare farouche partisan d'un Québec, province comme les autres.

Quel contraste! Contraste douloureux! Notre histoire, hélas! en est toute tissée.

*   *   *

À la pénurie de nos grands hommes d'État s'ajoutait, selon l'abbé Groulx, la pénurie de nos chefs spirituels trop souvent serviles à l'endroit des politiciens. En voici un exemple typique.

Personnage de l'armée canadienne avant de devenir gouverneur général du Canada, le général Georges Vanier a toujours manifesté ouvertement une foi vive et une révérence émue pour la religion de ses pères. Le respect humain n'a jamais été son fait. Esprit profondément religieux, il n'a jamais posé une cloison étanche entre ses croyances et sa vie publique.

Pendant la deuxième guerre mondiale, c'est le cardinal Villeneuve qui était le chef incontesté de l'épiscopat canadien-français. Cette nomination avait réjoui l'abbé Groulx. Et pour cause. Au début de leur carrière, l'abbé et l'Oblat de Marie Immaculée étaient des amis intimes. Supérieur du scolasticat des Oblats à Ottawa, celui qu'on appelait alors «le petit Père Villeneuve» était l'un des collaborateurs de la revue «L'Action française» que dirigeait l'abbé Groulx. Le supérieur et le directeur rédigeaient des articles nationalistes. Je dis bien «nationalistes»; je ne dis pas «racistes»: ne confondons pas autour avec alentour! Avec le petit père Villeneuve devenu cardinal, l'abbé Groulx croyait avoir enfin trouvé un véritable chef ecclésiastique.

Le cardinal Villeneuve, le général Vanier. Le cardinal Villeneuve aux allures quelques fois martiales; le général Vanier avec une manière d'onction qui imprégnait plusieurs de ses discours, conférences et causeries. Ce qui suscita chez plusieurs l'amusant quiproquo que voici: le général Villeneuve, le cardinal Vanier!

Dès lors, l'abbé Groulx prit ses distances à l'endroit de son ami. Leurs routes se croisèrent une dernière fois; ils se saluèrent sans mot dire. La vie dans les hautes sphères comporte souvent de pareilles ruptures si inattendues, si douloureuses.

Nationalisme et racisme ne sont pas des synonymes. Cette littérature nationaliste du bon vieux temps a suscité l'approbation d'un ardent fédéraliste d'hier et d'aujourd'hui qui a écrit:

«Je crois donc nécessaire de déclarer que presque sans exception ces hommes méritent le respect. Ils n'ont manqué ni de droiture dans leurs intentions, ni de courage dans leurs entreprises, ni de fermeté dans leurs propos, ni même toujours d'invention dans leurs résolutions. Au sein d'une civilisation matérialiste et contre des politiciens souvent sans pudeur, l'école nationaliste fut à peu près seule à dresser une pensée.»

Qui est l'auteur de ces propos? Je vous mets au défi de deviner son nom. C'est nul autre que Pierre Trudeau, auteur de *La grève de l'amiante,* ouvrage publié à Montréal en 1956, à la page 13.

Parmi ces «politiciens sans pudeur» se trouvaient non seulement du menu fretin mais aussi des grosses légumes du parlementarisme outaouais. Lorsque l'abbé Groulx commença sa carrière professorale, un des plus importants sénateurs canadien-français lui demanda de signer une déclaration en vertu de laquelle, il s'engagerait à ne jamais tenir, dans sa chaire d'enseignement à l'Université de Montréal, des propos antibritanniques. Et l'abbé de lui répondre: «Je ne signerai rien!»

À maintes reprises, au coin du feu, dans ma demeure, l'abbé m'a confié que les pires attaques déclenchées contre lui émanèrent du Canada français. Comme quoi on n'est jamais trahi que par les siens. Les Anglais le traitaient avec moins de rigueur.

Après la deuxième guerre mondiale, lors de l'une des réunions annuelles de la Société Royale du Canada, un comité fut formé pour la distribution des médailles. L'une d'entre elles s'appelait «médaille Tyrrell» et couronnait l'œuvre d'un historien canadien. Harold Innis, éminent historien anglo-canadien, faisait partie de ce comité. Je l'entends encore déclarer que la médaille devait être accordée à l'abbé Groulx tenu à l'écart et vilipendé pendant la guerre; le moment était venu de le réhabiliter. Un sénateur canadien-français, membre du comité, s'y opposa avec véhémence. Et l'abbé ne reçut pas cette médaille. Beaucoup plus tard, au soir de sa vie, l'abbé obtint à Ottawa une autre médaille attestant son mérite comme historien du Canada français. Hommage rendu non pas à un «raciste», mais à un historien tout court.

* * *

Il reste aux adversaires de l'abbé Groulx un argument qu'ils croient péremptoire. N'a-t-il pas écrit un roman intitulé «L'appel de la Race» en 1922?

Ici, consultons notre dictionnaire. Nous apprenons qu'il y a, dans le monde, une race blanche, une race jaune, une race rouge, une race noire. Une race canadienne-française? Ni vu, ni connu! Admettons donc que le titre du roman est fautif. Les Anglais emploient souvent l'expression «the call of the blood» qui se traduit par «la voix du sang». L'abbé eût dû titrer son roman: «L'appel d'un peuple» ou encore «L'appel d'une nation» ou bien «La voix d'un peuple» ou «La voix d'une nation».

L'abbé pourrait toutefois exciper d'une excuse majeure pour avoir employé le mot «race». Son roman fut publié en 1922. À cette époque, presque tous nos écrivains commettaient la même erreur.

J'ai un exemplaire du «*Manuel d'Histoire de la littérature canadienne-française*» de l'abbé Camille Roy. L'ouvrage fut publié en 1918.

Membre de la Société Royale du Canada, professeur à l'Université Laval et ultérieurement recteur de cette vénérable institution, Camille Roy n'était pas, que je sache, un analphabète. Or, le mot «race» pullule dans son ouvrage. Je vous fais grâce d'un énumération qui n'a pourtant rien de fastidieux: elle réduit à quia les détracteurs de l'abbé Groulx.

Mais j'allais oublier un autre témoignage qui rive son clou à tous ceux que cette énumération laisserait indifférents.

En deux alexandrins percutants, avec une rime riche, très riche, une rime millionnaire, Louis Fréchette a immortalisé Papineau, instigateur de l'Insurrection de 1837:

«Il fut tout une époque et longtemps notre race
N'eut que sa voix pour glaive et son corps pour cuirasse».

* * *

Quand la caricature s'empare d'un mot, d'une chose, d'un homme, c'est que ce mot, cette chose, cet homme ont conquis la faveur populaire. Toute caricature n'est, en somme, qu'une exagération de la vérité.

Ouvrons un livre devenu rare, lui aussi. Publié en 1924, il s'intitule «*À la manière de*» (Edouard Garand, Éditeur, 185 rue Sanguinet, Montréal). Louis Francœur et Philippe Panneton en sont les auteurs.

Ce livre n'avait pas pour but de ridiculiser qui que ce soit. Il s'agissait d'amuser ceux qui l'avaient écrit comme ceux qui le liraient. Bref, des critiques satiriques, des pastiches qui n'abondent pas dans nos lettres. Une quinzaine de nos auteurs alors les mieux connus deviennent la cible des deux caricaturistes. L'une de ces victimes est, comme on le pense bien, l'abbé Groulx, auteur de *L'Appel de la Race*.

Il s'agit de Pépère en train de prendre son bain annuel, en présence de ses nombreux rejetons:

«À ce moment, sentant passer sur leurs têtes le souffle de l'âme nationale, tous se mirent à tressaillir soudain d'une allégresse spirituelle qui anima leurs voix douces et sonores:

> «Ils ne l'auront jamais (bis),
> «L'âme de la Nouvelle-France,
> «Redisons ce cri de vaillance,
> «Ils ne l'auront jamais!»

«Et le vieux, auréolé de sa chevelure, les yeux fixes, les narines frémissantes,les mains étendues comme pour bénir sa semence, les pieds dans le baquet familial, écouta retentir à ses oreilles enfardochées le vibrant et magistral «Appel de la Crasse».

* * *

Le racisme répugnait à l'abbé Groulx: un raisonnement ab absurdo le démontre avec clarté. S'il eût été vraiment raciste, c'est-à-dire antianglais ou antibritannique, il se fût attiré les foudres du Canada anglais. Or, c'est le contraire qui se produisit.

La Société royale du Canada, composée en majorité d'anglophones, lui remet une médaille en 1948. En 1962, la St-John University, à Terre-Neuve, lui décerne un doctorat honorifique en Droit. Le Conseil des Arts du Canada où cohabitent anglophones et francophones lui accorde ultérieurement une médaille. Au cours de l'année académique 1939-1940, il est nommé président de la Société canadienne d'histoire de l'Église catholique (Canadian Catholic Historical Association), rendez-vous d'historiens anglophones et francophones.

Ce qui le passionne, c'est la vie française au Canada. «Notre culture sera de nous et elle sera canadienne-française ou elle ne sera pas»: voilà sa conviction profonde. Qui pourrait s'en offusquer?

C'est ainsi qu'il devint notre historien national reconnu comme tel non seulement par ses compatriotes, mais aussi par un historien anglophone réputé.

«While Canon Groulx lives and writes, no French Canadian can aspire to replace him as a national historian». Qui a prononcé ce jugement lapidaire? Nul autre que Ramsay Cook dans son ouvrage *Canada and the French-Canadian Question* publié à Toronto en 1966, page 49. Magnifique témoignage accordé à l'abbé Groulx un an avant sa mort. Témoignage que ratifiera la postérité à l'endroit de cet homme issu d'un milieu modeste et moissonnant depuis son adolescence jusqu'à ses quatre-vingts ans bien sonnés des lauriers qui demeurent toujours verts. Voilà qui justifie l'optimisme-né de l'abbé Groulx. Pessimiste sur le plan naturel, il était optimiste sur le plan surnaturel. Il croyait que, en ce bas monde, l'homme s'agite, mais Dieu le mène. Il estimait que l'ère des miracles n'était pas close. Et quand tout allait de mal en pis sur la machine ronde, il croyait contre toute espérance. Pendant toute sa vie, il s'est accroché à l'espérance.

* * *

Membre de l'Académie française, homme d'État et historien, François Guizot a déclaré sans ambages: la France est la patrie de l'espérance.

On ne saurait mieux dire. Oui, certes, la France a enfanté un peuple que ne découragent jamais les somnolences de la Liberté ou les disparitions momentanées de la Gloire.

Le grand Bossuet a parlé des «réveils lumineux et surprenant de la France». Aux Français abattus, humiliés après l'armistice de juin 1940, Pétain a rappelé ces consolantes paroles. Enfin, le général de Gaulle a signalé «le génie du renouveau de la France».

La force de récupération de la France a impressionné un personnage du Canada anglais, W.L. Grant, ancien président de l'Université Queen's à Kingston, en Ontario. Dans son *History of Canada,* à la page 37, il affirme que: «Nothing is more stricking in the history of France than her wonderful power of recuperation. Again and again she has been struck down, yet she has always remain a great power.»

Dans le dernier de ses ouvrages intitulé: «My first seventy five years», à la page 245, Arthur Lower a fait cette remarque pertinente: «Perhaps the French know how to take conquests. They have had foreign troops on their soil many times». À la page 86 du même livre, l'historien ressasse la même idée: «The temporary humiliation of France, a country that never remains humiliated very long.»

Après la défaite de la France à Sedan et la capitulation de Napoléon III le 2 septembre 1870, il fut de bon ton, en certains milieux francophobes de railler la France, pays de grâce et de beauté, sans doute, assujettie pendant longtemps, semblait-il à l'Allemagne, pays de la science et du colossal. Et un certain Weiss, penseur allemand, pouvait écrire:

«De l'alouette gauloise, de l'aigle prussien, du léopard anglais, qui règnera sur les continents et sur les mers? Hélas! Ce n'est presque plus une question. Le léopard anglais à la mer; l'aigle allemand aura le continent. Il ne restera plus à la pauvre alouette que sa chanson.»

L'avenir devait donner à cette pseudo-prophétie un démenti cruel. L'alouette française traînait de l'aile en 1870;

mais de 1914 à 1918, elle sut reprendre son vol vers d'héroïques sommets. Quelques années après Sedan, en 1918, l'Allemagne vaincue et aux abois implorait la cessation des hostilités. L'histoire a de ces retours étranges et stupéfiants.

Encore une fois, l'alouette et sa chanson finissaient par triompher. Car la France est le pays de la gentille alouette. En quoi elle se distingue de tant de nations modernes qui ont dans leurs armoiries un lion, un aigle, un léopard et combien d'autres oiseaux de proie ou de bêtes carnassières.

Puisse l'alouette française continuer à profiler à l'horizon de notre siècle si troublé, de notre époque apocalyptique, les lignes pures et harmonieuses de ses ailes. Puisse-t-elle lancer longtemps encore, vers le ciel de nos rêves si souvent éteints, son aubade joyeuse qui semble dire à l'humanité entière: Courage! Espérance!

Au pays de Québec comme dans tout le Canada français ou anglais, par sa chanson, l'alouette s'est acclimatée on ne peut mieux. Alouette, gentille alouette! Même si elle se fait impitoyablement «plumer» par les Anglophones comme par les Francophones, elle ne s'en porte pas plus mal, bien au contraire; cette opération brutale ne lui enlève rien de sa gentillesse et de sa vivacité.

Oui! L'alouette est symbole d'espérance. Et la France est la patrie de l'espérance.

Mais ici, attention! Minute s'il vous plaît!

Tel père, tel fils; telle mère, telle fille!

La France du nouveau monde, la France en terre américaine est aussi la patrie de l'espérance.

Le Canadien français s'est toujours agrippé à l'espérance. Je n'en veux pour preuve que les premiers vers du deuxième couplet de l'hymne: O Canada!

«Sous l'œil de Dieu, près du fleuve géant,
Le Canadien grandit en espérant.»

Tout au long de son histoire, le Canada français a connu, lui aussi, de ces «réveils lumineux et surprenants» parce qu'il n'a jamais cessé d'espérer. Très souvent, il a espéré contre toute espérance. Et l'abbé Groulx, historien national, le savait mieux que quiconque. Aujourd'hui s'il vivait encore, il vous supplierait de faire comme lui et d'espérer contre toute espérance.

Le 18 mai 1642, Paul de Chomedy, sieur de Maisonneuve, fonda Ville-Marie. Dans la ville de Québec, Monsieur de Montmagny, alors gouverneur de la Nouvelle-France, avait donné à Maisonneuve un loyal avertissement. N'était-il pas téméraire d'aller si loin établir une colonie trop proche des Iroquois féroces? Et Maisonneuve de répondre: «Il est de mon devoir d'accomplir ma mission, tous les arbres de l'île du mont devraient-ils se changer en autant d'Iroquois.»

Maisonneuve espérait alors contre toute espérance. Pourtant ses efforts ne furent pas infructueux. Ville-Marie devint Montréal, une des plus importantes villes du Canada et peut-être bien, au XXIe siècle, l'une des plus belles et des plus pittoresques villes du monde.

En 1660, Dollard des Ormeaux et ses braves s'opposèrent, au Long-Sault, à 800 Iroquois. Tous ces Français périrent, mais leur mort sauva la colonie au berceau, cette colonie alors menacée de disparaître à jamais comme un navire en détresse qui, au milieu de la tempête, coulerait à pic au fond de l'océan. «Retour étrange et stupéfiant opéré par la Providence».

Cette force de récupération s'est magnifiquement manifestée lors de la Cession en 1763. Promis à un tombeau prochain, ce peuple français du nouveau monde a survécu; il a même réussi à s'épanouir.

Puis vinrent les jours sombres de 1837; l'Insurrection avortée, douze «patriotes»pendus, beaucoup d'autres exilés. Puis, ce fut lord Durham qui, dans son fameux Rapport, recommanda de protestantiser et d'angliciser les Canadiens français. Et l'Acte d'Union de 1840 donna suite à ces recommandations. La langue française, langue officielle dans la vallée du Saint-Laurent depuis 1608, depuis plus de deux siècles, cessa de l'être dès la proclamation de l'Acte d'Union; elle était vouée à une disparition lente mais sûre.

C'est du moins ce que croyaient Durham et ses subalternes. Ils ignoraient cette force de récupération de la France et du Canada français. Et ne voilà-t-il pas que neuf ans plus tard s'accomplissaient deux miracles politiques. Avec l'union de Baldwin, de Lafontaine et de leurs partisans, les réformistes libéraux de Bas-Canada et du Haut-Canada l'emportèrent surles «Tories» conservateurs et obtinrent le gouvernement responsable. En 1849, lord Elgin, gouverneur général du Canada, lut son discours du Trône en français, redevenue langue officielle dans la vallée du Saint-Laurent. Le prétendu tombeau du peuple canadien-français s'était métamorphosé en un radeau de sauvetage conduisant les rescapés vers un nouveau destin.

Voilà qui explique l'attitude de l'abbé Groulx optimiste devant les foules, mais pessimiste dans son for intérieur. Ainsi, il aura passé toute sa vie à espérer, lui aussi, contre toute espérance.

Quel est pour nous le devoir de l'heure? Pratiquer la politique des bras croisés en se reposant sur les lauriers flétris? Se consoler avec la pensée que tout va tellement plus mal autour de nous et que le temps est un grand guérisseur? Ainsi s'établirait, hélas! une solution de continuité entre nos ancêtres et nous devenus des poltrons, des défaitistes, des fuyards.

Guillaume le Taciturne a dit: «Il n'est pas nécessaire d'espérer pour entreprendre, ni de réussir pour persévérer.»

Nos pères ont entrepris dans des conditions extrêmement pénibles et ils ont persévéré en dépit de tous les obstacles. Faisons comme eux!

Dans l'un de ses chefs-d'œuvre, Edmond Rostand prête à son coq Chanteclerc le magnifique alexandrin que voici: «C'est la nuit qu'il fait bon de croire à la lumière.»

Chanteclerc a bien raison.

C'est surtout pendant la nuit — même la plus sombre — qu'il faut croire, en dépit de tout, à la lumière, à l'aube, à l'aurore, au soleil, à des lendemains prometteurs, à des lendemains qui chantent...

Séraphin Marion.

L'implantation du scoutisme au Canada français

par PIERRE SAVARD, S.R.C.

L'étude d'un mouvement de jeunesse dépasse largement la connaissance de l'organisation comme telle et de ses leaders pour éclairer l'histoire d'un temps et d'une société. L'avènement du scoutisme dans le Canada français de la première moitié du 20ᵉ siècle pose, pour sa part, de belles questions à l'historien. Comment un mouvement né dans la Grande-Bretagne impérialiste, et lancé en sus par un général protestant, peut-il séduire des responsables de l'éducation au Canada français entre 1920 et 1940 en un temps où le confessionnalisme et le nationalisme imprègnent plus que jamais les idéologies et les pratiques? Dans quelle mesure l'apparition d'un mouvement nouveau nous renseigne-t-il sur les faiblesses de l'éducation traditionnelle? Les mouvements dits de jeunes constituant un champ privilégié de conflits d'adultes, qu'est-ce que l'histoire du scoutisme nous apprend tant sur les idéologies en présence à l'époque que sur les rivalités régionales? Les rapports du scoutisme avec les autres groupements peuvent aussi nous dire beaucoup sur les entreprises successives et concurrentes qui sollicitent la jeunesse.

Travaillant sur des restes, l'historien n'a pas réponse à toutes ces questions ni à bien d'autres qui surgissent en cours d'analyse. Malgré la fermeture d'archives capitales, comme celles de l'archevêché de Québec, il peut cependant apporter des éléments de réponse qui, nous l'espérons, lanceront un chantier nouveau à ceux qui veulent mieux comprendre un mouvement, un moment du passé de notre jeunesse, voire une tranche de notre histoire globale où se retrouvent des grandes questions comme celles des styles de leadership ou des relations de l'Église et de l'État dans l'éducation.

Dispersées, fragmentaires et parfois mal conservées, les sources sur l'histoire du mouvement scout ne manquent pas. Des archives de la *Boy Scouts of Canada* actuellement conservées aux Archives publiques du Canada, nous avons consulté un dossier copieux sur les relations avec les Canadiens français; il comprend surtout de la correspondance allant de 1935 jusqu'aux années 1950. Il n'existe pas d'histoire de cette association qui possède une riche documentation sous forme de manuscrits, imprimés, pièces de musée... On se reportera toutefois avec profit à l'abondante compilation de Robert E. Milks, *75 Years of Scouting in Canada* (Ottawa, Boy Scouts of Canada, 1981, 305 pages). Les archives de la Fédération catholique des Éclaireurs canadiens-français ne sont pas accessibles. Cependant nous avons pu consulter au Centre de recherche en histoire de l'Amérique française, dans le fonds Lionel-Groulx, un dossier abondant préparé en 1935 par les dirigeants de la Fédération catholique des Éclaireurs canadiens-français. Les archives de la Fédération des Scouts catholiques de la province de Québec, fondée en 1935, sont conservées au siège de la Fédération des Scouts du Québec à Montréal. On y trouve les procès-verbaux du Conseil provincial depuis l'origine et quelques pièces de correspondance. Les Archives nationales du Québec ont entrepris en 1980 d'inventorier les archives scoutes du Québec à tous les niveaux (fédération, district et unité si possible). Le séminaire des Trois-Rivières conserve un fonds scout très riche sur les origines du mouvement trifluvien, sur des questions provinciales, voire canadiennes et internationales (correspondance et coupures de presse recueillies avec soin). Le district scout et guide de Montréal dispose d'archives très incomplètes sur les unités, mais elles remontent à 1935. L'Association des Scouts du Canada dont le siège est à Montréal ne conserve pas d'archives avant les années 1960. Sa bibliothèque est riche. Le district scout d'Ottawa possède des archives surtout après 1950. André Hamel a préparé en 1948 une *Bibliographie sur le scoutisme catholique dans la province de Québec* (thèse de bibliothéconomie à Laval, manuscrit, 44 p.). C'est un instrument encore utile. Trop peu nombreux sont les souvenirs d'anciens du mouvement comme ceux d'Ambroise Lafortune, *Heureux qui comme Ambroise...* (Montréal, 1981), qui fait sa promesse scoute en 1928 à la paroisse de l'Immaculée-Conception dans la troupe des frères Morel fondée en 1926. Une équipe a réalisé à l'été de 1980 une recherche d'«histoire orale» auprès de plus de soixante-dix anciens du mouvement depuis ses origines. Une synthèse de quelque trois cents heures d'interviews a été publiée en polycopié par les soins de l'Association des Scouts du Canada à Montréal. La synthèse ne dispense pas de recourir aux enregistrements originaux.

On notera qu'il n'est pas question ici de l'histoire du guidisme catholique au Canada français. Histoire qui présenterait un vif intérêt en particulier en un temps où l'histoire de la femme est à l'ordre du jour. Puisant aux mêmes sources pédagogiques et religieuses le guidisme a connu un développement parallèle, mais non strictement symétrique. Au plan de l'administration paroissiale des deux mouvements on retrouve néanmoins souvent les mêmes personnes et les unités scoutes et guides partagent le même aumônier. Mais évoluant en stricte séparation du mouvement masculin, le guidisme mérite une étude à part qui en dirait long sur l'éducation des filles et l'image de la femme au Canada français.

Pour faire comprendre le lent démarrage du mouvement, nous nous attarderons d'abord sur les résistances à la fois religieuses et nationales que le mouvement suscite au début au Canada français. Les raisons ou prétextes invoqués nous informent sur la vision du monde et de l'éducation chez les éducateurs catholiques du temps. Nous verrons ensuite le grand déblocage dans les milieux catholiques d'Europe après 1920 qui a des effets au Québec cinq ans plus tard alors que les jésuites jouent un rôle clef dans l'«indigénisation» du mouvement. Nous y verrons aussi se créer d'autres foyers où s'implante le mouvement durant la décennie de 1925 à 1935. Le «coup de force» du cardinal Villeneuve qui unifie les scouts canadiens-français du Québec et les affilie au scoutisme canadien et international, puis l'essor du mouvement et le prestige dont il jouit alors constituent une autre étape de cette histoire. Ensuite nous essaierons de dégager quelques traits du mouvement dans les années 1940: «sociologie» et «psychologie» du mouvement, place capitale de l'Église et relations pas toujours faciles avec les autres œuvres et mouvements de jeunesse. Un mot sur la fortune du scoutisme depuis 1950 clôturera le développement.

I. RÉSISTANCES

Lancé en 1908 en Angleterre par Robert Baden-Powell (1857-1941), le scoutisme s'est vite répandu dans les Îles britanniques, dans les Dominions, aux colonies et sur le continent dans des pays comme la France, la Belgique et l'Italie. Dès 1911, lors des fêtes du couronnement du roi George V, un premier rassemblement des scouts de l'Empire regroupe vingt-six mille jeunes dont une centaine de Canadiens. En 1920 a lieu le premier jamboree ou réunion mondiale de scouts à l'Olympia de Londres où 27 nations sont représentées. Baden-Powell y est acclamé chef-scout du monde. On y crée le Bureau international du scoutisme mondial. En 1922 il y a un million de scouts dans 31 pays[1].

Le scoutisme s'est vite répandu au Canada anglais grâce aux liens multiples et serrés de l'Empire. En 1914, date de l'octroi d'une charte fédérale à la *Boy Scouts Association of Canada,* il y a déjà 13 565 scouts au pays. Des tentatives sont faites pour implanter le mouvement chez les jeunes canadiens-français. En 1911, par exemple, Baden-Powell transmet à lord Grey un exemplaire de la revue française *Éducation* qui ren-

---

1. Le meilleur survol en français sur le mouvement reste l'*Histoire du scoutisme* de Henri Van Effenterre publiée à Paris en 1947 et rééditée en 1961. En anglais, on possède la biographie classique de W. Hillcourt écrite d'après les papiers de Baden-Powell et avec l'aide de la femme du chef-scout: *Baden-Powell: The Two Lives of a Hero* (New York, 1964). On ne manquera pas de compléter par les pages plus critiques sur Baden-Powell dans *Edwardian Portraits* de A. S. Adams (Londres, 1957).

ferme un article sur le scoutisme. Le chef-scout conseille au gouverneur général de l'utiliser pour faire connaître le mouvement aux Canadiens français et à leurs autorités en éducation[2]. Au début de 1914 on assiste à une poussée en faveur du mouvement à Québec. Le lieutenant-colonel R.E.W. Turner suggère au supérieur du Séminaire de Québec l'établissement d'une troupe dans son institution. Le supérieur répond que le système des études empêche de telles activités[3]. Cependant, le lieutenant-gouverneur, Sir François Langelier (1838-1915), exprime publiquement le souhait que le mouvement se répande chez les Canadiens français. Ce vœu soulève une tempête dans la presse, *la Vérité* et *l'Action sociale* de Québec passant alors à l'attaque. *La Vérité* du 22 avril 1914 reproduit un article de l'abbé Henri Bernard contre le mouvement qui reprend l'essentiel d'un article des *Études* de Paris du 20 février au 5 mars de l'année précédente. Le jésuite H. Caye y rejette la formule du scoutisme «jeu d'enfant» dans la meilleure des hypothèses, mouvement dangereux pour la religion dans la pire. Chaque semaine, jusqu'au 10 juin, *la Vérité* dénonce le mouvement. Au *Chronicle*, par exemple, qui cite l'approbation que le cardinal Bourne a donné au *Scout's Prayer Book, la Vérité* du 18 avril riposte que le scoutisme est une association neutre et que Pie X s'est prononcé contre les associations neutres. *L'Action sociale* qui craint le mélange des religions dans le mouvement fait front commun avec *la Vérité*. Les deux feuilles reproduisent de *la Croix* de Paris de nombreuses mises en garde d'évêques de France contre le scoutisme protestant ou neutre[4].

---

2. Archives nationales du Québec, fonds Thomas-Chapais, Baden-Powell à Grey, Londres, 21 septembre 1911.

3. Archives du séminaire de Québec, Université 181 n° 29A, Turner à Gosselin, 12 février 1914; 29B, Gosselin à Turner, 16 février 1914. Quelques semaines plus tard, sir Georges Garneau invite Mgr Gosselin à assister à une conférence sur le scoutisme (*ibid.*, n° 50, Garneau à Gosselin, 14 avril 1914).

4. Sur la résistance des milieux catholiques français au scoutisme voir surtout Henri Viaux, *Aux sources du scoutisme français*, Paris, 1961, p. 157-169. Dès 1911 *La Correspondance de Rome* tire à boulets rouges contre le scoutisme «*en dehors* du catholicisme (...) donc *contre* le catholicisme» et accuse le mouvement de naturalisme et de maçonnisme. Les mises

Le Messager canadien des jésuites appuie les deux journaux québécois tandis que *la Patrie* de Montréal a fait écho favorablement au vœu du lieutenant-gouverneur. Cette levée de boucliers contre le scoutisme se produit au moment même où, répandue au Canada anglophone, l'organisation obtenait une charte fédérale d'incorporation: elle semble avoir stoppé pour un temps le développement du mouvement au Canada français[5].

Toutefois, les dirigeants canadiens ne renoncent pas à l'expansion au Canada français. Ils reçoivent des enfants francophones dans les unités anglophones. Comme en Angleterre, le mouvement accepte que des unités soient entièrement formées de catholiques avec leur aumônier. Une réalisation de ce type apparaît en 1918 à Ottawa, dans la paroisse Notre-Dame. Le vicaire de la paroisse, l'abbé Joseph Hébert et des militaires canadiens-français mettent sur pied, à l'intérieur des cadres de la *Boy Scouts,* une troupe de jeunes canadiens-français[6]. La formule sera imitée dans d'autres paroisses de la ville d'Ottawa avec l'approbation de la *Boy Scouts* qui fait

---

en garde se multiplient dans la *Semaine religieuse du Cambrai* (1914) sous la plume du prélat intégriste Mgr Delassus, dans la *Revue internationale des sociétés secrètes* (1912), dans l'*Echo de Paris* (1913) et la *Semaine religieuse de Paris* (1913) (mise en garde du cardinal). Voir également Emile Poulat, *Église contre Bourgeoisie,* Paris, 1977, p. 272 et 276 qui rappelle l'hostilité continue de *La Correspondance de Rome.*

5. En 1933, T.H. Wardleworth, commissaire de la *Boy Scouts* pour la province de Québec, rédige un document sur des essais infructueux de création de troupes catholiques canadiennes-françaises au Québec. Notons qu'on réussit par contre assez vite à créer des troupes de scouts catholiques chez les anglophones à l'instar de ce qui se fait en Grande-Bretagne où très tôt d'excellents rapports se sont établis entre la hiérarchie catholique et le mouvement scout. Le mémoire de Wardleworth est conservé dans les archives de la *Boy Scouts of Canada* à Ottawa qui nous a fort obligeamment permis de puiser une documentation essentielle à cette étude. Tous les documents cités sont conservés dans un dossier sans cote ayant trait aux relations avec les Canadiens français des années 1920 aux années 1950 environ (cité désormais BSC). Les archives de la *Boy Scouts* sont aujourd'hui aux Archives publiques du Canada.

6. Sur l'histoire du mouvement à Ottawa, on se reportera à l'article clair et bien documenté de Jean-Louis Lemieux dans *Le Droit* du 23 mars 1967 reproduit dans le *Rapport annuel 1967-68* des Scouts du Canada, région laurentienne, diocèse d'Ottawa, p. 19 et dans *Le Carrefour,* Ottawa, n° 4 (1967?). On consultera aussi une interview de Paul McNicoll, scout dès 1918, réalisée en 1974 et qui compte 90 pages de texte (conservé au Bureau scout du district d'Ottawa).

même, vers 1919, traduire en français son manuel de l'aspirant scout[7]. Des troupes de ce type apparaîtront aussi à Saint-
Jean et ailleurs au Québec dans les années suivantes.

Cette nouvelle tentative de percée du mouvement suscite
des réactions dans le clergé et les milieux nationalistes. En
1919, paraît sous la plume du père oblat J.-M.-Rodrigue Villeneuve, alors directeur de scolasticat à Ottawa, un article qui
permet de saisir ces réticences. Dans *le Semeur,* organe de
l'Association catholique de la Jeunesse canadienne-française,
sous le titre «A propos des *Boy Scouts»,* Villeneuve répond à
la question: «Faut-il, ne faut-il pas favoriser ou du moins tolé-
rer la formation des *Boy Scouts,* autrement dits *Éclaireurs,*
chez les nôtres?» Le théologien conseille la plus grande pru-
dence. Après avoir rappelé les rapides succès du mouvement
dans «le monde anglais» du Canada, il prévoit son expansion
plus grande encore grâce au militarisme et à l'impérialisme qui
ont été fouettés par la guerre. D'origine protestante, voire aux
yeux de certains, d'inspiration maçonnique et plus ou moins
international, le scoutisme ne sera jamais dans l'ensemble ni
franchement catholique ni principalement canadien-français.
Dans un Canada français menacé par la persécution religieuse
et l'assimilation nationale il ne faut pas naïvement préparer
les voies aux ennemis de la foi et de la langue en participant à
un tel mouvement. Au surplus, n'est-il pas «étrange et humiliant» que l'Église, pour former sa jeunesse, doive s'intégrer à
des organisations si étrangères à son esprit. Le religieux
répond ensuite à l'objection qu'il n'existe pour les jeunes au
Canada français rien n'équivalant au scoutisme. L'Association catholique de la Jeunesse canadienne-française
(A.C.J.C.) «bien entendu, exploitée dans toute sa fécondité»,
peut largement suppléer au scoutisme. Et pourquoi pas faire
des emprunts au scoutisme pour transformer nos jeunes
«Zouaves pontificaux» ou nos «Cadets du Sacré-Cœur»?

---

7. Le Bureau scout du district d'Ottawa conserve un exemplaire de ce rare *Canadiana*
traduit par le «scoutmestre» J.-E. Brisson. Une autre traduction tout à fait nouvelle paraît en
1934.

«Nous oublions, nous semble-t-il, surtout, que nous sommes des latins, et que l'idéal brutal et matériel du monde saxon et américain n'est pas le nôtre, *sport, business, money, self-training* n'étant pas pour nous les seules idées motrices de la vie humaine, les seuls principes générateurs d'action et d'héroïsme (?) qu'il faille développer chez nos jeunes» déclare le théologien. On voit ici pointer l'accusation de naturalisme faite au scoutisme, accusation qui aura longue vie. Plus bas, l'auteur écarte sans examen l'objection de ceux qui invoquent l'appui d'évêques de France ou d'Angleterre ou d'Amérique et de curés qui voient d'un bon œil l'organisation «d'éclaireurs catholiques». Après ce réquisitoire contre le mouvement, l'auteur termine: «Les lignes qui précèdent n'ont point la prétention de liquider le problème. Elles ont plutôt pour objet de le faire discuter. Mais, puisque ce sont, à ce qu'il nous semble, des principes fondamentaux qui sont en jeu, et que le mouvement nouveau se dessine et qu'il pourra se propager comme le feu, dès que l'étincelle en aura été allumée, il nous semble qu'il vaille la peine d'y regarder à deux fois avant de procéder[8].»

Cet article constitue une pièce capitale au dossier de l'histoire du mouvement au Canada français. L'auteur y reprend l'essentiel des arguments des milieux catholiques du temps contre le scoutisme. Sans les citer, il démarque des passages de l'article des *Études* mentionnés plus haut et il suit en partie l'article hostile au mouvement de l'abbé Henri Bernard de 1914.

La dernière grande offensive doctrinale contre le mouvement a lieu en 1926. J.-J. Plamondon, prêtre de Saint-Vincent-de-Paul, donne au *Patronage. Revue mensuelle de l'Œuvre de la Jeunesse ouvrière de Lévis,* deux longs articles intitulés «Du scoutisme». L'auteur déplore l'insuffisance des œuvres de jeunesse dans la ville surtout. L'A.C.J.C. touche essentiellement un public étudiant. Les patronages, pionniers

---

8. *Le Semeur,* vol. XVI, 1919-1920. p. 42 à 46

des œuvres de jeunesse, ne sont pas assez répandus. Or le scoutisme, qui commence à connaître une vogue irrésistible, est plein de dangers. Utilisant une copieuse documentation puisée aux sources européennes, l'auteur dénonce le caractère internationaliste c'est-à-dire anti-patriotique du mouvement. Il insiste sur son neutralisme religieux incompatible avec la doctrine catholique. Il démêle ses accointances théosophiques, voire ses affinités maçonniques, à une époque où toute une presse catholique fait de la maçonnerie l'ennemi numéro un du catholicisme. Il conteste la méthode scoute, qualifiant de dangereux le retour à la nature c'est-à-dire à la sauvagerie, regrettant le manque de surveillance des jeunes et la naïveté qu'il y a à trop insister sur l'honneur. Pour lui, le scoutisme, même dans sa version catholique, est anti-éducatif, nuisible pour la vie de famille et l'instruction, en somme abrutissant, absurde et ridicule[9]. La sévérité de la charge s'explique sans doute par la psychose de l'auteur, partagée par tout un clergé et une élite canadienne-française face aux dangers modernes[10]. Il faut aussi faire la part du dirigeant d'œuvre qui voit apparaître un concurrent direct.

II. DÉBLOCAGE DANS L'EUROPE CATHOLIQUE

Des circonstances nouvelles vont contribuer à désarmer la méfiance du clergé et de l'élite catholique intégriste. Le début des années 1920 voit dans l'Europe catholique un déblocage en faveur du mouvement. En juillet 1920, on fonde la Fédération nationale des Scouts de France (catholique), qui regroupe une centaine de troupes actives dans des villes comme Paris et Lyon. Le 17 janvier 1921, le cardinal Dubois,

---

9. *Le Patronage. Revue mensuelle de l'Oeuvre de la Jeunesse ouvrière de Lévis,* XIIIe année, n° 121, avril 1926, p. 49 à 54 et n° 122, mai 1926, p. 65 à 104. Publiée de 1913 à 1938, la revue devient à cette date le *Patro* pour tout le Québec.

10. Voir sur cet état d'esprit, entre autres, l'étude de Richard Jones sur *L'Idéologie de l'Action catholique (1917-1939),* (Québec, 1974). Cette intervention de Plamondon est à mettre en relation avec l'attaque de *Fede e Ragione* rapportée plus bas à la note 18. Le danger de l'internationalisme revient encore en 1939 sous la plume de Louis-Philippe Roy, voir note 52.

archevêque de Paris, adresse au chanoine Cornette, aumônier-général de la Fédération, une lettre chaleureuse d'approbation qui sera largement exploitée par les défenseurs du mouvement. En 1922, c'est un approbation du pape Pie XI qui parvient au chanoine Cornette, par l'entremise du cardinal Gasparri, en date du 30 mars[11]. Le scoutisme catholique s'est aussi développé en Italie sous l'impulsion du comte Mario Di Carpegna, premier chef-scout d'Italie. À sa mort, en 1924, il y a 25 000 scouts dans l'*Association scautistica cattolica italiana*. Le mouvement y a reçu l'encouragement de Benoît XV dès 1916[12]. Dans d'autres pays se dessinent également les traits d'un scoutisme catholique pratiqué dans des associations confessionnelles acceptées à la fois par le Bureau international et par la hiérarchie catholique. Un prêtre bruxellois découvre les scouts en 1912 et dès l'année suivante le scoutisme catholique commence en Belgique. En 1919 le mouvement se scinde en deux fédérations basées sur les cultures flamande et wallonne. La Fédération des Scouts catholiques bel-

---

11. Jacques Sevin, *Le Scoutisme. Étude documentaire et applications,* Paris, Spes, 1924 (deuxième édition revue). Ouvrage richement documenté avec une lettre-préface du cardinal Dubois du 3 août 1924. Sevin donne tous ces documents essentiels (lettre de Dubois de 1921, p. 334, lettre de Gasparri de 1922, p. 335). *Le Chef* (revue à l'adresse des responsables de tous niveaux) publie en supplément à son numéro 18 (décembre 1923) une longue «circulaire privée» aux aumôniers et chefs qui fournit un arsenal de faits et de doctrine pour défendre le mouvement auprès des milieux catholiques. En avril-mai 1923, le *Chef* reproduit deux approbations épiscopales (Rouen et Toulon) qui montrent que les adversaires ne désarment pas. Le déblocage en faveur du scoutisme dans les milieux catholiques de France s'explique par la faveur du mouvement auprès des jeunes et des parents catholiques. Autour de 1920, la moitié des effectifs des Éclaireurs unionistes d'inspiration protestante est constituée de catholiques. D'où la réaction pour «catholiciser» le mouvement.

12. Lettre au comte Mario Di Carpegna reproduite dans *Documenti pontifici sullo scoutismo,* A curadell' A.S.C.I. esploratori d'Italia, Rome, 1952. Ce livre regroupe les principaux discours et documents pontificaux relatifs au scoutisme catholique de 1916 à 1952. Les documents sont donnés en trois langues: italien, français et anglais. En 1928, il y aura 50 000 scouts dans la péninsule. Deux ans plus tôt, Mussolini a créé son mouvement de jeunesse d'État, les *balillas,* qui absorbent les scouts en 1928 par décision ministérielle. Pie XI riposte en dissolvant l'association des scouts catholiques italiens. Le scoutisme disparaît ainsi de l'Italie jusqu'en 1945. En 1933, Baden-Powell rencontre Mussolini dans une vaine tentative de restaurer le scoutisme. Sur cette histoire, voir Hillcourt, *op. cit.,* et le supplément 1938-1948 de l'*Enciclopedia Italiana* à l'article «Esploratori cattolici» ainsi que Van Effenterre, *op. cit.,* p. 96. Voir aussi L. Salvatorelli et G. Mira, *Storia d'Italia nel periodo fascista* (Turin, 1964), p. 465-469: «La questione dei boy scouts».

ges marquée par la Grande-Bretagne inspire les Scouts de
France à leurs débuts. Le cardinal Mercier manifeste tôt son
appui au scoutisme catholique[13]. En Suisse une Fédération
non confessionnelle des Éclaireurs suisses est apparue en
1913; elle laisse toute liberté aux associations cantonales au
plan religieux. Les catholiques se groupent en trois «associations»: romande, allemande et italienne. En Allemagne où
fleurissent les mouvements de jeunesse, les scouts («Pfadfin-
ders») créés en 1911 comptent 80 000 membres dès 1914. En
1929, les scouts proprement catholiques font leur apparition à
Trèves avec St.Georg Pfadfinderschaft qui comptera près de
6 000 membres en 1933 et maintient des liens avec le Bureau
international. La mainmise de Hitler sur la jeunesse gêne l'expansion du mouvement. En Hollande qui compte 40% de
catholiques, les scouts ne seront autorisés par l'épiscopat
qu'en 1930 du fait de la neutralité religieuse déclarée de la première Fédération scoute. En 1939, «l'association» catholique
compte 14 000 scouts très étroitement intégrés à la Fédération
nationale[14]. En Grande-Bretagne, Baden-Powell a pu compter presque dès les débuts sur des proches collaborateurs
catholiques. Les évêques d'Angleterre ont obtenu des garan-
ties confessionnelles qui les satisfont comme, par exemple, le
droit de constituer des troupes catholiques distinctes et un
droit de regard sur la nomination des chefs. Le cardinal

---

13. Poulat, *op. cit.*, p. 272. L'auteur souligne qu'en Belgique ce sont les jésuites qui
sont les grands défenseurs du mouvement avec l'appui du cardinal. Merry Del Val adresse
une belle lettre d'encouragement au chef du scoutisme belge dès le 18 janvier 1913, ce qui soulève l'ire des intégristes (*op. cit.*). La querelle provoque sans doute les articles hostiles au
scoutisme de la *Civiltà cattolica* et des *Études* de cette même année. Sur les origines du mouvement belge voir Albert Lamy, «Le scoutisme catholique en Belgique», dans *Le Chef*
(Paris), n° 161 (5 mars 1939), p. 156-161.

14. L'Association romande des Éclaireurs catholiques suisses répartie dans 6 cantons
comptera 2 376 membres en 1938 (Edgard Voirol, «Le scoutisme catholique en Suisse», dans
Le Chef, n° 165, 5 juillet 1939, p. 404-407). Il y avait en 1934 13 000 scouts en Suisse d'après
l'article «Éclaireurs suisses» du *Supplément* du *Dictionnaire historique et géographique de la
Suisse* (Neuchâtel, 1934); Lawrence D. Walker, *Hitler Youth and Catholic Youth, 1933-
1936,* (Washington, 1970), p. 8 et 27; abbé Wouter Van Ettinger, «Le scoutisme catholique
en Hollande», dans *Le Chef* (Paris), n° 163, 5 mai 1939, p. 268 à 271.

Bourne, archevêque de Westminster, appuie sans réserve le mouvement[15].

En 1920, lors du jamboree mondial tenu à l'Olympia à Londres, des dirigeants scouts catholiques, principalement italiens, belges et français, fondent l'Office international des Scouts catholiques; le patron d'honneur en est le cardinal Bourne et le premier secrétaire, le jésuite français Jacques Sevin. Sevin est reconnu «à l'époque [en France] le meilleur connaisseur du scoutisme qu'il a étudié sur place en Angleterre[16]». Du 13 au 30 juillet 1922 a lieu à Paris le congrès international du Scoutisme en présence de Baden-Powell. Un demi-million de scouts appartenant à une trentaine de nations sont représentés. À cette occasion, Jacques Sevin publie dans les *Études* du 20 juillet 1922 un article sur le mouvement. *La Documentation catholique* du 5-12 août 1922 reproduit en grande partie l'analyse en la coiffant d'un texte et d'une bibliographie qui rappellent «la réserve des catholiques qui fut longtemps non seulement justifiée mais même commandée envers le mouvement». La revue admet cependant que des modifications essentielles «ont rendu (le scoutisme) acceptable pour les catholiques». La même année, Sevin publie *Le scoutisme. Étude documentaire et applications,* défense et illustration du scoutisme catholique qui fera autorité pendant des décennies[17].

Le 6 septembre 1925, à l'occasion de l'Année Sainte, un grand pèlerinage amène dix mille scouts catholiques dans la Ville Éternelle. Sept mille d'entre eux viennent des diverses

---

15. Ainsi, il prononce une éloquente allocution au Jamboree mondial de Birkenhead en 1929, intitulée «Vingt-et-un ans de scoutisme» et reproduite dans la *Semaine religieuse de Montréal* de la même année (569-571). Sevin, *op. cit.*, p. 299, n° 1, expose les rapports entre le mouvement et l'épiscopat catholique anglais. Ce type de rapports se retrouvera aux États-Unis et c'est celui que la *Boy Scouts* propose au Canada.

16. Van Effenterre, *op. cit.*, p. 76. En 1921, Benoît XV approuve et bénit l'Office, dont la constitution est reproduite dans Sevin, *op. cit.*, p. 336-338.

17. Première édition à Paris, à l'Action populaire et aux Éditions Spes en 1922, deuxième édition en 1924, troisième édition revue en 1930, sans compter les réimpressions comme celle de 1933. Les deux dernières éditions s'ouvrent sur une lettre-préface du cardinal Dubois et les trois éditions comportent une préface de Georges Goyau de l'Académie française.

régions de l'Italie et les autres d'Angleterre (750), de France (500), d'Irlande, de Belgique, d'Espagne, de Suisse, du Danemark, d'Autriche et de Pologne. Pie XI leur adresse un message chaleureux. Cet événement constitue comme la reconnaissance du mouvement aux yeux de tout l'univers catholique. Les réticences qui perdurent devront se faire plus discrètes pour éviter les foudres romaines. Ainsi, en août 1926, le périodique intégriste *Fede e Ragione* lance une attaque contre le scoutisme catholique qu'il accuse de naturalisme et qu'il réduit à n'être qu'une simple forme de sport. L'*Osservatore Romano* publie une mise au point énergique qui fait le tour du monde catholique. La *Semaine religieuse de Montréal,* par exemple, reproduit un compte rendu de l'incident d'après les *Nouvelles religieuses* de Paris du 15 octobre 1926[18].

On peut affirmer qu'en 1925, le scoutisme est non seulement autorisé, mais encore encouragé par les plus hautes autorités catholiques. Quant aux responsables du mouvement dans les divers pays et au plan international, ils sont prêts à bien des accommodements pour faire place au catholicisme dans un mouvement qui s'est, d'ailleurs, dès le début, déclaré foncièrement d'inspiration chrétienne. Les obligations envers Dieu mentionnées dans la loi, les principes et la formule de la promesse suffisent à dissiper toute équivoque sur ce point. Les préventions doctrinales contre le mouvement semblent avoir fait long feu. La résistance viendra d'autres sources comme, par exemple, le désir de protéger des œuvres catholiques déjà existantes de la concurrence d'un mouvement de plus en plus en vogue[19]. Précisons que même s'ils sont encouragés par le

---

18. *Semaine religieuse de Montréal* (1926), p. 763-764. Peu auparavant, la *Semaine* a reproduit un extrait de son homonyme parisien sur les origines du scoutisme catholique et comprenant les lettres de Dubois de 1921 et de Gasparri de 1922 mentionnées plus haut. Sur cet incident voir aussi Poulat, *loc. cit.*

19. En France, le problème se pose vis-à-vis les patronages comme l'atteste toute une littérature sur le sujet. Sevin, dans l'ouvrage cité, consacre un chapitre entier au problème. Voir aussi «Scouts de France» du chanoine J. Bricout, dans le tome 6 (1928) du *Dictionnaire pratique des connaissances religieuses* qui souligne que le scoutisme vise surtout les élèves du secondaire (collèges et lycées) alors que les patronages sont plus «populaires». On a vu plus haut l'attaque en règle de Plamondon en 1926.

Saint-Siège, les scouts doivent obtenir l'approbation épiscopale pour se développer. En France, par exemple, il faut
gagner un à un les 86 diocèses et les dernières barrières ne
seront levées qu'en 1943[20].

III. ESSOR AU CANADA FRANÇAIS MAIS DIVISIONS

Au Québec, à cette époque, le sous-équipement en loisirs
urbains pour les jeunes se fait sentir cruellement[21]. Entre 1911
et 1931 la population urbaine de la province a presque doublé.
Il faut multiplier les œuvres paroissiales pour encadrer les
enfants, les jeunes, sans parler des étudiants, des ouvriers, des
mères de famille, des employés et commis, des voyageurs de
commerce et combien d'autres groupes encore. Ce n'est qu'en
1929 qu'apparaît la fondation de la première Œuvre des Terrains de jeux (O.T.J.). Les catholiques francophones évitent
les YMCA et les YWCA. Les colonies de vacances, lancées
dans les années 1910, restent rares. Il n'est pas étonnant que le
mouvement scout ait suscité l'intérêt d'éducateurs et citoyens
soucieux de l'épanouissement des jeunes.

C'est à Montréal, à partir de 1926, que le scoutisme va se
développer de façon marquée[22]. Dans le deuxième tome de ses

---

20. Van Effenterre, *op. cit.*, p. 77.
21. Voir entre autres les doléances exprimées par Omer Héroux dans *Le Devoir* du 6
mars 1926. Les témoignages d'enfants élevés dans les quartiers populaires de Montréal abondent sur «le manque total de loisirs organisés» selon les mots de Marcel Dubé, «Le Faubourg
à m'lasse», dans *Morceaux du Grand Montréal* (Montréal, 1978, p. 47).
22. À Longueuil, en 1925, Georges Sainte-Marie a fondé une troupe inspirée de la
méthode scoute, sans attache avec la *Boy Scouts* et qui jouit de l'approbation des autorités
religieuses tant paroissiales que diocésaines. Voir «Premières expériences de scoutisme
canadien-français», article de Sainte-Marie dans l'*Action française,* vol. XVIII, n° 1 (juillet
1927). Les débuts du scoutisme à Montréal ont été racontés dans une brochure polycopiée à
75 exemplaires en 1944 et signée G.M., s.j. (Guy Ménard). Il s'agit d'un récit bien documenté
auprès des témoins de l'époque et qui fait la part des choses. Des exemplaires de ce texte existent dans le fonds Groulx, Centre de recherche en histoire de l'Amérique française
(CRHAF), et dans la bibliothèque de l'ASC (Association des Scouts du Canada à Montréal).
Les archives de la Fédération catholique des Éclaireurs canadiens-français n'étant pas accessibles, nous avons puisé l'essentiel de notre documentation sur ce groupement dans les riches
dossiers conservés par le chanoine Groulx. À Ottawa, en 1923, il est question de former des
groupements scouts catholiques de langue française et de langue anglaise soumis à l'autorité
ecclésiastique. Charles Gautier, éditorialiste au *Droit,* applaudit au projet. Il faudra attendre

Mémoires, le chanoine Lionel Groulx raconte le rôle qu'il a joué dans l'introduction du scoutisme. Pendant ses vancances d'été de 1925, Groulx découvre le mouvement scout. Dans une des belles pages de ses *Mémoires* il décrit le mode de vie des scouts et se livre à des réflexions enthousiastes sur cette méthode d'éducation: «Pendant mes vacances à Saint-Donat, il m'est donné d'observer d'assez près un campement de jeunes scouts anglo-protestants. Au fond de leur baie de sable du lac Archambault, je les ai vus nicher leur matelas ou paillasse au sommet des grands pins et dormir là, tranquilles, quelquefois bercés dans la musique du vent et des vagues. Surpris parfois par un orage sur le lac, ils ont abordé à l'*Abitation.* Puis, je les ai rencontrés dans leurs randonnées de règle, randonnées à trois camarades et d'une durée de huit jours, à travers les lacs et les bois des environs. Munis d'un canot, d'un peu de nourriture, de leur équipement ordinaire, ils apprennent à se débrouiller: ils jouent à l'explorateur, tiennent un journal de leur aventure, décrivent les régions parcourues. Et je me suis dit: quelle merveilleuse méthode d'éducation tout de même! Quoi de plus propre à développer l'esprit de débrouillardise, d'initiative, d'observation! Et ces fiers garçons, que je verrai si calmes, si sûrs d'eux-mêmes, à des milles de leur campement, qu'ils m'ont paru différents des nôtres, autrement plus délurés que nos petits Canadiens, si longtemps enveloppés dans les jupes de leur mère. Le scoutisme m'a conquis[23].» Dès son retour en ville, il fait part de son enthousiasme à ses collègues de la ligue d'Action française. Le groupe confie l'étude du mouvement au jésuite Adélard Dugré[24]. En janvier 1926 paraît dans l'*Action française* de Montréal un article de 16

---

plusieurs années pour voir se développer un scoutisme canadien-français et catholique hors du giron de la *Boy Scouts (Le Droit,* 23 mars 1923).

23. *Mes mémoires,* Montréal, 1971, p. 321.

24. Adélard Dugré (1891-1970) a enseigné la théologie et laissé plusieurs écrits sur des questions de son temps. Recteur du scolasticat jésuite de l'Immaculée-Conception de Montréal, il occupera aussi la charge importante d'assistant du père général de la Compagnie. Ses *Souvenirs et réflexions* contiennent quelques lignes seulement sur le scoutisme (polycopié, Montréal, Maison provinciale, 1971, p. 77-78).

pages sous la signature du jésuite. L'auteur y décrit fidèlement les grandes lignes de la méthode scoute et de son adaptation à la jeunesse catholique en s'inspirant principalement de l'ouvrage de Sevin. La dernière partie de l'article répond à la question «Ces méthodes d'éducation auraient-elles leur raison d'être chez nous?» L'auteur répond résolument oui à la condition d'«adapter le système à notre tempérament, à notre histoire, à nos coutumes» (p. 45). Il écarte les objections de militarisme que l'on fait au scoutisme dans certains quartiers en précisant qu'un scoutisme dirigé par des Canadiens français risque fort peu de tomber dans ce travers. Plus délicate est la question du patriotisme à développer chez les scouts. «Il n'y a, écrit le jésuite, qu'une sorte de patriotisme qui soulève spontanément l'enthousiasme du petit Canadien français: c'est le patriotisme naturel, celui qui a sa source dans la communauté de sang, de langue et de foi. Le patriotisme de raison, fondé sur l'intérêt, ne l'émeut guère. Le drapeau, l'hymne national qui le fera vibrer, ce n'est pas l'*Union Jack* ni le *God Save the King*. La patrie qu'il veut grande et prospère, ce n'est pas l'Empire britannique, mais le Canada, tout particulièrement le Canada français» (p. 47-48). L'article se termine en souhaitant la formation d'un mouvement scout canadien-français pour «procurer à nos jeunes gens les avantages de cette formation originale et bienfaisante». Mais «l'indépendance» vis-à-vis du «scoutisme officiel», «propagé par le gouvernement d'Ottawa», peut seule assurer le succès du mouvement chez nous, conclut le théologien (p.49).

L'article de Dugré suscite maints commentaires. Omer Héroux, dans *Le Devoir* du 6 mars 1926, félicite le jésuite de son article et souhaite voir le mouvement se répandre. Il trouve dans le scoutisme un correctif à l'éducation scolaire trop livresque. Héroux voit aussi dans ce mouvement une réponse au moins partielle au manque de structures de loisirs d'été pour les jeunes dans une ville comme Montréal. Héroux pousse l'Association catholique de la Jeunesse canadienne-française (A.C.J.C.) et la Société Saint-Jean-Baptiste à se faire les propagateurs du mouvement[25]. En mai 1926 Dugré reprend son projet dans une brochure publiée par «L'École sociale populaire» intitulée *Éclaireurs canadiens-français*[26]. On y retrouve l'essentiel de son article de janvier, enrichi de réponses à des objections. Il souligne la faveur croissante dont le scoutisme jouit auprès des catholiques, faveur attestée par le pèlerinage de dix mille scouts à Rome en septembre 1925 et par la sympathie que leur a témoigné Pie XI. Au passage, il reproche doucement aux Français d'avoir sur certains points copié trop servilement le scoutisme britannique. Il souligne que la jeunesse de chez nous a besoin de mouvements qui puissent l'encadrer, vu que, chaque été, dans la seule ville de Montréal, «cinquante mille jeunes sont pour ainsi dire jetés sur le pavé ne sachant que faire d'eux-mêmes[27]». Il rappelle qu'une troupe scoute n'est ni une «congrégation» (de prière) ni une «école de réforme». «Ce groupement, souligne-t-il, semble donc surtout destiné à préserver, à perfectionner les bons enfants.» Il précise, quant au recrutement: «Des garçons espiègles, par conséquent fort exposés, même de prétendus mauvais sujets peuvent s'y amender, pourvu qu'ils ne soient pas déjà enfoncés dans le vice, qu'ils aient l'esprit ouvert et qu'ils sachent apprécier l'estime et la confiance de leurs supérieurs. Des troupes recrutées parmi les enfants de très basse catégorie ont donné de bons résultats» (p. 20). Et il continue: «Les sujets d'élite, parmi les éclaireurs, seront donc ces garçons vigoureux, contents de vivre, qui ont leur franc parler et

---

25. Cité dans Ménard, *op. cit.* L'A.C.J.C. va effectivement se faire le propagateur du mouvement; voir entre autres l'article du *Semeur*, «Une force qui monte», dans la livraison d'août 1930 qui constitue un éloge de la Fédération catholique des Éclaireurs canadiens-français et un aperçu de ses principes d'éducation nationale. Aux Trois-Rivières, c'est au cercle Ozanam de l'A.C.J.C. qu'on étudie d'abord le mouvement scout avant de lancer le mouvement.

26. Montréal (c. 1926), 32 p., n° 148 de la collection des brochures de l'E.S.P.

27. *Op. cit.*, p. 18. Cette préoccupation des jeunes des villes se retrouve durant cette période. En 1927, un jésuite crée l'Œuvre des vacances pour les jeunes qui fréquentent le parc Lafontaine à Montréal. En 1929, on crée l'Œuvre des terrains de jeux à Québec et Trois-Rivières se dote bientôt de structures analogues. (*La Compagnie de Jésus au Canada*, Montréal, 1942, p. 166.) Sur le rôle des jésuites dans les œuvres de ce temps, voir l'utile tableau de Jean Blouin dans *Perspectives* (Montréal), 28 juin 1975, p. 2 à 6.

qui aiment à s'imposer aux autres» (p. 21). Dans sa conclusion, il évoque le choix des instructeurs, c'est-à-dire des chefs.
Les jeunes instituteurs semblent tout désignés pour la tâche
pourvu qu'ils soient souples, capables de s'adapter aux garçons, et animés autant par le patriotisme que par l'esprit religieux. Enfin, Dugré rappelle qu'un scoutisme canadien-
français ne peut s'épanouir que distinct de la *Boy Scouts*.
«Séparés, nous pourrons nous entendre; réunis, les malenten-
dus risquent de naître à chaque instant» (p. 31). Quelques
semaines plus tard, Dugré confie à Groulx, «en se simplifiant
dans mon esprit, l'idée de cette organisation m'apparaît de
plus en plus comme un moyen d'utiliser le patriotisme, beaucoup plus qu'on ne l'a fait jusqu'ici chez nous, mais comme
on le fait dans tous les autres pays (...) S'il n'en tient qu'à moi,
la corde patriotique sonnera dans ces troupes, et elle ne sonnera pas faux[28].»

En juillet 1926, la revue l'*Action française* revient sur le
sujet du nouveau mouvement à créer. Son «Mot d'ordre»
mensuel signé de la rédaction s'intitule «Le scoutisme». On y
constate la «vogue» du scoutisme jusque dans les milieux
catholiques. Cette «popularité» présente même les traits d'un
«mouvement irrésistible». D'ailleurs, des jeunes Canadiens
français font déjà partie d'unités de la *Boy Scouts*. Il ne saurait donc être question de bouder cette méthode. «Il faut
encourager la création d'un scoutisme bien à nous qui n'aura
rien à faire avec le scoutisme officiel, d'origine et d'esprit
anglo-protestant (et qui) n'empruntera même qu'à bon
escient au scoutisme catholique de France» (p. 4). «Ne nous
laissons pas voler notre jeunesse» avertit l'éditorial.

Au début de l'année 1926, Adélard Dugré a pris contact
avec deux instituteurs, les frères Guido et Philippe Morel,
qu'il a su intéresser à la méthode scoute. Les frères Morel étudient le scoutisme dans les livres et, en septembre 1926, ils lancent deux unités. Philippe Morel fonde une troupe dans la

---

28. Adélard Dugré à Lionel Groulx, 6 juin 1926, fonds Groulx (CRHAF).

paroisse de l'Immaculée-Conception, milieu de «petite bourgeoisie». Deux jésuites le secondent comme aumôniers, les pères Oscar Bélanger et Maurice Beaulieu. Guido Morel lance une troupe dans une paroisse de «milieu ouvrier», Saint-Jean-Berchmans, dont le curé est l'abbé Zénon Alary qui comptera parmi les meilleurs appuis du mouvement[29].

Guido Morel qui deviendra le principal animateur du mouvement à Montréal durant deux décennies est né en 1894. Il a commencé des études classiques au collège Sainte-Marie, puis a continué à l'école normale Jacques-Cartier où il a obtenu la médaille du Prince-de-Galles décernée au meilleur étudiant de la promotion. En 1913, à l'âge de 19 ans, il se lance dans l'enseignement. Il va passer près d'un demi-siècle à l'emploi du conseil scolaire de Montréal. En 1926, il enseigne à l'école St-Jean-Berchmans[30].

Le père Dugré, l'abbé Groulx et d'autres personnes qui gravitent autour du nouveau mouvement entreprennent d'adapter le scoutisme au Canada français. Dugré compose une prière collective dans laquelle les jeunes remercient Dieu «d'avoir établi dans ce Nouveau Monde un peuple de sang français, fidèle à la foi catholique» et le supplient «de (les) aider à poursuivre l'œuvre apostolique confiée aux fondateurs de la Nouvelle-France». Cette prière s'ajoute à celle répandue déjà par les Scouts de France et attribuée à saint Ignace de Loyola; elle commence par les mots «Seigneur Jésus apprenez-moi à être généreux [...][31]». Sur l'air de «Montez toujours» d'Albert Larrieu, le père Hermas Lalande compose un chant pour les Éclaireurs canadiens-français; on le chante

---

29. Ces débuts sont tirés de la brochure de Ménard citée plus haut (p. 39).

30. Sur Guido Morel voir Raphaël Ouimet, éd., *Biographies canadiennes-françaises,* 13 éd., 1937, p. 387, et le dossier de la troupe Saint-Jean-Berchmans (documents sur le 50ᵉ anniversaire célébré le 20 octobre 1976) conservé dans les archives des Scouts et Guides de Montréal. Émile Gervais, s.j., rend dans *Le Devoir* du 22 novembre 1979 (p. 4 et 5), un bel hommage à Philippe Morel décédé le 23 octobre précédent.

31. Les deux prières figurent aux pages 46-47 dans le manuel *Pour devenir Éclaireur canadien-français. I. Épreuves d'aspirant,* publié à Montréal en 1928 par la Fédération catholique des Éclaireurs canadiens-français (64 pages).

avec «Notre-Dame des éclaireurs» des Scouts de France[32].
Avec «quelques éducateurs», Groulx rédige le texte de la loi
scoute, adaptation libre de l'original de Baden-Powell. La
nouvelle loi est publiée dans *l'Action française* d'octobre
1926[33]. Les dix articles sont plus diffus que ceux de la loi de
Baden-Powell. Le deuxième article, par exemple, se lit comme
suit: «L'Éclaireur canadien-français aime son pays, tout spécialement le Canada français. Il est fier de ses origines, fidèle
au passé, confiant dans l'avenir de sa nation. Il aime sa langue
et s'efforce de la bien connaître et de la parler
correctement[34].» Le patron des éclaireurs est saint Tharcisius,
jeune martyr de l'Eucharistie aux premiers temps du christia-
nisme et la fête annuelle est celle de Dollard le 24 mai[35]. Le premier manuel est publié en 1928[36]. La partie proprement technique (matelotage, signes de piste, secourisme, habileté
manuelle, etc.) ne s'éloigne pas de ce qu'on propose dans les
ouvrages scouts français, britanniques ou canadiens de l'époque du même type. L'insigne distinctif des Éclaireurs
canadiens-français y paraît sous la forme de la croix de Jéru-
salem ou croix potencée chargée de la feuille d'érable. La
croix rappelle le caractère catholique du mouvement et la
feuille d'érable son enracinement canadien[37]. Nulle part n'ap-

---

32. *Pour devenir (...)*, cité, p. 52-53.

33. «À propos d'Éclaireurs», p. 220-225 (sous le pseudonyme de Jean Tavernier).

34. On observe ici une évolution analogue à celle de la France où au nom d'exigences du tempérament national, chacun récrit la loi scoute, ce qui aboutit généralement à transformer en un texte diffus la loi «simple et nette» de Baden-Powell. En France comme au Canada on doit revenir à plus de concision. (Voir Van Effenterre, *op. cit.,* p. 41).

35. Rappelons que saint Georges est alors à la fois patron des scouts et des Anglais. Tharcisius qui portait l'Eucharistie, préféra se laisser massacrer plutôt que de livrer aux chiens enragés le Corps du Sauveur. Le personnage occupe une place de choix dans le célèbre roman *Fabiola* de Wiseman. Le culte de ce saint se répandit beaucoup à la fin du siècle dernier et durant le nôtre en rapport avec la dévotion au Saint-Sacrement. On le propose en modèle aux enfants, car la tradition fait de Tharcisius un enfant, ce qui n'est pas confirmé par l'histoire.

36. *Pour devenir Éclaireur canadien-français. I. Épreuves d'aspirant,* Montréal, Fédération catholique des Éclaireurs canadiens-français Inc., 1928, 64 pages. L'*imprimatur* est de septembre 1928. Le manuel s'ouvre sur un mot d'approbation du mouvement par Mgr Georges Gauthier, administrateur de l'archidiocèse de Montréal.

37. Voir les explications dans le manuel cité, p. 12-13.

paraît la fleur de lys, symbole du scoutisme international[38]. Le texte de la loi est allégé par rapport à celui de 1926. Le deuxième principe, par exemple, se lit comme suit: «L'Éclaireur canadien-français aime son pays, tout spécialement le Canada français[39].» L'attitude à adopter envers les autres scouts est explicitée dans le commentaire de la cinquième loi: «L'Éclaireur est l'ami de tous et le frère de tous les Éclaireurs.» On y lit: «Envers les autres Éclaireurs sois plus fraternel encore (qu'envers les personnes en général). Ils ont fait la même promesse que toi; ils observent la même Loi; ils veulent former une grande famille comme jadis les Chevaliers de différents pays. Ne te mêle pas aux Éclaireurs protestants afin de garder intact ton idéal d'Éclaireur canadien-français catholique, mais prie pour eux, aime-les comme un bon chrétien, sois poli quand tu les rencontres. Sans jouir comme toi du bonheur d'appartenir à l'unique et véritable religion du Christ, les *Boy Scouts* ont un noble idéal, celui de l'honneur, du patriotisme et de la franchise. La charité te commande de les croire tous de bonne foi[40].» À l'épreuve de «Civisme», on exige que le jeune puisse «donner un aperçu succinct des principales périodes de l'histoire du Canada; raconter l'exploit du Long-Sault; connaître et expliquer les emblêmes du drapeau Carillon-Sacré-Cœur, du drapeau papal et du drapeau canadien[41].» Le costume d'éclaireur comporte la chemise bleue, couleur «mariale». La désignation des patrouilles s'écarte de l'usage alors répandu chez les scouts. Aux noms d'animaux, on a substitué des noms de héros de l'histoire du Canada français, tels Bourget, Bourgeoys ou Brébeuf ou d'événements comme Carillon et Châteauguay.

Le 26 juin 1928, la Fédération catholique des Éclaireurs canadiens-français forte alors de cinq troupes obtient une

---

38. Ce symbole qui est sans rapport avec la France aurait été choisi par Baden-Powell à partir de la rose des vents sous la forme de fleur de lys qui figure sur les cartes anciennes.

39. *Op. cit.,* p. 14 (explication p. 18).

40. *Op. cit.,* p. 23.

41. *Op. cit.,* p. 41-45. Le drapeau canadien est alors le *Red Ensign,* «drapeau de la nation canadienne» (p. 45).

charte provinciale. En 1930, la Fédération compte 9 troupes, l'année suivante 16 et en juin 1932, elle en dénombre 29. En septembre 1933, la Fédération regroupe une quarantaine de troupes soit quelque 1 300 membres[42]. Le chef de la Fédération est alors Guido Morel et l'aumônier général en est le père jésuite Maurice Beaulieu. Georges-H. Ste-Marie est secrétaire-général, Philippe Morel occupe le poste de commissaire à la formation des chefs et à la fondation de troupes nouvelles. La Fédération des Éclaireurs publie non seulement ses propres manuels mais diffuse un mensuel pour les scouts sous le titre *Alerte*! et elle crée en 1934 une revue pour les chefs sous le titre de *Servir*[43]. En 1931, le jésuite Paul Bélanger a publié une brochure de seize pages faisant le point cinq ans après le lancement des Éclaireurs canadiens-français[44].

Le mouvement scout s'est aussi répandu en dehors de Montréal à travers la province de Québec et chez les Canadiens français d'autres provinces. À la fin de 1932, la Fédération des Éclaireurs compte deux troupes à Saint-Hyacinthe, deux à Québec, une à Joliette et une à Sherbrooke[45]. À ce dernier endroit, la troupe a été fondée à la fin de 1931 par un garçon de 17 ans, Albert Poulin, qui suit un stage de formation de trois semaines auprès de la Fédération des Éclaireurs. La troupe de Sherbrooke est parrainée par celle de l'Immaculée-Conception de Montréal[46]. En 1935, la Fédération compte 400 éclaireurs hors de Montréal jusqu'à Saint-Boniface[47]. Au Manitoba, le mouvement a été lancé par l'abbé Emilien Léves-

---

42. Nos statistiques sont tirées de l'édition de 1933 du *Carnet scout «L'Éclair»* publié par la troupe Sainte-Catherine (120 p.). À la p. 21 on donne des statistiques de 1927 à la fin de 1932. Au début de 1935 la Fédération déclare regrouper 1 600 jeunes dont 1 200 dans le diocèse de Montréal (CRHAF, fonds Groulx, dossier Fréchette, «Notes sur le scoutisme»).

43. Nous n'avons pu retracer de collections complètes de ces périodiques dont on trouve des numéros au travers d'archives comme celles du chanoine Groulx.

44. *Le Scoutisme canadien-français,* Montréal, L'Action paroissiale, 1931, 16 p., n° 144 à la collection de l'Œuvre des Tracts. Utile sur l'esprit du mouvement à l'époque.

45. *Carnet scout l'«Éclair»* déjà cité (pour 1933).

46. Communication de Raoul Lincourt de la Fédération des Scouts du Québec à l'auteur.

47. CRHAF, fonds Groulx, dossier Fréchette, «Notes sur le scoutisme».

que, qui a fait ses études théologiques au grand séminaire de Québec où, avec son confrère Maurice Baudoux, il a entendu parler du scoutisme. Lévesque a fondé à Saint-Boniface à la fin de 1932 une troupe inspirée de la Fédération des Éclaireurs[48].

Le scoutisme francophone dans les Maritimes remonte au 16 octobre 1932, alors que se fonde une troupe d'éclaireurs à Edmunston au Nouveau-Brunswick. Le docteur Albert Sormany pousse au développement du mouvement dans les diocèses d'Edmunston, de Bathurst et de Moncton. En 1936, la *Boy Scouts* organise un camp-école en français, signe qu'il y a plusieurs chefs francophones dans ses rangs. Ici comme à Ottawa, le scoutisme est pratiqué à l'intérieur des cadres de la *Boy Scouts*[48a].

La Fédération catholique des Éclaireurs canadiens-français ne regroupe pas tous les pionniers du scoutisme catholique canadien-français. Sans liens avec les Montréalais, des Trifluviens lancent le mouvement chez eux en 1928 avec la création des troupes Cloutier et Laflèche. La présence d'un animateur remarquable en la personne du franciscain Vincent Bélanger, le dynamisme d'un comité d'amis du mouvement, l'appui inconditionnel des évêques Cloutier puis Comtois font vite de Trois-Rivières un foyer actif et solide de scoutisme. Les Trifluviens pratiquent un scoutisme très proche de celui de la *Boy Scouts*, en y ajoutant une forte note catholique. Dès la fin de 1928, on a créé un comité directeur diocésain où l'on trouve l'abbé Albert Tessier, Jean-Marie Bureau et Edmond Cloutier. Au même moment, l'évêque de Trois-Rivières fait du mouvement une œuvre diocésaine. À l'été de 1929 a lieu le premier camp des trois troupes trifluviennes. À partir de mai

---

48. Sur les débuts du scoutisme et du guidisme au Manitoba, nous avons consulté l'enregistrement d'un colloque sur ce thème tenu le 1er avril 1977 et conservé aux Archives de la Société historique de Saint-Boniface.

48a. *Vivre*. La revue des animateurs de l'Association des Scouts du Canada, vol. 4, n° 6, mai 1982, p. 7.

1933 paraît *le Scout catholique*, organe du mouvement dans le diocèse[49].

À Québec, des fondations de troupes se font en ordre dispersé à partir de 1929. À l'été de 1934, il y a des troupes dans les paroisses de Notre-Dame-du-Chemin, de Saint-Cœur-de-Marie, de Saint-Dominique, des Saints-Martyrs, de Saint-Jean-Baptiste et de Notre-Dame-de-Grâce de même qu'au séminaire de Québec et au collège des Jésuites[50]. Certaines unités, au début du moins, s'inspirent des usages de la Fédération catholique des Éclaireurs canadiens-français. D'autres portent l'uniforme des *Boy Scouts* sur lequel ils fixent des insignes venant des Scouts de France. Par une circulaire du 31 mai 1934 publiée dans la *Semaine religieuse,* le cardinal Villeneuve établit des statuts et règlements pour son diocèse.

Jusqu'en 1935, les tentatives de rapprochement des Trifluviens avec les Montréalais de la Fédération ont échoué. Les premiers reprochent aux seconds leur militantisme nationaliste et ceux-ci jugent ceux-là trop proches de la *Boy Scouts.* On y trouve également la rivalité entre diocèses et régions. Les Trifluviens qui disposent d'un groupement solide et dynamique ne sont pas intéressés à être absorbés dans une fédération «montréalaise». Trop montréalaise apparaît aussi la Fédération des Éclaireurs aux scouts de la Vieille Capitale. De plus, les jésuites, aux yeux de bien des Québécois de Québec et d'ailleurs, jouent un rôle démesuré dans le mouvement. Enfin des

---

49. Au témoignage même du commissaire Wardleworth (mémoire cité, p. 2): «One troop of French Canadian boys formed in Three Rivers and did everything strictly according to our requirements.» Sur les origines du scoutisme trifluvien de 1928 à 1943 consulter l'album publié à l'occasion du quinzième anniversaire du mouvement qui contient une précieuse chronologie préparée par Eudore Bellemare (p. 4, 39 et 40). Voir aussi un beau texte de l'abbé Albert Tessier sur les cinq premières années (p. 29). Dans ses *Souvenirs en vrac* (Québec, 1975) Mgr Tessier ne souffle pas mot de cette expérience. Les archives du mouvement sont conservées au séminaire de Trois-Rivières. Sur Vincent Bélanger voir un article d'Eudore Bellemare dans le *Nouvelliste* du 19 février 1970. Sur Jean-Marie Bureau (1897-1964) voir les *Biographies françaises d'Amérique* (Montréal, 1942) et les archives du séminaire des Trois-Rivières (quelques lettres).

50. D'après les demandes de permis de camp conservées sans doute par Mgr Laflamme et aujourd'hui dans les archives de la FSQ (Fédération des Scouts du Québec, à Montréal).

Montréalais reprochent aux Québécois d'être trop proches des cadets dont certains scouts sont issus[51].

À ces tensions internes s'ajoute l'épineux problème des rapports avec la *Boy Scouts* qui soutient être le seul mouvement à avoir le droit de se réclamer du scoutisme au pays. La *Boy Scouts,* comme on l'a vu plus haut, a admis de tout temps des jeunes Canadiens français dans son sein et a même accepté la formation de troupes entièrement francophones et catholiques comme à Ottawa.

IV. LE TRIOMPHE DU SCOUTISME

Nous avons raconté ailleurs les longues et laborieuses négociations avec la *Boy Scouts* entre 1928 et 1935 qui aboutissent à un accord paraphé par Baden-Powell lui-même consacrant la création d'un scoutisme catholique et canadien-français à l'intérieur de la province de Québec. Menées sans grand désir d'entente par la Fédération des Éclaireurs, les négociations sont prises en main à partir de 1933 par le cardinal Villeneuve, gagné à la cause du mouvement, désireux de regrouper toutes les forces canadiennes-françaises et catholiques et en même temps d'assurer la reconnaissance canadienne et partant internationale au mouvement[52]. Le cardinal veut aussi sans doute garder le mouvement des tendances

---

51. Perception des gens de l'époque rapportée à l'auteur par des témoins, les abbés Alfred Simard et Ambroise Lafortune, et Paul-André Fournier qui ont connu le mouvement dans les années 1930. Sur Ambroise Lafortune qui a été chef du quartier général de la Fédération des Scouts catholiques de la province de Québec en 1944, voir une entrevue dans *Vivre,* revue des animateurs des Scouts du Canada, vol. 4, n° 2, novembre 1981, p. 8 à 10.

52. «Affrontement de nationalismes aux origines du scoutisme canadien-français», dans *Mémoires de la Société royale du Canada,* quatrième série, tome XVII, 1979, p. 42 à 56. La crainte de l'internationalisme continue de hanter certains esprits. Au deuxième congrès de la Langue française au Canada en 1937, Louis-Philippe Roy lance aux scouts un avertissement: «Le scoutisme a l'avantage certain et l'indiscutable inconvénient d'être international. C'est un puissant instrument de formation. Pour peu que les dirigeants fassent attention de ne pas laisser fausser ou s'anémier le patriotisme de nos jeunes dans un internationalisme neutre, les scouts deviendront des citoyens précieux pour la patrie canadienne, car ils seront fiers de leur catholicisme, amants de notre féconde nature, riches d'un caractère viril et bien trempé» (*Deuxième congrès (…), Mémoires,* Québec, 1937, t. 3, p. 413).

nationalistes à la montréalaise. C'est durant l'année 1934 que Villeneuve pose des gestes décisifs qui entraînent le déblocage. Le 5 mars, il adresse aux évêques de la province de Québec une lettre dans laquelle il résume la position commune arrêtée lors de la dernière réunion de l'épiscopat: il faut éviter de multiplier les formes de scoutisme et il faut organiser le mouvement sur des bases catholiques et non «raciales». Le 31 octobre, Villeneuve annonce la création imminente d'une fédération et au début de décembre, convoque une réunion à Québec qui jettera les bases de la Fédération des Scouts catholiques de la province de Québec. La *Boy Scouts* négocie avec la nouvelle Fédération et un accord est signé le 13 avril 1935 [52a].

Aux termes de l'accord, la Fédération des Scouts catholiques de la province de Québec est un organisme autonome qui a l'autorité nécessaire pour nommer ses propres dirigeants à tous les niveaux, les former suivant la méthode du scoutisme international, publier ses propres manuels techniques et autres ouvrages et administrer ses propres fonds [53]. *Boy Scouts* et Fédération sont tous deux unis sous le chef-scout du Canada qui est le gouverneur général et sous le Conseil général canadien du scoutisme. Cet arrangement n'a pas été acquis sans peine. Des dirigeants québécois de la *Boy Scouts* s'y sont opposés avec la dernière énergie. Des dirigeants de la Fédération des Éclaireurs ont estimé que le cardinal avait trahi la cause nationale. Le chanoine Groulx leur fait écho dans ses

---

52a. Les archives de l'archevêché de Québec étant fermées à la consultation, nous avons tiré ces renseignements de lettres à Mgr Comtois des Trois-Rivières conservées dans le fonds «Scoutisme» du séminaire des Trois-Rivières (lettres du 5 mars, du 31 octobre et du 6 décembre).

53. On remarquera que la nouvelle Fédération est limitée à la province de Québec. Mgr Baudoux soutient dans une lettre de 1960 conservée dans les archives de la FSQ que Villeneuve s'était d'abord engagé à créer une Fédération pour tous les Canadiens français. En 1935, Villeneuve fait expliquer à l'abbé Hébert d'Ottawa qu'il faut créer vite la Fédération et qu'on ne peut attendre l'adhésion de tous les évêques du Canada. Dès 1945, les scouts d'Ottawa demandent le rattachement à la Fédération après qu'on leur eût refusé un statut particulier. Le problème ne sera résolu définitivement qu'en 1972 avec la création de l'Association des Scouts du Canada ouverte aux Canadiens français de l'ensemble du pays. (Laflamme à Hébert, Québec, 18 janvier 1935, lettre conservée au district des Scouts d'Ottawa.)

Mémoires[54]. Certains traits de l'organisation interne pourraient certes heurter des sentiments nationalistes. Règles et règlements sont calqués avec quelques modifications sur ceux des Scouts de France. Le texte de la promesse mentionne expressément «le Roi et le Canada», tandis que le deuxième principe se lit: «Le Scout est fils du Canada et bon citoyen.» Le patron de la Fédération est saint Georges et on rappelle que les couleurs nationales sont le drapeau du Canada, «actuellement *l'Union Jack*.»

Conformément aux structures décrites dans l'accord, la Fédération des Scouts catholiques de la province de Québec se donne un «Conseil provincial composé de l'aumônier-général et des aumôniers diocésains ainsi que du commissaire provincial et des commissaires diocésains». Le premier aumônier-général est Mgr Laflamme qui a mené les négociations avec la *Boy Scouts*. Frappé par la maladie, il se fait aider par un assistant aumônier-général adjoint, le franciscain Alcantara Dion, qui va jouer un rôle important dans l'évolution du guidisme et du scoutisme catholique au Canada français. Le commissaire provincial élu à l'unanimité est Jean-Marie Bureau, avocat de Trois-Rivières. Bureau qui a fait preuve d'un grand dévouement à la tête des Scouts de Trois-Rivières va se mettre avec la même ardeur à l'organisation de la nouvelle Fédération. Le Conseil est présidé par le major Vincent Curmi de Québec. Le Dr René Desaulniers de Montréal et l'abbé Léon Paulhus de Saint-Hyacinthe en sont les vice-présidents. L'abbé Alfred

54. Il y fustige l'accord qui a consisté à nous faire «paraître le moins possible canadiens-français et catholiques» (tome 1, p. 325). Pour lui, «l'intégration n'offrait aucun intérêt financier, nul autre avantage que d'arborer désormais l'*Union Jack* et d'accepter le costume kaki» (tome 4, p. 21). Et le chanoine de blâmer le cardinal Villeneuve qui, selon lui, vire déjà à «l'impérialisme», anonçant son attitude durant la Guerre. En 1949 le chanoine acceptera d'aller parler aux Scouts de Montréal. «En dépit de mauvais souvenirs sur l'orientation de cette œuvre de jeunesse, je raconte en quelles circonstances j'ai vins à préparer la fondation de cette œuvre au Canada français et j'essaie de tracer à ces jeunes gens un programme d'action» (tome 1, p. 22-23). Le discours est reproduit dans *Servir. Revue scoute catholique d'éducation et de culture,* 11ᵉ année, n° 76, avril 1949, p. 162-172 sous le titre «L'Éducation, premier de nos problèmes». L'occasion en est la clôture de la Semaine scoute de Montréal. Groulx a toujours estimé la méthode scoute comme en témoigne sa lettre du 17 juillet 1937 au dominicain Albert Saint-Pierre (CRHAF).

Simard de Québec remplit la fonction de secrétaire-trésorier. Les autres postes du Conseil sont occupés par les aumôniers et commissaires diocésains des sept diocèses constituant la province soit Québec, Montréal, Trois-Rivières, Saint-Hyacinthe, Sherbrooke, Joliette et Saint-Jean[55].

Un diocèse au moins a refusé de s'agréger à la Fédération: Valleyfield, qui possède un groupement inspiré du scoutisme sous le nom de «Voltigeurs». Les Voltigeurs de Salaberry arborent l'insigne de la fleur de lys «qui représente la France» et la devise «prêt» qui est celle «des Voltigeurs»; ils portent la blouse blanche, la culotte bleue, le foulard bleu et blanc. Leurs patrons sont la Vierge de Lourdes et saint Tharcisius. Leurs drapeaux sont le drapeau papal, celui de Carillon-Sacré-Cœur et celui des Voltigeurs. Leur patrie, «c'est le Canada tout entier, mais avant tout le Canada français». Fondé par l'abbé Henri Cloutier à l'inspiration de Mgr J.-Alfred Langlois, le mouvement qui a une charte provinciale est dirigé par les prêtres et les séminaristes. L'intégration à la Fédération viendra en 1940 grâce à une décision du vicaire-général, Mgr Paul-Emile Léger, en l'absence de l'évêque, Mgr Langlois, qui a toujours refusé l'affiliation[55a].

À sa réunion de la fin de janvier 1936, le Conseil provincial a approuvé les statuts et règlements de la nouvelle Fédération; ils régiront l'organisme pendant près de deux décennies[56]. On y retrouve l'esprit et la lettre de l'entente du 19 avril 1935. Il est bien entendu que le scoutisme catholique canadien-français est limité à la province de Québec. La ségrégation des scouts et des guides y est nettement affirmée. Les aumôniers à tous les niveaux disposent d'un droit de veto sur

---

55. La première réunion du Conseil provincial a lieu au presbytère de Notre-Dame de Québec le 30 avril 1935. Les procès-verbaux des réunions du Conseil provincial sont conservés dans les archives de la FSQ à Montréal de même que quelques lettres de Laflamme.

55a. *Le Livre des Voltigeurs de Salaberry*, Salaberry de Valleyfield, 1935, 128 p., *nihil obstat* du 26 octobre 1934. Sur l'action de Mgr Léger, témoignage de Paul McNicoll d'Ottawa à l'auteur.

56. En 1954 la Fédération publie de nouveaux statuts et règlements dont l'esprit diffère peu de ceux de 1936.

toute décision pour des raisons d'ordre moral. La nomination des commissaires provinciaux et diocésains doit être approuvée par l'autorité religieuse. «Le programme et la méthode d'enseignement peuvent subir des modifications de détail (mais pas quant aux principes fondamentaux) pour s'adapter à la culture et à la mentalité des Canadiens français» (p. 23). À titre temporaire, on utilisera insignes et manuels des Scouts de France. Quatre couleurs de chemises sont autorisées dont le bleu des ci-devant Éclaireurs canadiens-français[57]. Le patron de la Fédération est saint Georges. Le texte de la promesse inclut la phrase «Dieu, l'Église, le Roi et le Canada», et la deuxième loi exige que le scout soit «Loyal à son Roi, (et) à son pays».

Le 12 novembre 1936, la Fédération obtient sa loi provinciale d'incorporation[58]. Son caractère exclusivement provincial prive l'association d'une subvention fédérale comme celle que reçoit la *Boy Scouts*. Par contre, elle reçoit des subsides du gouvernement du Québec[59].

L'accord de 1935 et la charte de 1936 marquent pour la nouvelle Fédération le début d'un essor et d'une période de consolidation. Le mouvement continue de se répandre à travers paroisses et collèges classiques des diocèses du Québec. Le rayonnement du mouvement est révélé au public lors du jamboree de la Fédération à l'île Sainte-Hélène, en face de Montréal, du 28 au 30 août 1937. Trente mille visiteurs pas-

---

57. À partir de 1945 (voir les procès-verbaux du Conseil provincial, FSQ), on n'utilise plus que la couleur kaki et on accepte la couleur bleu «pour des raisons historiques» là où elle existe.

58. Cette loi, amendée le 17 mai 1937, est celle qui régit actuellement la Fédération des Scouts du Québec, une de quatre régions de l'Association des Scouts du Canada. Le 31 décembre 1936, la Fédération des Éclaireurs canadiens-français cède à la nouvelle Fédération ses droits sur l'insigne scout, droits enregistrés à Ottawa (FSQ, cession-transport devant Me Roch Brunet). L'Association des Scouts du Canada possède une charte fédérale de 1969. La *Boy Scouts of Canada* et l'Association existent légalement et séparément et sont affiliées l'une à l'autre.

59. Trois mille dollars suivant les comptes publics de 1941-1942 devenus dix mille dollars en 1948-1949 suivant la même source. En 1929, la *Boy Scouts* recevait 15 000 $ par an du gouvernement fédéral d'après un mémoire de 1933 de Maurice Beaulieu conservé dans le dossier Fréchette du fonds Groulx (CRHAF).

sent voir les quelque mille cinq cents scouts venus des quatre
coins du Québec. Le cardinal Villeneuve, artisan de l'accord
de 1935, et Mgr Laflamme, l'aumônier général, y font une
apparition remarquée. Toutes les unités y arborent l'*Union
Jack*. On y trouve deux troupes francophones venues de
Lewiston, Maine, et de Manchester, New Hampshire. Le
major Pinard d'Ottawa, délégué de la *Boy Scouts* au jamboree, écrit dans son rapport: l'expérience «moved me deeply
and made me feel that my eyes were witnessing the birth of a
new age among French Canadian boys[60]».

La Fédération s'attaque au problème de la formation des
chefs et des aumôniers. Lors de son passage, Baden-Powell
avait rappelé l'importance de ce point au chef de la
Fédération[61]. À l'usage des chefs paraît à partir de 1938 la
revue *Servir*, qui portera en sous-titre «Revue scoute catholique d'éducation et de culture». Des camps-écoles fédéraux
sont organisés à partir de 1937. Du 17 au 29 juillet de cette
année Henry Dhavernas des Scouts de France dirige le camp
de Saint-Jacques-des-Piles. Dhavernas répétera l'expérience
l'année suivante[62]. C'est le début de la troupe Dollard, troupe
fédérale de formation des chefs. En 1938 et 1939, l'abbé
Albert Lamy, breveté de Gilwell Park et spécialiste du louvetisme, vient animer deux camps-écoles[63]. En 1942 a lieu la première Radisson, second camp-école pour former des chefs. En
trois ans 93 jeunes chefs y passent. Camps Dollard et Radisson se poursuivent jusque dans les années 1960. À la fin de

---

60. Arthur-A. Pinard à John A. Stiles, Ottawa, 22 septembre 1937.
61. Lettre datée de Spencerwood, le 30 mai 1935, au major Curmi, citée dans *Les amis
du Signe de Piste. Revue mensuelle du scout et de la jeunesse* (Repentigny, Québec, avril
1979, n° 39, p. 4.
62. Inspecteur des finances et éducateur de renom, Henry Dhavernas dirigera Les
Compagnons de France jusqu'à l'automne de 1941 (Robert O. Paxton, *La France de Vichy,
1940-1944,* Paris, 1973, p. 162). Dhavernas a fourni un rapport détaillé sur ce camp que nous
n'avons pu retrouver. Les procès-verbaux de la Fédération rapportent qu'il s'y plaint du
jeune âge des candidats et de leur manque de préparation technique.
63. Sur Lamy, voir Fernand Porter, *Guides en éducation,* Montréal, 1954, p. 271-272.
Lamy publie chez Casterman en 1947 *Pistes dans la Jungle,* exposé de la méthode du louvetisme suivi d'un «Essai d'interprétation catholique» des fondements du louvetisme. Cet

1936, *Le Scout catholique*, tiré à 3 000 exemplaires, est devenu la revue des jeunes de la Fédération.

Suivant l'accord de 1935, la Fédération s'est engagée à se doter de manuels propres approuvés par le Conseil canadien. Dans l'intervalle elle utilise ceux de l'ex-Fédération des Éclaireurs ou ceux des Scouts de France[64]. Le manuel de l'aspirant ne paraît qu'en 1939; celui de deuxième classe, qu'à la fin de 1941[65]. Enfin, celui de première classe voit le jour trois ans plus tard[66]. Ces manuels serviront dans l'ensemble du Québec jusqu'au milieu des années 1950[67].

À partir de 1939 ont lieu les journées fédérales qui groupent chaque année au début de septembre les chefs de la Fédération et constituent de véritables journées d'études. Le thème de la première tenue à Duchesnay, près de Québec, est «Le caractère». L'année suivante, Montréal reçoit les chefs qui étudient «Nos garçons». En 1941, à Nicolet, on se penche sur les exigences du «chef-scout». La rencontre de 1942 a lieu à Saint-Hyacinthe autour du thème «Le Scoutisme catholique dans la cité». La sixième rencontre à Sherbrooke, en 1944, voit les dirigeants se pencher sur les raisons de faire du scoutisme catholique en pays canadien[68].

Le mouvement profite de l'appui des plus hautes autorités religieuses et civiles du Québec. Le cardinal Villeneuve,

---

ouvrage classique chez les louvetiers reprend le contenu des cours de 1938 et 1939.

64. Ainsi, à Montréal, on continue d'utiliser les manuels de la Fédération des Éclaireurs comme en fait foi le manuel publié à Montréal en 1937 *Pour devenir scout catholique. Épreuves d'aspirant et de deuxième classe* (s.1.), 146 p. et dont le *nihil obstat* est de 1932 (bibliothèque, Scouts et Guides de Montréal).

65. *Pour mieux jouer le Grand Jeu. Épreuves de deuxième classe,* Montréal, la Fédération des Scouts catholiques de la province de Québec, 1941, 144 p.

66. *Première classe (...) Première édition* (copyright 1944), 164 p. Le premier manuel des badges de spécialités a paru en 1943: *Veux-tu des badges?*

67. Cette année-là paraît *Cibles,* manuel des techniques scoutes promis à un grand succès jusqu'au début des années 1970 alors qu'il est emporté par les bouleversements de la méthode et des techniques scoutes. (La Fédération des Scouts catholiques, Canada, Montréal, 1955, 447 p.)

68. Les comptes rendus de toutes ces rencontres ont été publiés sous forme de brochures par les Éditions «Servir», maison d'édition de la Fédération.

que la Fédération a créé «chef-scout[69]», fait des interventions de poids en faveur du mouvement. C'est ainsi que le 11 novembre 1938 au Cercle universitaire de Montréal, il prononce une causerie historique dans laquelle il défend le scoutisme tel que pratiqué dans la Fédération. Ce scoutisme est authentique, c'est-à-dire fidèle à la méthode Baden-Powell; il est intégralement catholique et il est «conforme à notre caractère ethnique», soutient le cardinal. Pour dissiper sans doute des préventions durables, le prélat défend encore le scoutisme de l'accusation de naturalisme[70].

D'excellentes relations s'établissent avec les dirigeants du gouvernement de la province de Québec. Député de Trois-Rivières, foyer actif de scoutisme, Maurice Duplessis, premier ministre de 1936 à 1939 et de 1944 à 1959, marque volontiers son estime pour les scouts. Taschereau n'est pas en reste et tous deux ne ménagent pas leurs éloges du scoutisme jusqu'en Chambre. Le trésor provincial accorde une subvention annuelle à la Fédération pour aider à subvenir à ses frais généraux. Le conseiller législatif Olier Renaud, un des hommes les plus proches du premier ministre, sera pendant quelques années président du Conseil d'administration de la Fédération. Un homme politique comme Paul Gouin découvre le scoutisme en 1933 grâce à Jean-Marie Bureau. Il prononce en octobre de la même année, à Trois-Rivières, une éloquente causerie sur les bienfaits du mouvement; elle sera largement distribuée sous forme de brochure, puis dans son recueil de discours *Servir I. La cause nationale* (Montréal, 1938). Il y insiste sur le rôle du scoutisme école de chef, éducation au

---

69. En 1951 la Fédération propose plus modestement que Mgr Roy, archevêque de Québec et successeur de Villeneuve, soit «grand aumônier». (Procès-verbal du Conseil provincial, 5 octobre 1951, FSQ.)

70. Discours plusieurs fois reproduit, entre autres, dans *Servir*, mars 1947, p. 103-113. Ce numéro est un hommage à la mémoire de Villeneuve qui vient de mourir. Le cardinal Villeneuve publie un extrait de ce discours dans un numéro de la *Revue dominicaine* consacré au scoutisme et repris en volume en 1938 sous le titre *Le Vrai Visage du scoutisme*. Tout le livre est à lire pour mieux comprendre les problèmes et les projets du mouvement en ce temps-là. Le naturalisme était invoqué par ceux qui bannissaient la coutume des «totems» et préconisaient des noms de héros de notre histoire plutôt que d'animaux pour les patrouilles.

concret, lieu d'apprentissage du sens social et du sens catholique. Gouin resta un des fidèles appuis du mouvement [70a].

Nous avons vu que les scouts d'ici et leurs dirigeants peuvent profiter de la littérature scoute (manuels, livres de technique et ouvrages de méthode) des Scouts de France et de Belgique, sans compter les ouvrages en anglais du Canada et de la Grande-Bretagne. Ils ont aussi l'occasion de rencontrer des scouts français de passage. Dès 1931, les Petits Chanteurs de la Croix de bois de Paris organisés à la scoute ont fait un passage remarqué à Québec et à Ottawa [71]. Au début d'avril 1934, le dominicain français Forestier, directeur de la *Revue des Jeunes,* donne des conférences sur le scoutisme au Québec [72]. En août-septembre 1934, vingt chefs et routiers font partie de la Mission qui représente la France aux fêtes du IVe Centenaire de la découverte du Canada [73]. Les Canadiens français se rendent aussi étudier le mouvement dans «les vieux pays», tel le dominicain Labonté qui, à la fin de 1936, visite dix fédérations scoutes et rencontre le chef-scout du monde et le pape [74].

Fort de tous ces appuis, le scoutisme devient un mouvement recherché. Être scout fait chic non seulement moralement mais extérieurement à une époque qui aime l'uniforme. La grande presse et les magazines rappellent volontiers par l'image que les princes et les princesses font partie du mouve-

---

70a. *Servir I. La cause nationale* (Montréal, 1938). Voir aussi les papiers Paul Gouin aux Archives publiques du Canada et en particulier la correspondance avec Jean-Marie Bureau.

71. *Le Soleil,* 1er octobre 1931; *Le Droit,* 17 octobre 1931. Les «Petits Chanteurs céciliens» d'Ottawa organisés par Joseph Beaulieu et qui forment une troupe scoute l'ont été à l'imitation de la Manécanterie française. Les «Petits Chanteurs» parcourent le Québec et l'Ontario pendant plusieurs années.

72. *ASQ, Journal du Séminaire,* vol. XII, p. 477 (2 avril 1934).

73. L'abbé Pierre Ramondot, assistant de l'aumônier-général des Scouts de France en a laissé un récit circonstancié et enthousiaste dans *Le Chef* (Paris), 13e année, n° 117, 15 novembre 1934 et n° 118, 15 décembre 1934, p. 533 à 545 et 637 à 646. Les scouts français rencontrent des scouts à Québec, Trois-Rivières et Montréal.

74. *Le Nouvelliste,* 12 décembre 1936. Dans le *Canada français* de mai 1935, le dominicain a publié un article «Pie XI et Baden-Powell» où, en mettant en parallèle les principes de Baden-Powell et ceux de l'encyclique *Divini illius magistri,* il déclare qu'en suivant Baden-Powell on ne s'écarte pas du pape. L'article sera reproduit dans *Mes fiches* deux ans plus tard.

ment. Sans remonter au tsarévitch en 1917, on reproduit souvent les jeunes de la famille royale britannique en uniforme. Lors de l'assassinat du roi Alexandre de Yougoslavie à Marseille, la presse souligne que son fils, l'héritier du trône, vient de faire sa promesse scoute. L'héritier présomptif de Roumanie fait aussi partie du mouvement[75].

La fin des années 1930 et les années 1940 voient le mouvement accroître sa respectabilité. La *Revue des Deux Mondes* de Paris du 1er août 1938 publie un «Essai sur le scoutisme» célébrant Baden-Powell qui «a réalisé ce miracle de faire surgir une légion universelle en exaltant dans chacune de ses divisions, l'amour de la patrie». Le périodique *Mes fiches* de Montréal résume l'article dans son numéro du 15 octobre 1939. Des thèses de doctorat sur la méthode scoute sont soutenues à la Sorbonne, à Columbia University et dans les universités romaines. À Laval, Simone Paré défend à l'École de Service social des thèses intitulées: «Service social de groupe et guidisme» (1945, 159 p.) et «Expériences de formation de chefs» (1947, 113 p.). Robert Hamel y présentera en 1947 «Une année scoute» qui constitue une précieuse monographie décrivant l'expérience de douze mois en 1941-1942 dans une troupe-type de la ville de Québec. En 1951, Gaston Fiset prépare à l'École de pédagogie un «Mémoire sur le louvetisme» (65 p.). La revue *l'Enseignement secondaire au Canada* évoque favorablement à l'occasion le mouvement, tandis que *l'École canadienne* de Montréal, puis *Collège et famille*, lancé par les jésuites en 1945, vantent et expliquent abondamment le scoutisme.

Un des maîtres de l'art dramatique en France à l'époque, Léon Chancerel, publie en 1939 son *Manuel d'art dramatique scout*; il prône l'économie des moyens et la stylisation et fait de l'art dramatique jeu et service. *Mes fiches* fait écho au livre dans le numéro du 1er mai 1940.

---

75. Les archives du séminaire des Trois-Rivières renferment dans le fonds «Scoutisme» un spicilège rempli de coupures des années 1930 et 1940 fort utiles pour recréer cette atmosphère.

Le scoutisme triomphant se donne des ancêtres jusqu'à l'Antiquité. Perses, Athéniens, Spartiates, Romains, chevaliers, pèlerins et jongleurs médiévaux, humanistes comme Montaigne et Rabelais, Jésuites, puis Frères des Écoles chrétiennes du Grand Siècle, réformateurs tels Rousseau, Pestalozzi et Fröbel sont mis au rang de précurseurs du scoutisme[76].

À la mort de Baden-Powell, le jésuite Paul Beaulieu lui rend un hommage vibrant dans *Relations* de février 1941 sous le titre «Un grand humaniste: lord Baden-Powell». «Bien que Baden-Powell ne puisse pas être accepté comme un chef complet par les jeunesses catholiques, admet le jésuite, il lui [sic] aura cependant rendu un immense service en lui [sic] réapprenant plusieurs notions qu'elles avaient oubliées», comme le sens international, l'auto-formation et le plein air. La même année, le franciscain Adrien Malo publie à Montréal une brochure de 80 pages sur *L'Oeuvre géniale de Baden-Powell*. Le 28 février 1943 a lieu aux Trois-Rivières un banquet en l'honneur de Mgr Comtois, l'évêque du diocèse. Esdras Minville, directeur de l'École des Hautes Études de Montréal, y traite du sujet: «Le Scoutisme et notre problème national». L'éloge du mouvement vient d'un des intellectuels les plus écoutés du temps[77]. L'année précédente, Edmond Turcotte, longtemps l'âme du journal *le Canada*, dans ses *Réflexions sur l'avenir des Canadiens français* publiées à Montréal, s'est lancé dans un éloge sans réserve du scoutisme pour «tous les garçons et filles de chez nous» comme moyen de développer «l'esprit de camaraderie, de loyauté et d'entraide — de tout ce qui fait l'esprit de corps, source originelle de l'esprit civique *dont nous avons tant besoin*» (p. 54). À l'instar de la France et de la Belgique, pour ne citer que deux pays, toute une littérature d'imagination scoute fleurit de la fin des années 1930 aux

76. Guy Boulizon dans le *Bulletin des études françaises,* résumé dans *Mes fiches* du 20 décembre 1943.
77. Publié en brochure aux Éditions Servir, Montréal, 1943, 26 p.

années 1960, dont les auteurs se nomment A. Saint-Pierre, Ambroise Lafortune, Robert Hamel, Guy Boulizon [78]...

De temps immémorial, les éducateurs proposent des modèles aux jeunes. Les jésuites célèbrent les figures de Louis de Gonzague et de Jean Berchmans. Le culte de saint Tharcisius est associé à la communion des enfants mise en honneur par Pie X. Gérard Majella, Stanislas Kotska et Dominique Savio sont d'autres jeunes proposés à l'imitation dans tout le monde catholique. Pier Giorgio Frassati (1901-1925), membre de *Pax Romana*, deviendra un modèle de l'étudiant chrétien dans les années 1930 et suivantes. Ses *Testimonianze* sont traduites en 15 langues et plusieurs biographies paraissent de lui. Les scouts ne sont pas de reste dans cette forme d'émulation. La figure de Guy de Larigaudie, scout-routier, auteur de *best-sellers* dans les années 1930 sur ses randonnées américaines, asiatiques, océaniennes et mort au champ d'honneur, domine le paysage. Les écrits de Larigaudie, tant par leur spiritualité accordée au mouvement scout que par leur esprit d'aventure, constituent les livres de chevet de bien des scouts des années 1940 et 1950. En 1946, la maison Fides de Montréal a publié *Guy de Larigaudie dans ses plus beaux textes* dans sa «collection du Message français», en compagnie des Georges Duhamel, des Péguy et des Claudel.

V. QUELQUES TRAITS DU MOUVEMENT

À l'aube des années 1940, le mouvement possède ses caractères qu'il va conserver à peu près intégralement pendant près de trois décennies, soit jusqu'à la fin des années 1960 [79].

---

78. La maison Fides a réédité en 1980 *Alexandre et les prisonniers des cavernes* de Guy Boulizon. Cette littérature, tant en France qu'au Canada français, est trop ignorée. Bibliographie dans Louise Lemieux, *Pleins feux sur la littérature de jeunesse au Canada français* (Montréal, 1972).

79. Sur l'esprit du scoutisme durant cette période on consultera «Le scoutisme français, une expérience pédagogique parallèle», dans la *Revue d'histoire moderne et contemporaine*, tome XVIII, janvier-mars 1981, p. 118 à 131, par Christian Guérin. Fondée sur des sources livresques, l'étude fait état d'intentions plus que de réalisations.

La croissance du scoutisme est relativement lente si on la compare aux mouvements d'Action catholique ou aux groupements aux structures plus lâches comme l'Oeuvre des Terrains de jeux. Des quinze cents scouts environ qu'elle compte en 1935, la Fédération passe à près de cinq mille en 1945 malgré la guere qui la prive de chefs. Dix ans plus tard il y a près de 14 000 scouts dans la Fédération. Les effectifs doublent de nouveau dans la décennie qui va de 1955 à 1965. En 1966 le mouvement comptera près de 27 000 membres. On ne saurait parler de mouvement de masse même s'il s'adresse à tous les jeunes.

Qu'est-ce qui attire en ces années les jeunes au mouvement? Et, question liée à la première, qu'est-ce qui pousse les parents à envoyer leurs enfants «aux scouts». S'il est difficile de dire pourquoi on y vient, on peut dire qu'on y reste, et c'est ce qui compte, attiré avant tout par la camaraderie, l'esprit d'équipe, le goût du plein air, celui de l'uniforme et, par-dessus tout, le camp d'été. Dans un monde où l'école reste marquée par le conformisme et l'uniformisation, le scoutisme représente une rare forme d'évasion et une chance d'autonomie[80]. Dans les collèges, il n'est pas rare que le scoutisme soit le champ clos de la revanche des «mauvais» élèves sur les «bons». Quitter sa famille et aller découvrir la nature «sauvage» de jour et de nuit, participer aux «grands jeux» impensables dans les cours d'écoles ou les rues des villes, cuisiner en plein air, hiver comme été, veiller autour des feux de camp où le romantisme fait bon ménage avec la clownerie retient plus d'un jeune et en attire beaucoup.

Les dirigeants et les sympatisants se plaisent à expliquer le succès du mouvement par la vertu de sa méthode. Méthode fixée dans ses grandes lignes très tôt dans les ouvrages de

---

80. Sur le rôle compensateur du mouvement qui permet de développer des facultés que répriment la vie scolaire ou professionnelle, voir de bonnes observations dans Claude Dufrasne, éd., *Aspects de la jeunesse,* Paris, 1967, p. 304. Dans les années 1930, on défend aussi le scoutisme comme un contrepoids qui insiste sur la formation individuelle contre la formation collective de l'école. (Voir par exemple l'article du dominicain Ceslas Forest dans la *Revue dominicaine* de novembre 1938.)

Baden-Powell, le scoutisme prend essentiellement en compte
le monde de l'enfant et de l'adolescent dans toutes ses aspira-
tions y compris l'imaginaire. La vie d'équipe dans le groupe
de pairs qui possède ses rites comme celui de la totémisation
éduque à la vie en commun et à l'entraide. Le jeune se forme
par des réalisations (réunions en ville et excursions couron-
nées du camp d'été) et selon une progression depuis la promesse, jusqu'au stade de Scout du Roi en passant par les
épreuves d'aspirant, de seconde et de première classe et les
badges ou épreuves de capacité dans des domaines optionnels.
La loi scoute est la loi du groupe et le code que le jeune s'engage à observer partout. Ces traits de méthode et de morale
fixés assez tôt par le fondateur se retrouvent en substance dans
les premiers essais du mouvement au Canada français.

Qui vient au mouvement tant comme chef ou bénévole
d'administration que comme jeunes? En Grande-Bretagne et
au Canada anglais, le mouvement né autour de la Première
Guerre mondiale attire bien des militaires soucieux d'éducation. Baden-Powell vient des milieux de l'armée et il peut
compter beaucoup sur son réseau d'amis. Lui-même n'aura
de cesse de bien marquer les limites entre son mouvement et
celui des cadets et autres groupes du genre. Le refus de toute
initiation aux armes et une discipline plus intériorisée marque
extérieurement les différences fondamentales. Par contre,
l'uniforme quasi militaire des scouts engendre quelque confusion chez le profane.

Au Canada français le recrutement des chefs se fait essentiellement parmi les civils. Instituteurs comme les frères Morel
de Montréal, étudiants d'université et des dernières années du
cours classique, commis, et petits fonctionnaires se retrouvent
le plus souvent dans le mouvement avec quelques ouvriers[81].

81. La thèse intéressante de John Springhall, *Youth, Empire and Society. British
Youth Movements, 1883-1940* (London, p. 126): «Youth movements were a form of recrea-
tion enjoyed by the upper-working-class and the lower-middle-class taking place largely
under the supervision of the middle-class, who used them as a means for accustoming the
membership to accept and to find a place within an evolving urban-industrial society», se
révèle trop rigide pour expliquer la situation du scoutisme québécois.

Le recrutement des cadres dans ces milieux variés crée une atmosphère de gens pratiques qui se targuent parfois d'anti-intellectualisme. Rien de comparable au climat du jécisme où l'intellectualisme le dispute souvent au mysticisme. Les hauts dirigeants du mouvement rappelle de temps en temps l'importance de ce qu'on appelle dans le temps «la culture générale», c'est-à-dire le souci tout court de ce qui se passe dans le monde en dehors du grand jeu scout. La revue *Servir* à l'adresse des chefs et des routiers porte en sous-titre «Revue scoute catholique d'éducation et de culture». Pour beaucoup de jeunes des années 1940 et 1950, le scoutisme est l'occasion de découvrir ou de raffermir une vocation de travailleur social ou d'éducateur[82].

Le scoutisme a beau se dire méthode universelle d'éducation, il ne touche pas d'immenses secteurs de la jeunesse. Jamais il ne sera un mouvement de masse. Dans les années 1930, le fondateur est ébloui de voir ce que les dictatures totalitaires réussissent en la matière en particulier Mussolini avec ses *Balillas*[83]. Mais la manipulation de la jeunesse par les États totalitaires amène les dirigeants scouts à préférer l'indépendance et la marginalité[84].

Le scoutisme touche essentiellement des jeunes urbains. Dans un diocèse comme Québec, par exemple, les huit premières troupes se fondent en ville. Cinq sont situées à la Haute-Ville dans des paroisses qui possèdent des populations mixtes de petits fonctionnaires et d'employés dans les services, dans des paroisses disposant d'une solide capacité d'organisation

---

82. Comme l'attestent les travaux universitaires de cette époque cités plus haut et souvent dus à des scouts ou à des guides.

83. Ces sentiments de Baden-Powell ont été exprimés dans la revue *The Scouter* repris par Adams, *Edwardian Portraits* (Londres, 1957), p. 145: «in effect it (the *Balillas*) means the application of Scouting to the ordinary scholastic curriculum.» L'idée de conjuger scoutisme et programme scolaire fascine plus d'un éducateur à l'époque. Les biographies semi-officielles du *Chief* n'y font pas allusion, insistant plutôt sur les distances qu'il prend plus tard vis-à-vis des dictatures...

84. Sous Vichy, on évoque beaucoup l'idée d'un mouvement de jeunesse unique. Les Scouts de France sont de ceux qui refusent.

et des étudiants qui peuvent servir de cadres au mouvement[85]. Deux autres troupes sont des troupes de collège (séminaire de Québec et collège des Jésuites)[86]. La dernière est fondée dans le quartier ouvrier de Saint-Sauveur et ne durera guère. Il faut attendre le moment de grande expansion du mouvement, dans les années 1950, pour voir celui-ci s'étendre dans les quartiers plus populaires comme Saint-Roch et Saint-Sauveur de même que les banlieues. Cette implantation ne veut pas dire que le mouvement est réservé à des couches socio-économiques favorisées. Des trésors d'ingéniosité sont déployés pour accumuler des fonds pour aider le scout dont les parents n'ont pas les moyens de payer l'uniforme ou la pension du camp qui s'élève à une trentaine de dollars pour quinze jours de camp à la fin des années 1950. Tous les anciens scouts interrogés s'accordent à dire que l'absence de moyens n'a jamais interdit l'accès au mouvement. Cependant, on entend également des témoins non scouts rappeler que les parents les ont découragés d'aller au mouvement parce qu'ils n'en avaient par les moyens.

Dans les années 1920 et 1930, le mouvement à d'abord été lancé pour les adolescents, c'est-à-dire, suivant les catégories du temps, les 12-17 ans. Les dirigeants se voient bientôt submergés de demandes pour créer des louveteaux à l'image des *cubs* de la *Boy Scouts* ou des louveteaux français. Après avoir résisté, ils doivent finalement accepter de prendre en charge ces jeunes. Se pose alors le problème des chefs. Chez les Britanniques et les Canadiens anglais, la meute de louveteaux est dirigée par des hommes, chez les Scouts de France, par des

---

85. Robert Hamel, dans l'étude citée plus haut, présente une précieuse monographie d'une année scoute dans une de ces paroisses dont les scouts se recrutent dans un milieu de fonctionnaires de revenus modestes.

86. Le problème du scoutisme dans les collèges reste complexe. Certaines institutions s'ouvrent avec enthousiasme au mouvement comme le Séminaire des Trois-Rivières, d'autres boudent le scoutisme, souvent pour ne pas nuire aux mouvements existants. Il existe aussi des troupes d'externes et des troupes de pensionnaires. Des phénomènes de substitution s'opèrent. En 1957, le scoutisme prend au séminaire de Nicolet la place de la JEC qui est en perte de vitesse et, dix ans plus tard, les scouts passent au mouvement Jeunesse-Caritas. (Claude Lessard, *Le Séminaire de Nicolet* (Trois-Rivières, 1980), p. 413.)

femmes. On refuse d'abord d'admettre les femmes dans le mouvement. Les aumôniers consultés s'y seraient objectés et le cardinal Villeneuve exprime l'avis en 1937 que «ce serait s'engager dans une voie peu sage d'admettre des femmes dans le Scoutisme[87]». Le manque d'effectifs et le succès des femmes avec les jeunes amènent à plus de souplesse. Les années 1940 voient l'expansion du louvetisme grâce à l'apport de nombreuses cheftaines[88].

Dès les années 1930 apparaît aux côtés du louvetisme et de la branche éclaireur (12-17 ans), la branche aînée dite des Routiers. En 1935, le cardinal Villeneuve nomme l'abbé Maurice Roy, du séminaire de Québec, aumônier des Routiers de la nouvelle Fédération[89]. Comme en France, en Grande-Bretagne ou au Canada anglais, la Route ne touchera que des groupes restreints marquant cependant profondément certains individus et créant des solidarités durables. La Route contribue aussi à la redécouverte du pays de Québec, voire des États-Unis et de l'Acadie[90].

Le scoutisme de ces années veut dire pour beaucoup de jeunes et de moins jeunes la découverte de la nature en un temps où le plein air n'est pas encore entré dans le genre de vie de la masse, l'initiation au camping avant sa commercialisation sur une grande échelle, de même que l'occasion de pratiquer des arts d'expression dans le sillage du Français Léon Chancerel.

Rappelons aussi que, par les contacts avec les scouts d'autres pays comme la France surtout, de jeunes Canadiens

---

87. Archives de la Fédération des Scouts du Québec, Alcantara Dion à Mgr Laflamme, Québec, 2 mars 1937, au sujet du cas d'une meute des Trois-Rivières qui est dirigée par une cheftaine.

88. Cependant la branche du louvetisme reste dirigée par des hommes et, jusqu'en 1960 au moins, une loi non écrite du diocèse de Québec veille à ce que la majorité des chefs louveteaux soient des hommes.

89. Archives du Bureau scout du district d'Ottawa, papiers Hébert, lettre du 12 septembre 1934.

90. Voir entre autres une expérience dans Émile Descoteaux, *Le Bâton fourchu dans les îles du grand golfe, Route du clan Jacques Buteux aux Îles-de-la-Madeleine,* Trois-Rivières, s.é., 1958, 112 p.

français découvrent d'autres cultures à l'âge où le voyage reste réservé au très petit nombre[91].

VI. UN SCOUTISME CATHOLIQUE

Le caractère catholique du scoutisme canadien-français des années 30 et 40 frappe tous les observateurs. Un Québécois note dans son journal intime au milieu des années 1930: «Le scoutisme bien compris est une excellente œuvre de jeunesse. Ici, dans la province de Québec, il est contrôlé et dirigé par le clergé[92].» Après les réserves, voire l'hostilité originelle, des dirigeants et des membres du clergé québécois se sont attelés résolument à la tâche d'implanter un scoutisme catholique du type de celui qu'on trouve alors en France et en Belgique.

L'appui parfois enthousiaste de certains évêques comme ceux de Montréal, des Trois-Rivières, de Québec, de Saint-Hyacinthe, de Joliette ou de Sherbrooke va jouer un rôle décisif dans le recrutement des aumôniers dans le clergé séculier et régulier. Chaque évêque reste maître dans son diocèse. D'où l'importance de gagner l'évêque à accepter au moins le mouvement comme œuvre diocésaine. À Québec, le cardinal Villeneuve devient le meilleur appui des scouts du diocèse à partir de 1933, après avoir été converti au mouvement par un prêtre de la paroisse Saint-Cœur-de-Marie, l'eudiste d'origine française Yves Gauthier, qui a connu les Scouts de France. Par contre, l'hostilité épiscopale semble souvent l'explication de la non-implantation du mouvement dans des diocèses comme celui de Rimouski jusqu'à 1950. Ailleurs, comme à Trois-Rivières et Valleyfield, l'évêque ne veut pas que ses scouts aient quelque affiliation à une fédération extra-diocésaine. À Ottawa, au milieu des années 1940, Mgr Alexandre Vachon

91. Par exemple, les passages de scouts français en 1931 et 1934, mentionnés plus haut, (note 71 et 73), et la participation de Canadiens français aux jamborees mondiaux comme celui de Moissons près de Paris en 1947.

92. Archives publiques du Canada, M.G. 30, C49, vol. 14, «Notes historiques», sans date, de Lucien Lemieux, assistant-bibliothécaire à la Législature. Lemieux est peu sympathique au clergé qu'il trouve obscurantiste et trop nationaliste.

encourage la création d'un scoutisme diocésain qui a coupé les liens avec la *Boy Scouts* et n'en veut point avec la Fédération du Québec. Les scouts d'Ottawa se joignent finalement à la Fédération et la *Boy Scouts* ferme les yeux. Durant les années 1930, les prêtres diocésains et des grands séminaristes s'initient au scoutisme à travers les livres, comme l'abbé Hébert pionnier du scoutisme à Ottawa en 1918, ou l'abbé Lévesque, initiateur du mouvement à Saint-Boniface dans les années 1930. La nouvelle Fédération organise des camps et des sessions de formation d'aumôniers. D'anciens scouts deviennent prêtres et le scoutisme est bientôt vu comme la pépinière sacerdotale par excellence aux yeux de certains. Toute une littérature sur le sujet se développe dans le style de l'article de Marc Lallier, «Scoutisme et sacerdoce», dans la *Revue apologétique* de mars 1936, résumé dans *Mes fiches* du 1er avril 1940: on y démontre comment valeurs scoutes et valeurs sacerdotales s'harmonisent.

Les congrégations religieuses s'engagent inégalement. Les jésuites sont à la source du scoutisme à Montréal comme on l'a vu. Même après les déchirements de 1935, ils restent au poste et leurs troupes de paroisses et de collèges comme Sainte-Marie et Brébeuf comptent parmi les plus dynamiques du diocèse. Un jésuite, Maurice Beaulieu, publie plusieurs ouvrages de spiritualité scoute.

Le mouvement trouve aussi de solides appuis chez les dominicains. Le père Labonté joue un rôle-clef dans la création de la Fédération en 1935. La prestigieuse *Revue dominicaine* consacre une enquête au scoutisme; elle sera reprise en 1938 en numéro de la revue, puis diffusée sous forme d'ouvrage intitulé *Le Vrai Visage du scoutisme*.

Les franciscains ont lancé le mouvement aux Trois-Rivières. Un des leurs, éducateur des plus respectés au Canada français entre 1935 et 1950, va jouer un rôle capital dans l'essor et l'affermissement du mouvement. Son action illustre bien l'engagement du clergé dans le mouvement. Adélard

Dion (1897-1949) est connu sous son nom religieux Marie-Alcantara Dion dit le père Alcantara, voire tout simplement «le père», dans les mouvements scout et guide. À sa mort en 1949, un évêque parle de lui comme du «cerveau de l'épiscopat canadien». Le père Alcantara a fait des études spécialisées en éducation à l'Université du Sacré-Cœur de Milan où il est conquis par l'exemple du franciscain Augustin Gemelli. Il rentre après quatre ans, en 1933, reprendre son enseignement au Collège séraphique des Trois-Rivières. Il découvre d'abord les guides, dont il devient aumônier diocésain en 1933. En 1935, il cumule l'aumônerie diocésaine des scouts. En 1940, il est aumônier-général adjoint des deux Fédérations des Scouts et Guides. Professeur de pédagogie à l'Université Laval à partir de 1935, il joue un rôle capital dans l'orientation des collèges classiques du Québec et de la pédagogie tant à l'élémentaire qu'au secondaire[93].

Le père Alcantara se dépense sans compter pour expliquer le mouvement à l'extérieur. Par exemple, le 18 novembre 1938, il est à Joliette au scolasticat Saint-Charles des Clercs de Saint-Viateur. Il développe devant les religieux éducateurs ses thèmes préférés, à savoir que le scoutisme s'alimente à une loi bien saine et aux huit béatitudes. Le scoutisme se réalise dans la vie active et le service. C'est «une méthode de psychologie absolument chrétienne et évangélique». Les Clercs de Joliette ne manquent alors pas de l'interroger sur deux questions alors brûlantes: les rapports à l'Action nationale et à l'Action catholique. L'aumônier scout répond que les scouts canadiens-français vivent le séparatisme au plan religieux mais non au plan racial. Le patriotisme scout n'a rien contre le Canada et «le patriotisme scout se place dans la mission spirituelle catholique au Canada français dans l'Amérique du Nord». À la seconde question, le père répond que le scoutisme peut *de jure* appartenir à l'Action catholique, qui n'exclut pas

---

93. Voir le numéro de la revue scoute *Le Feu* (Montréal) de mars 1950 qui consacre les p. 70 à 128 à la vie et à l'œuvre d'Alcantara Dion de même que le recueil *C'était mon frère(...)*, Montréal, 1965, p. 154-155.

les mouvements non spécialisés suivant les milieux comme la JOC et la JEC. Mais il explique que le cas *de facto* est à l'étude[94].

La spiritualité des diverses congrégations colore le scoutisme. Les dominicains s'évertuent à montrer que scoutisme, thomisme et vertus naturelles s'harmonisent tout à fait, tandis que les franciscains ont beau jeu de faire de la spiritualité de saint François le prolongement de la méthode Baden-Powell.

L'Église catholique investit beaucoup dans le mouvement en fournissant un aumônier à chaque troupe qui compte en moyenne une trentaine de garçons. Ces aumôniers doivent camper avec les garçons durant une quinzaine de jours durant l'été. Les avantages religieux sont loin d'être minces. Le clergé contrôle discrètement l'évolution religieuse des unités et de ses membres. Des jeunes découvrent un visage du prêtre bien différent de celui du curé de paroisse lointain sinon inaccessible. De nombreux prêtres attribuent l'éclosion de leur vocation à leur expérience religieuse scoute. Le clergé de son côté apprend à travailler dans un mouvement dirigé par des laïcs hommes et femmes[95], même si les domaines du temporel et du spirituel ne sont pas toujours faciles à délimiter. Les témoignages d'anciens scouts décrivent un clergé omniprésent dans le mouvement et parfois autoritaire. La façon dont le cardinal Villeneuve obtient la fusion de 1935 en dit long sur la puissance des évêques. Le mouvement est aussi un lieu d'expériences nouvelles dans le domaine religieux. Le formalisme religieux y est contesté. La religion s'y intériorise. Les autorités religieuses y admettent des libertés en matière liturgique, novatrices pour l'époque, comme la messe au camp et en plein air[96].

94. Compte rendu dans *Les Carnets du Théologue* devenus plus tard les *Carnets viatoriens*, 4ᵉ année, n° 1, janvier 1939, p. 28. La conférence est résumée aux pages 33 à 35 du même numéro. Sur la question de l'Action catholique voir plus bas note 105.

95. On a vu plus haut qu'un premier essai de constitution diocésaine à Québec en 1935 prévoyait de flanquer le commissaire laïc d'un commissaire religieux. Cet arrangement fut vite abandonné.

96. Sur les liens étroits entre le scoutisme et le catholicisme, voir par exemple le numéro «Marie et le Scoutisme» dans la prestigieuse revue *Marie* de mai-juin 1960 (vol. XIV, n° 1).

VII. UN MOUVEMENT PARMI D'AUTRES

Le scoutisme n'est pas né dans un monde privé d'organismes de jeunes. À la fin des années 1910, comme le rappelle Villeneuve, il existe de nombreux groupements de piété, telle la Croisade eucharistique. Des paroisses de ville comptent souvent un vicaire chargé d'organiser des activités pour occuper les jeunes comme un abbé Hébert à la paroisse Notre-Dame d'Ottawa. Pour les aînés des collèges, l'A.C.J.C. alors en pleine expansion offre un réseau de cercles d'études que lient des congrès et un organe, *Le Semeur*. À partir de 1925, ce périodique fera l'éloge du scoutisme; les cercles de l'A.C.J.C. sont invités à étudier le mouvement. L'A.C.J.C. se voit alors comme la suite du scoutisme pour les jeunes de 16 ou 17 ans. Ressuscités comme gardes paroissiales après 1900, les Zouaves pontificaux, pour leur part, attirent une partie de la jeunesse. Quant aux cadets, ils connaissent une grande vogue à la veille de la Première Guerre mondiale, surtout au Canada anglais. Une ville comme Québec compte un florissant Patronage animé par les religieux de Saint-Vincent-de-Paul[97].

Les années 1930, qui sont celles de la crise économique, voient une poussée des organismes de jeunesse. Le sort des

---

97. L'Association Catholique de la Jeunesse française a été fondée en 1886 par le comte Albert de Mun. C'est un mouvement où les jésuites jouent un rôle clef et qui s'adresse essentiellement aux étudiants. Piété et action sociale au sens large sont ses buts. En 1914 le mouvement compte 140 000 membres. De tendance conservatrice en politique, ils se recrutent dans la bourgeoisie. Un mouvement de ce type qui s'adresse surtout à la jeunesse des collèges classiques est lancé au Québec après 1900. Les débuts de l'A.C.J.C. fondée en 1904 ont été racontés par Laurier Renaud, *La Fondation de l'A.C.J.C. L'histoire d'une jeunesse nationaliste* (Jonquière, 1973). Cette association comptera jusqu'à 3 000 membres répartis en 200 cercles en 1935. Sur la Croisade eucharistique voir Antonio Poulin et Jean Laramée, *La Croisade eucharistique. Une école de formation* (Montréal, 1960, 3ᵉ édition remise à jour). Fondée en 1914 en France, bénie dès 1916 par Benoît XV, la Croisade fleurit jusque dans les années 1950. Ses publications connaissent encore des tirages abondants en 1960: *Croisillons* pour les 6-9 ans: 80 000 exemplaires, *Vouloir* pour les 9-12 ans: 135 000 exemplaires et *Rayonner* pour les adolescents: 27 000 exemplaires. C'est avant tout une association pieuse. Les cadets, formation para-militaire, comptent au Canada trois fois plus de membres que les scouts en 1914, rappelle Desmond Morton dans «The Cadet Movement in the Moment of Canadian Militarism, 1900-1914», dans *Journal of Canadian Studies/Revue d'études canadiennes*, vol. 13, n° 2, été 1978 Summer, p. 56.

jeunes des villes, laissés à eux-mêmes surtout l'été, inquiète les autorités religieuses et civiles. À Montréal, des jésuites s'occupent des jeunes au parc Lafontaine. Une préoccupation analogue inspire des initiatives du même type aux Trois-Rivières et à Québec. Il en naîtra l'Oeuvre des Terrains de jeux appelée à un grand développement dans les années 1940 et 1950[98]. Les jésuites lancent en 1926 la ligue d'Action missionnaire qui se répand vite dans les collèges et les juvénats. Elle comptera jusqu'à 800 groupes. Dans la même décennie, un groupe de jeunes chercheurs en sciences naturelles préoccupés d'éducation crée l'A.C.F.A.S. et provoque la création d'un réseau de jeunes naturalistes. Le séminaire de Québec, par exemple, compte bientôt son cercle Buffon et le collège Sainte-Marie de Montréal a aussi un cercle de naturalistes.

Mouvement volontaire faisant appel à tous les jeunes mais n'attirant en pratique que de jeunes urbains, le scoutisme ne touche qu'une partie réduite de la jeunesse. En 1921, on peut estimer à environ 80 000 le nombre des garçons francophones de 12 à 15 ans. Ils seront plus de 125 000 vingt ans plus tard dont le quart à Montréal alors que le mouvement scout compte quelque 2 000 membres. En 1938, un observateur estime à quelque 436 000 le nombre des jeunes québécois de 15 à 30 ans. Environ 60 000 appartiennent à des mouvements de jeunesse. Les patronages regroupent 3 000 jeunes tandis que l'O.T.J. s'occupe de plus de 20 000 enfants. Plusieurs centaines de jeunes se retrouvent dans les Jeunes Canada, etc.

---

98. Sur l'Œuvre des Vacances, lancée dès 1927 par les jésuites pour les garçons du parc Lafontaine, voir *La Cie de Jésus au Canada* déjà citée, p. 166-167. Dans *Loisirs de jeunes, une expérience à Lachine,* l'abbé Guy de Schetagne (Montréal, 1945, 171 p.) décrit le Cercle paroissial de la ville et l'Œuvre des Terrains de jeux locale qui a dix ans en 1944. Il souligne que l'aumônier dirige tout et que la plupart de ses chefs sont des jécistes; les chevaliers de Colomb soutiennent l'œuvre depuis 1939; le Cercle paroissial a 50 ans. Dans une brochure instructive publiée en 1925 sous le titre *Pour assurer l'avenir. Les œuvres de jeunesse* (Québec, 1926, 47 p.), l'abbé Pierre Gravel décrit une autre œuvre modèle. Fondée en 1926, l'œuvre de jeunesse de Saint-Alphonse de Thetford réunit les jeunes de 15 ans et plus et leur offre des jeux de quilles, de *pool,* de dames, d'échecs et une salle de lecture. Sous son égide se réunit un cercle de l'A.C.J.C., un cercle dramatique et des clubs de balle-au-camp, de gouret et de raquette, de même qu'une fanfare et un orchestre. Tous les soirs on récite la prière et deux fois par semaine ont lieu des cours de religion.

L'A.C.J.C. compte quelques centaines de membres. La guerre donne un coup de fouet aux cadets estimés en 1944 à plus de 150 000. Le Y.M.C.A. a quelque 58 000 adhérents. Sont apparus en 1942, les 4H qui comptent au Québec 4 à 5 000 jeunes. Ils recrutent surtout en milieu rural et visent à intéresser les jeunes à la conservation de la forêt et des autres ressources naturelles. En 1944, la *Boy Scouts* compte 93 000 membres dont près de la moitié sont des louveteaux (8-12 ans). La Fédération des Scouts catholiques de la province de Québec, pour sa part, compte au même moment 5 000 membres[99].

En 1935, le pape Pie XI a lancé l'Action catholique qui se développe dans les collèges sous la forme de Jeunesse étudiante catholique mise de l'avant surtout par les religieux de Sainte-Croix. La J.E.C. se répand comme une traînée de poudre: 2 000 en 1936, les jécistes sont 4 000 en 1938 et 90 000 en 1944 au Québec. La J.E.C. vise une population proche de l'A.C.J.C.: jeunes gens des collèges préoccupés à la fois de vie intérieure et d'action sur le milieu pour le transformer dans le sens des valeurs catholiques du temps. L'A.C.J.C. entre bientôt en rivalité avec le nouvel organisme mais doit céder du terrain durant les années 1940. L'Action catholique comprend, aux côtés de la J.E.C., la Jeunesse ouvrière catholique qui se répand chez les jeunes travailleurs et va faire parler d'elle dans la lutte anti-communiste des années 1930. Elle compte 23 000 membres en 1938. Sa clientèle reste distincte de celle des scouts qui est plus jeune[100].

---

99. Louis-Philippe Roy, «Les Œuvres de jeunesse masculines dans la Province de Québec», dans *Deuxième Congrès de la Langue française au Canada* (1937). *Mémoires,* tome III (Québec, 1938) p. 409-418. George Tuttle, *Youth Organizations in Canada. A Reference Manual Prepared for the Canadian Youth Commission* (Toronto, 1944), *passim.*

100. En 1927, la France voit la création de la Jeunesse ouvrière chrétienne (J.O.C.) qui comptera 65 000 membres dix ans plus tard. La Jeunesse agricole chrétienne fondée en 1929 comptera 35 000 membres dès 1935. La Jeunesse étudiante chrétienne (J.E.C.) fondée en 1930 en compte 10 000 cinq ans plus tard. En 1936, en comparaison, les Scouts de France comptent 55 000 membres. Un secrétariat central pour la France coordonne de Paris l'Action catholique. Chaque diocèse possède une commission mixte de prêtres et de laïcs pour conseiller l'évêque en matière d'œuvres. Les relations entre ces organisations diocésaines ou nationales et les groupements paroissiaux ne sont pas toujours faciles.

Ici comme en France, scouts et jécistes vont bientôt se coucurrencer à la conquête d'une clientèle qui souvent est la même, par exemple, dans les collèges. Une abondante littérature se répand qui prêche la bonne entente entre les mouvements, ce qui laisse croire qu'il est loin d'être facile pour chacun de bien délimiter clairement son domaine[101]. Des stéréotypes du scout et du jéciste se répandent. Un professeur du collège Sainte-Marie en 1935 les décrit ainsi: «Les scouts veulent devenir des hommes d'action [...] Ils rêvent de reconstruire leur pays; ils s'intéressent à tous les génies: militaire, minier, industriel, agricole [...] Les jécistes préfèrent les carrières intellectuelles; des hommes de pensée. Ils seront écrivains, professeurs, historiens, journalistes, conférenciers... et politiques[102].» Dans un article présenté dans *Mes fiches*, un jeune français dénonce les «vieux clichés» qui opposent les «hommes des bois» que seraient les scouts aux jécistes trop intellectuels et qui, dans l'apostolat catholique, réservent aux scouts l'entrain alors que les jécistes amèneraient la méthode[103].

La création des mouvements spécialisés auxquels est confié le monopole de l'Action catholique place le scoutisme dans une position inconfortable. Les Français débattent la question dès 1931 après que le cardinal Verdier eût dit aux Scouts: «Vous serez les chevaliers de l'Action catholique.» Chaque évêque est maître de l'Action catholique dans son diocèse et

---

101. Comme par exemple Marcel Foisy, c.s.v., dans *Les Carnets viatoriens* d'octobre 1940 (V^e année, n° 4, p. 196 à 202): «Comment pourraient collaborer J.E.C. et Scoutisme.» En France la question est débattue avec ardeur. Jean-Baptiste Duroselle écrit «Scoutisme et J.E.C. Principes et éléments d'une collaboration réelle» dans la *Revue des jeunes* du 10 juillet 1939 reproduit dans *Mes fiches* du 1 novembre 1939, où il invite certains routiers et guides aînés à découvrir en collaboration avec les jécistes, l'immense champ d'apostolat du milieu étudiant.

102. «L'éducation du collège Sainte-Marie», dans *L'Action nationale,* 3e année, 1935, p. 168.

103. Duroselle cité plus haut. La rivalité est évoquée par Gabriel Clément, *Histoire de l'Action catholique au Canada français* (Fides, 1972, 331 p.). Ce qui se passe ici rappelle ce qui se passe en France et en Belgique. (R. Aubert, *Nouvelle Histoire de l'Église*, tome 5, p. 628). Sur ces rapports voir l'article de Luigi Cardini dans *L'Enciclopedia cattolica,* «Azione cattolica» (en 1949).

peut reconnaître ou non une œuvre comme d'Action catholique[104]. À Québec, le cardinal-archevêque Villeneuve, des plus favorables au mouvement, retardera cependant longtemps sa reconnaissance *de jure*[105]. En 1942, le délégué apostolique prend position carrément en faveur de la reconnaissance: «Les groupements de scouts, dit-il, ne doivent pas être considérés seulement comme une œuvre de formation personnelle, mais comme une œuvre d'apostolat en même temps qu'une excellente préparation aux mouvements spécialisés de l'Action catholique[106].» Le 10 mai 1942, les évêques du Québec assemblés laissent à chaque ordinaire de déclarer selon qu'il jugera à propos que les scouts et guides du diocèse font ou ne font pas partie intégrante de l'Action catholique diocésaine. Aux Trois-Rivières, Mgr Comtois s'empresse de proclamer le scoutisme diocésain mouvement d'Action catholique[107].

La rivalité entre scouts et jécistes n'en continue pas moins malgré des échanges de bons procédés comme tel article que Gérard et Alec Pelletier offrent à *Servir*, revue des chefs scouts et des routiers[108]. En 1944, *Servir* rappelle, à la suite de la *Semaine religieuse de Québec,* que le scoutisme est bel et bien compatible avec la J.E.C. dans les maisons d'éducation, et ce sans doute pour contrer la politique de monopole au profit de la J.E.C. pratiquée par certaines autorités collégiales[109].

---

104. Voir entre autres l'article du chanoine Cornette dans *Le Chef* du 15 octobre 1931 et celui du père Forestier dans la *Revue des jeunes* du 15 février 1935.

105. Sur l'organisation de l'Action catholique voir Joseph Papin Archambault, *L'Action catholique d'après les directives pontificales* (Montréal, 1938). Le jésuite enseigne l'Action catholique à l'Université Laval depuis 1932. Son livre qui suit le manuel classique de Civardi, l'autorité romaine en ces matières, est préfacé de lettres d'approbation du cardinal Villeneuve et de Mgr Gauthier de Montréal.

106. Cité dans *Rapport des journées d'études sacerdotales de la Jeunesse ouvrière catholique à l'occasion du dixième anniversaire de la J.O.C. canadienne (1932-1942)* (Montréal, 1942). p. 58.

107. Comtois aux aumôniers Dion et Verville, 22 avril 1942. Lettre conservée aux Archives du séminaire des Trois-Rivières, fonds «Scouts».

108. «Notes sur les premières démarches de l'amour», dans *Servir*, février-mars 1945, n° 45, p. 148-152.

109. *Servir,* mars 1944, p. 115-116. L'article de la *Semaine religieuse* est du 24 février 1944.

Un autre accrochage survient en 1945 lorsque la J.E.C. met sur pied des camps d'été, empruntant des éléments au scoutisme, depuis le foulard jusqu'aux techniques du feu de camp. Un «Communiqué officiel du Quartier-Général» scout dénonce fermement le «plagiat»[110].

VIII. D'HIER À AUJOURD'HUI

Le mouvement scout continue son expansion géographique et quantitative durant les années 1950 et 1960 dans des cadres qui n'ont pas tellement changé. Les années 1966 à 1975 voient une chute des effectifs de près de 26 000 à 22 500 jeunes. Le mouvement, au Québec comme dans les autres pays, entreprend une réflexion en profondeur et propose à ses dirigeants des virages méthodologiques considérables[111]. L'uniforme est simplifié, le texte de la loi adapté au monde actuel, le rôle du «chef» s'efface au profit de l'«animateur», la discipline s'assouplit, la branche éclaireur est scindée en deux groupes d'âges et de pratique scoute. Ces changements entraînent quelques déchirements dans le mouvement en particulier dans la région montréalaise. Une, puis deux associations dissidentes de scouts se forment qui revendiquent chacune le privilège de maintenir l'authenticité de la méthode, voire le carac-

---

110. *Servir,* juin-juillet 1946, n°s 55-56, p. 333-335. Allusion à une brochure publiée à l'été de 1945 sur les «Centres de militants». Le communiqué cite Mgr Richard, évêque de Laval en France qui, en 1939, a dénoncé les parodies du scoutisme. Voir aussi sur cette question l'article de Gérard Lemieux dans la *Semaine religieuse de Montréal* du 25 juillet 1945 intitulé «Scoutisme et J.E.C», plein de bienveillance envers le scoutisme et où l'auteur défend les emprunts.

111. Les réformes au milieu des années 1960 ont amené des remous en France, en Allemagne, en Belgique, en Italie et au Luxembourg. Dans ces pays s'est créée une Fédération des «Guides et Scouts d'Europe» qui se réclament d'un scoutisme catholique traditionnel. Voir par exemple la prise de position du groupe dans la *Documentation catholique* du 3 avril 1977 (p. 349). Des québécois dissidents de l'Association des Scouts du Canada adoptent des positions méthodologiques et idéologiques voisines et suivent de près le mouvement des «Guides et Scouts d'Europe». Sur le «schisme» québécois, voir un article de presse de Luc Chartrand, «Le Grand Jeu de la Tradition contre le Progrès. Nos scouts en pleine bataille des Anciens et des Modernes», dans *Perspectives* du 21 janvier 1978 (p. 2 et 4). Sur la remise en question dans les années 1960 de la pédagogie de l'adolescence voir Joseph F. Kett, *Rites of Passage: Adolescence in America, 1790 to the Present,* New York, 1977 et Maurice Crubellier, *L'Enfance et la jeunesse dans la Société française, 1800-1950,* Paris, 1979.

tère catholique du mouvement. La querelle continue de façon sporadique[112]. Mais dans l'ensemble, le mouvement a surmonté cette crise, a enrayé la baisse d'effectifs et il offre un visage assez renouvelé par rapport aux années qui vont de 1935 à 1965.

Le début des années 1970 voit aussi la solution d'un épineux problème, celui des nouveaux rapports entre la *Boy Scouts* et la Fédération. La multiplication d'unités scoutes canadiennes-françaises et catholiques hors du Québec amène à remettre en question l'accord de 1935 qui limite la Fédération au Québec. Après de longues négociations et diverses tentatives de structures qui durent plus de dix ans, la *Boy Scouts* et la Fédération arrive à une entente en 1972. La Fédération conserve sa charte pour le territoire québécois et une Association des Scouts du Canada (francophones et catholiques) naît qui regroupe quatre Fédérations: Acadie, Québec, Ontario et Ouest. Les jeunes du Québec constituent les cinq-sixièmes des effectifs de l'Association qui favorise les liens entre francophones québécois et francophones hors Québec.

*

* *

Au terme de ce survol se dégagent quelques évidences et surgissent de belles questions.

Le refus initial du scoutisme montre une Église et une élite nationaliste sur la défensive, la première étant bien mieux armée que la seconde. C'est l'Église, pour laquelle le contrôle de l'éducation est vital, qui prend l'initiative d'acclimater le

---

112. Un écho entre plusieurs dans le «Courrier du lecteur» du *Devoir* du 7 mai 1980: charge contre le «néo-scoutisme» qui sombre dans le laisser-aller et a besoin d'un retour aux sources. Voir aussi les échanges entre le franciscain Pacifique Emond et Jean-Claude Proulx, président de l'Association des Scouts du Canada (et prêtre du diocèse d'Ottawa) dans *Le Nouvelliste* (Trois-Rivières) du 11 août et *Le Devoir* du 19 septembre 1977. Le mouvement reste incontestablement confessionnel comme en témoigne l'incident Tarrab (*Le Devoir*, 29 mars et 23 avril 1982).

mouvement et qui obtient un *modus vivendi* avec le scoutisme
canadien, ménageant à la fois son propre système d'emprise et
préservant le caractère national canadien-français du mouvement. L'Église investit beaucoup dans un mouvement qui le
lui rend bien. La poussée des mouvements d'Action catholique à partir de la fin des années 1930 freine peut-être le développement du scoutisme. Mais celui-ci, en misant sur l'adhésion volontaire, survivra mieux, à long terme, que la plupart
des mouvements catholiques de jeunesse. Le scoutisme joue
également un rôle non négligeable dans la redéfinition de la
place du clergé dans les organisations de jeunesse. Les oiseaux
de malheur qui craignaient qu'on fasse trop confiance aux
laïcs et aux jeunes dans les années 1920 ont vu leurs prédic-
tions bien démenties. Et le fait que l'Église se soit lancée avec
une ardeur certaine dans l'aventure révèle un désir d'adaptation qui atténue l'image d'un bloc autoritaire et figé. La diver-
sité des réponses selon les diocèses et congrégations nous rappelle aussi les visages divers de cette Église canadienne-
française aux dons divers et aux intérêts multiples qui se
livrent parfois des luttes feutrées.

La part importante des aumôniers à tous les niveaux
depuis la troupe paroissiale ou de collège jusqu'au niveau
national en passant par celui du diocèse est capital durant
toute la période. Tous les témoins laïcs interrogés par les
enquêteurs de 1979 s'accordent à dire que évêques et aumôniers jouent un rôle clef dans le mouvement. On a vu le rôle
décisif de Villeneuve dans les années 30 et celui de jésuites et de
dominicains. Bureau, commissaire aux Trois-Rivières puis
commissaire provincial, doit défendre avec vigueur ses préro-
gatives face à des évêques ou des aumôniers envahissants.
Dans la première version des statuts et règlements du diocèse
de Québec, on a créé le double poste de commissaire laïc et de
commissaire ecclésiastique. Cette structure bicéphale peu
accordée à l'esprit et aux méthodes du mouvement doit être
vite abandonnée. Mais les aumôniers restent *de facto*
co-responsables du mouvement à tous les niveaux. Le scou-

tisme n'échappe pas à la règle des mouvements d'éducation de l'époque. Chefs et commissaires du temps semblent s'être accommodés de la situation. Ces hommes et ces femmes intéressés avant tout à la grande aventure éducative acceptent assez volontiers, quitte à regimber de temps en temps, les servitudes d'un scoutisme sous la coupe de l'Église. Servitudes non sans contreparties avantageuses: protection morale voire matérielle de la paroisse et du diocèse et confiance des parents qui voient leurs enfants entre les mains d'un mouvement respecté par l'Église même.

Cette histoire se passe en un temps où l'État se fait bien discret dans le domaine de l'éducation. Certes, les hommes politiques ont de bons mots pour le mouvement et la Province verse une contribution un peu plus que symbolique. Mais il faudra attendre les années 1960 pour voir une véritable politique dans ce domaine avec ses avantages et ses inconvénients (bureaucratisation et manipulation idéologique entre autres). Dans les années que nous avons étudiées ici, l'État semble trop heureux de voir ces fonctions exercées par l'Église et des organismes volontaires comme le scoutisme.

L'échec relatif des milieux nationalistes des années 1930 pour monopoliser le mouvement révèle les divergences de la société globale sur ce point, de même que la crainte de la surenchère nationaliste chez ceux qui voient ce qui se passe ailleurs, en Italie ou en Allemagne. Cet échec s'explique aussi par la nature même du mouvement. Ceux qui y travaillent y viennent pour les jeunes. Les idéologues finissent par s'y user: ils quittent ou mettent une sourdine à leurs projets. L'évolution de la pensée du fondateur et de son cercle est révélatrice sur ce point. Créateur d'un mouvement pour régénérer les petits Britanniques, futurs leaders de l'Empire, Baden-Powell se retrouve à la tête d'un mouvement fortement teinté d'internationalisme. Lors de la crise interne de 1935 au Québec, il est révélateur que la plupart des dirigeants et aumôniers de la Fédération des Éclaireurs passent à la nouvelle Fédération qui, il est vrai, ne leur demande pas d'autocritique. Les jugements moroses des *Mémoires* du chanoine Groulx risquent de fausser l'intelligence de l'histoire sur ce point.

Reste des questions plus difficiles qui touchent aux fondements même de la société d'ici. Pourquoi un développement assez peu considérable si on le compare à celui du Canada anglais où le scoutisme attire, toutes proportions gardées, trois fois plus de jeunes? Pourquoi un tel manque d'adultes pour encadrer les jeunes pendant des décennies jusqu'aux années 1970? En effet, l'essentiel des cadres fut longtemps formé de chefs autour de vingt ans loin de posséder la maturité et l'expérience pédagogique d'adultes. Ce qui n'empêcha pas alors les parents de faire une confiance quasi absolue au mouvement sans doute parce qu'il était parrainé par l'Église.

L'étude de la théorie et de la pratique du leadership fournirait un matériau de choix pour une histoire de cette fonction chez les jeunes et les moins jeunes depuis les années 1920.

Un autre beau problème est celui de l'acculturation du mouvement au Canada français. Tout en restant fidèle à la méthode du scoutisme international, le scoutisme pratiqué au Canada français possède des traits culturels propres à part la langue et la confessionnalité. Le style de rapports adultes/jeunes frappe l'observateur par des différences avec celui du Canada anglais par exemple. Le support des paroisses reste aujourd'hui encore essentiel à la vie du mouvement au Canada français alors que la moitié seulement des unités de la *Boy Scouts* utilisent les infrastructures paroissiales.

Faut-il, en terminant, rappeler les limites de l'étude d'un mouvement enraciné au niveau paroissial ou collégial? La capillarité de l'organisation invite à des monographies qui font cruellement défaut. Avant tout mouvement d'action, c'est au niveau du vécu qu'on peut appréhender le scoutisme. Vécu qui peut en partie être reconstitué par des souvenirs d'anciens dégagés de la gangue d'idéalisation du temps de la jeunesse. Dégagés aussi du louable mais inutile désir de justification, face à un aujourd'hui qui ne peut être tout à fait ce que fut hier, sinon l'histoire serait sans objet.

Marius Barbeau, photographié en 1961 aux Éboulements-en-Bas, dans le Verger de Mgr Félix-Antoine Savard.

Les Animaux (et le Géant) déjoués par l'homme:

Contes-types 151 (et 151 A)

Par Luc Lacourcière, C.C.

En hommage à Marius Barbeau
(1883-1969)

I. — NOTE LIMINAIRE

À l'occasion du centenaire de la naissance de Marius Barbeau, j'ai choisi de présenter un conte inédit de sa collection. On sait déjà que c'est à ce *Pionnier*[1], comme il s'est défini lui-même, que l'on doit la véritable découverte du conte populaire français au Canada. Il a raconté de quelle façon, dans l'ordre de ses préoccupations anthropologiques, il fut amené à s'intéresser à ce genre de traditions orales.

Au retour de ses études en Angleterre et en France, en 1911, il était entré au service du Musée National du Canada, à Ottawa (maintenant le Musée National de l'Homme). La première expédition de recherche qu'on lui confia fut chez les Hurons de la Jeune-Lorette, près de Québec. Il devait y étudier à la fois leur technologie (arts manuels) et leur culture intellectuelle (langue, mythologie, légendes, contes, chansons, etc.).

«Chez Prudent Sioui..., écrit-il, on me conta même des contes comme celui de *la Princesse des Sept Montagnes vertes,* et celui de *l'Eau de la Fontaine de Paris,* que je ne voulus pas recueillir, parce qu'ils étaient évidemment de sources françaises; je n'étais là que pour une cueillette de traditions indigènes. Mais ces quelques contes français

---

1. Marius Barbeau. Je suis un pionnier. Interview: Lawrence Nowry, transcription: Renée Landry, dans *Oracle,* Musée National de l'Homme, Ottawa, 1982, no 43, brochure illustrée de 8 pages.

me firent une profonde impression. Ils amorcèrent ma curiosité.»[2]

Quelques années plus tard, rencontrant à New York le Dr Franz Boas, de l'université Columbia, ce dernier lui demanda si les Canadiens français avaient conservé leurs anciennes traditions orales, en particulier des contes populaires.

«Il n'était pas facile, écrit-il, à brûle-pourpoint, de répondre à cette question. Mais une conclusion affirmative résulta de recherches subséquentes, faites parmi les paysans des environs de Québec. Il devint même évident que les ressources du folklore canadien sont apparemment inépuisables. Quarante contes populaires recueillis en 1914, dans les comtés de Beauce et de Québec démontrèrent que les anciens récits oraux de France se sont conservés intacts...»[3].

Tels furent les débuts des premières enquêtes sur les contes populaires. Par la suite, Marius Barbeau étendit ses recherches aux régions de Kamouraska (1915), de Charlevoix (1916), de Témiscouata et de la Gaspésie (1918) et sporadiquement à quelques autres endroits. En outre, il intéressa à ce genre de recherches quelques personnes qui lui fournirent des textes de provenances diverses.

Pour m'en tenir aux contes recueillis par Marius Barbeau lui-même, entre 1914 et 1946, leur nombre est approximativement de deux cent soixante. Ce chiffre est établi d'après ses notes d'enquêtes sur le terrain auprès d'une quarantaine d'informateurs. C'est là un bilan très considérable si l'on songe qu'il lui fallait tout noter en sténographie, sans appareil d'enregistrement.

Cette collection originale de contes est actuellement partagée en deux parties. D'abord il y a ceux (au nombre de

2. Marius Barbeau. *En quête de connaissances anthropologiques et folkloriques dans l'Amérique du Nord depuis 1911.* Québec, Archives de Folklore, Université Laval, 1945. (Texte ronéotypé à l'usage des étudiants), p. 5.

3. Marius Barbeau. *Contes populaires canadiens* (1ère Série) dans *The Journal of American Folk-Lore,* Vol. 29, no 111, January-March, 1916, p. 1.

soixante-quinze) que Barbeau a publiés avec des introductions substantielles dans les trois premières livraisons françaises du *Journal of American Folk-Lore.* [4] Je ne tiens pas compte dans le présent relevé statistique des versions retouchées de ces mêmes contes qu'il a souvent rééditées dans des journaux et revues ou dans des petits recueils pour enfants. [5]

La seconde partie (celle des contes inédits au nombre de cent quatre-vingt-cinq) est la plus considérable puisqu'elle représente près des deux-tiers de la collection. Ils ont la même provenance géographique que les autres, mais, selon l'expression de M. Barbeau, ils ont dormi pendant trente-cinq ans «dans leur enveloppe sténographique, faute de temps pour les préparer.» [6] C'est-à-dire qu'il ne les a transcrits de sa sténographie personnelle qu'entre 1953 et 1955 pour que je puisse en faire l'identification des types en vue du *Catalogue raisonné du Conte populaire français en Amérique du Nord* (compilé sur fiches aux Archives de Folklore de l'Université Laval).

C'est précisément un chapitre de ce catologue que je veux donner ici, en choisissant comme exemple de départ une version inédite de la collection Marius Barbeau, intitulée *Le Lion, le renard et l'ours.* Le contenu de cette version correspond au conte-type 151 de la classification internationale, *The Types of the Folktale* de Aarne et Thompson. [7]

Quant à l'ordre suivi dans cette étude, il est conforme au plan que j'ai déjà indiqué pour d'autres contes-types analysés dans les *Cahiers des Dix* [8]. Soit:

---

4. JAF, Vol. 29, no 111, January-March, 1916 (38 contes de Lorette, de la Beauce et de Kamouraska); Vol. 30, no 115, January-March, 1917 (27 contes de la Beauce et de Kamouraska); Vol. 32, no 123, January-March, 1919 (10 contes de Charlevoix et de la Beauce).

5. Par exemple, aux Éditions Beauchemin: *Il était une fois,* 1935; *Grand'Mère raconte,* 1935, et *Les Rêves des Chasseurs,* 1942. Aussi les douze fascicules de la série présentée par les Éditions Chantecler sous le titre collectif des *Contes du Grand-Père Sept-Heures,* 1950-1953.

6. *Opus cit., En quête de...,* p. 10.

7. Antti Aarne et Stith Thompson, *The Types of the Folktale,* Second Revision, Helsinki, 1961. (Folklore Fellows Communications, No 184).

8. Vol. 36, 1971, pp. 243-244.

I. La note liminaire sur Marius Barbeau que l'on vient de lire;

II. Une version intégrale du comté de Charlevoix recueillie en 1916;

III. Les éléments du conte-type 151 (et 151 A): la décomposition en épisodes d'après les vingt et une versions françaises d'Amérique;

IV. La liste de ces versions classées dans l'ordre géographique et alphabétique par provinces, comtés et paroisses; liste accompagnée de l'analyse schématique de chacune des versions et reprise dans une série de tableaux comparatifs;

V. Une carte hors-texte de la distribution du type au Canada français;

VI. Un commentaire sur le contenu des versions canadiennes et leur place dans la tradition occidentale;

VII. Enfin en appendice: la liste des motifs et des contes-types cités dans cette étude.

Il m'est agréable de remercier ceux qui directement ou indirectement m'ont fourni la matière de la présente étude: en premier lieu les conteurs et collecteurs dont les noms paraissent dans la liste des versions canadiennes. Mes remerciements s'adressent au Musée National de l'Homme et à quelques organismes subventionnaires du temps passé. Enfin il me faut souligner de façon spéciale l'assistance de Margaret Low qui, en plus de vérifier l'analyse des versions et de contrôler la décomposition du type en ses éléments, a préparé les tableaux comparatifs et dressé l'index des motifs.

II. — VERSION DE CHARLEVOIX

Le Lion, le renard et l'ours.

C'était une fois un roi. Il avait une fille et il aurait voulu la marier. Mais il y avait un lion qui voulait avoir la fille, lui. Toujours que le roi, il disait au monde: «Celui qui passera une nuit avec le lion, il aura ma fille en mariage pour pas que le lion l'aye.»

Le lion en avait ben mangé un cent. Ils [les prétendants] soupaient avec le roi, le soir, et le roi les menait avec lui. Et s'ils avaient été en vie le lendemain matin, ils auraient eu la fille. Mais il y [en] avait ben un cent de morts comme ça.

Il y avait un nommé P'tit-Jean. Sa mère était veuve. Il dit:

— Moi, mouman, m'as y aller coucher avec le lion.

Elle [sa mère] a dit:

— Il y en a de plus grands qui y ont été et qui s' sont fait manger. Et moi, il y a rien que toi pour me faire vivre. Il faut pas que tu ailles te faire manger.

Mais il répond:

— J'y vas, j'y vas!

Toujours qu'il part. Il arrive chez le roi.

— Bonjour, mon roi!
— Bonjour, Tit-Jean! Viens-tu coucher avec mon lion?
— Oui, je viens coucher avec votre lion.
— Bien, le roi dit, il mange le monde, le lion.
— Mais seulement les ceuses qui se laissent manger.

Le roi le prend et il fait souper le lion et Tit-Jean comme il faut. Puis il mène Tit-Jean dans la bâtisse du lion. Ça fait que, rendu là, le lion dit à Tit-Jean:

— C'qu'on va faire? On est pas pour passer la nuit de même à rien faire.

Tit-Jean dit:

— Tiens, on va jouer aux cartes.

Ils jousent aux cartes une bonne secousse. Le lion dit:

— Tiens, je suis tanné, Tit-Jean.

Tit-Jean dit:

— Moi itou.

— Quel jeu qu'on va jouer?

Tit-Jean dit:

— On va balanciner.

— Comment, balanciner?

— Je vas te montrer.

Il y avait une balancine, une corde. Elle était attachée au plafond pour balanciner. Et Tit-Jean balancine une secousse, le premier. Le lion disait:

— Tit-Jean, ôte-toi, c'est mon tour de balanciner.

Tit-Jean disait:

— Attends encore un peu.

Toujours, quand le lion vient à s'impatienter, Tit-Jean débarque et il met le lion à sa place. Il attache le lion bien comme il faut sur la balancine pour pas qu'il se détache. Et il le fait balanciner tant qu'il peut. Après un petit bout de temps, le lion dit:

— Arrête! T'as pas balanciné si longtemps que ça, toi.

— Ah, il dit, j'ai balanciné bien plus longtemps.

Le lion avait beau essayer de se démancher, il était trop bien amarré. Tit-Jean l'envoye [si] fort que le lion touche au plancher d'haut à tous les coups. Toujours, quand il voit que le jour arrive, le lion aurait bien voulu le manger comme tous les autres pour avoir la fille du roi. Mais Tit-Jean le faisait balanciner bien plus fort. [Le lion dit] ∴

— Voyons, Tit-Jean, j'ai balanciné assez longtemps. J'ai tout le coton de la queue emporté.

Tit-Jean répond:

— Balancine encore un peu.

Voilà le soleil qui se lève et le roi qui arrive. Le roi dit:

— Bonjour, Tit-Jean. Ah! i' dit, mon lion, t'as trouvé ton maître.

— M'en parle pas! Tit-Jean m'a fait balanciner si fort que j'ai le coton de la queue emporté jusqu'aux os. Ah! c'est terrible.

Le roi dit:

— C'est bien. Tit-Jean, viens-t'en! Tu vas avoir la princesse.

Ça fait que le roi les marie et ils partent en voiture. Quand ils passent où il y avait un renard qui est au pied d'un arbre, guettant une poule dans l'arbre pour la manger, Tit-Jean dit:

— Dis-moi donc, mon renard, c'que tu fais là?

Le renard dit:

— Tu vois la poule qui est dans l'âbe? Je l'attends mais qu'elle descende pour la manger.

Tit-Jean dit:

— Si tu veux, m'as appointer une petite perche; m'as te la fourrer dans le derrière et m'as t'élonger au bout de mon bras pour prendre la poule.

Loin de l'élonger pour prendre la poule, il lui plante la perche dans le trou et la perche sort par le bec du renard.

Ça fait qu'il part. Il rembarque avec la princesse et ils se sauvent. Ils arrivent où c'qu'il y avait un ours qui fend du bois. L'ours avait de la misère. Tit-Jean lui dit:

— Dis-moi donc c'que tu fais là?

— M'en parle point! J'ai une misère. Depuis le matin que je suis après ça. Et la bûche rouvre point.

Tit-Jean dit:

— Donne-moi ta hache. M'as donner un coup de hache.

Il donne un coup de hache et la bûche rouvre. Et il dit à l'ours.

— Mets ta patte!

L'ours fourre sa patte. Loin de donner un coup de hache pour rouvrir la bûche, il jette la hache là, de côté. Embarque dans la voiture et se sauve. Le loup [lapsus de la conteuse qui veut dire l'ours] était resté pris là.

A c't'heure revenons au lion. Le lion part pour courir après la princesse pour manger Tit-Jean. Je suppose qu'il prend le même chemin qu'il avait pris. Arrive au renard. Dit au renard:

— Dis-moi donc c'que tu fais là?

— M'en parle point! [dit le renard]. Celui qui est marié à la princesse est passé par ici. Et il y avait une poule dans l'ar- bre. Il a appointé une petite perche pour m'aider à prendre la poule. Mais il m'a pas aidé. Il me l'a plantée dans le trou. Et tu vois la perche. Elle me sort par dans le bec.

Le lion dit:

— Coudon, veux-tu courir après lui avec moi? Moi je cours après. Je t'assure que Tit-Jean va faire un voyage, si on peut le poigner!

Ils partent tous les deux, mes amis, et ils marchent. Ils arrivent à l'ours. Le lion dit:

— Dis-moi donc, l'ours, c'que tu fais là?

— Ne m'en parle point! Celui qui a marié la fille du roi est passé par icitte. J'étais après fendre du bois de four. J'avais de la misère. Depuis le matin que j'étais à bardasser ça. Je ne venais pas à bout de le fendre. Il a dit: «Donne-moi ta hache». Et il a donné un coup de hache et la bûche a rouvri. Et comme de raison, il a fouté la hache là et il s'est sauvé. J'ai resté la patte prise.

Le lion dit:

— Veux-tu courir avec nous autres? On court après. Et on va le [lui] faire fouter un voyage!

L'ours dit:

— C'est bon!

Et ils partent. L'Ours marche rien que sur trois pattes. Il a de la misère à marcher.

La princesse les voit venir. Elle dit à Tit-Jean:

— Quand on pense! Voilà le lion, le renard et l'ours! On est morts!

— Ah! Tit-Jean dit. Décourage-toi point.

Il descend et prend sa corde. Il l'accroche par derrière sa voiture.

— Ah! Ah! dit le lion. Ah! Ah! Je vois bien. Tu m'as préparé ta balancine pour me faire balanciner. Mais tu me prendras point. J'ai encore le coton de la queue pas guéri. Moi, je revire de bord.

Et il revire de bord. Mais le renard et l'ours disent:

— On court encore!

Et ils courent encore après Tit-Jean. La princesse dit:

— Voilà l'ours et le renard qui viennent et ils ont l'air fâchés.

Tit-Jean dit:

— Arrête un peu. Je vas essayer de les faire revirer.

Il se déculotte. Il se met à [reculons] et voit sortir l'autre! [sic].

— Ah! Ah! dit le renard. Tu veux encore me fourrer ta perche dans le derrière mais tu m'y prendras point.

Et il se met à se sauver. L'ours dit:

— Moi, je cours encore.

Toujours qu'il approche. La princesse dit:

— L'ours approche. On est finis!
— Crains pas! dit Tit-Jean... [mots incompréhensibles].
— Ah! dit l'ours. Tu ouvres ta bûche pour me prendre la patte dedans mais tu m'y prendras point.

Toujours que lui aussi il revire. Et Tit-Jean s'est renculotté, s'est en retourné chez son père [chez le père de la princesse]. Après ça, on n'a pu rentendu parler d'eux autres. Je cré ben qu'ils sont encore là![9]

III. — ÉLÉMENTS DU CONTE. [10]

| T. 151: | épisodes | I, | II, | | IV, | V. |
| T. (AF) 151 A: | épisodes | I, | | III, | IV, | V. |

I. *Le héros.*

A: Le héros est un jeune homme; A1: le plus jeune de trois frères; A2: le fils d'une pauvre veuve; A3: qui se nomme Tit-Jean; A4: porte un autre nom; A5: est méprisé; A6: parce qu'on le croit innocent; A7: autre.

II. *Dans le bois.*

A: Le héros va bûcher dans le bois; A1: apporte le dîner à son père qui bûche dans le bois, A2: ou il se rend dans une forêt où des animaux sauvages dévorent les intrus; A3: autre.

B: Il apporte avec lui une hache; B1: un violon; B2: dont il joue en route; B3: un sac; B4: des collets; B5: ou autre chose.

III. *La princesse délivrée.*

A: Le roi fait proclamer qu'il donnera sa princesse en mariage à celui qui la délivrera d'un géant; A1: ou à celui qui passera la nuit avec le lion du roi; A2: autre.

---

9. Conté par Mme Gédéon Bouchard, aux Éboulements-en-Bas [aujourd'hui Saint-Joseph-de-la-Rive], en 1916. Appris d'un de ses cousins, qui était du Bic, Rimouski. [Elle disait à Marius Barbeau]: «Ça fait quarante-six ans que je suis icite, moi. C'était ben long-temps avant ça que j'ai entendu ce conte-là.»

Madame Bouchard (Olympe Dupéré) est née à Saint-Fabien de Rimouski vers 1841. Elle a épousé Gédéon Bouchard, aux Éboulements, en 1876. Elle avait 75 ou 76 ans lorsqu'à l'été 1916 elle conta à Marius Barbeau cinquante-deux contes, tous inédits, moins un à part celui qu'on vient de lire.

10. Dans le catalogue international de l'Aarne-Thompson, ce type est intitulé: *The Man Teaches Bears to Play the Fiddle.* Dans le troisième tome du catalogue du Conte populaire français, M.-L. Tenèze a mis comme titre: *Les animaux déjoués par l'homme.*

B: Après que plusieurs autres ont échoué; B1: y compris ses frères aînés que le lion a dévorés; B2: le héros décide d'aller délivrer (gagner) la princesse.

C: Le héros apporte avec lui un jeu de cartes; C1: des cordes ou une balançoire; C2: des bonbons ou des noisettes; C3: des cailloux; C4: ou autre chose.

D: Le héros arrive chez (ou rencontre) le géant (le lion); D1: et doit trouver moyen d'apaiser celui-ci qui veut le dévorer.

E. Le héros lui promet des friandises; E1: mais lui donne des cailloux (mélangés à des bonbons); E2: tandis qu'il mange lui-même des noisettes: Cf. T. 1061; E3: et le géant (lion) est incapable de les manger; E4: il se casse les dents; E5: et croit que le héros a de meilleures dents que lui.

F: Le héros lui propose de jouer aux cartes; F1: et laisse gagner son adversaire.

G: Le héros propose au géant (lion) de se balancer et construit une balançoire avec des cordes ou installe la balançoire qu'il a apportée; G1: après s'être balancé lui-même (ou après avoir fait balancer la princesse) pour montrer qu'il n'y a pas de danger; G2: il fait balancer le géant (lion); G3: autre.

H: Sous prétexte de l'empêcher de tomber; H1: le héros attache son adversaire avec des cordes; H2: et celui-ci s'endort; H3: ou bien le héros commande à sa balançoire de coller le géant (lion) au plafond; H4: il détache la balançoire; H5: et sa victime reste prise.

I: Le héros part; I1: avec la princesse; I2: qu'il épouse; I3: et apporte l'argent du géant; I4: autre.

IV. *Les animaux mis à mal.*

A: Le héros rencontre un animal ou successivement plusieurs animaux; A1: soit un renard; A2: un ours; A3: un loup; A4: un cochon; A5: un lièvre; A6: ou un autre animal; A7: qui menace(nt) de le manger.

B: Le héros feint d'aider l'animal à monter dans un arbre; B1: à atteindre sa proie; B2: à se faire rallonger la patte; B3: à fendre du bois; B4: à boire dans une fontaine; B5: à se balancer (Cf. ci-dessus III. G, G2, H, H1, H4); B6: à jouer du violon: Cf. Aa.-Th. T. 1159; B7: ou il prétend avoir besoin de l'aide de l'animal; B8: ou il donne à manger ou à boire à celui-ci.

C: Le héros plante le bout d'une perche dans le derrière de l'animal et l'autre bout dans la terre; C1: il coupe la patte de l'animal; C2: il l'incite à mettre une patte dans la fente d'un arbre ou d'une bûche: Cf. T. 38; C3: et retire sa hache; C4: il l'incite à rentrer dans un sac ou dans un piège; C5: et fait revoler sa victime jusqu'en haut d'un arbre; C6: ou il fait un nœud dans la queue de l'animal et l'accroche à un arbre; C7: ou il le laisse tomber dans la fontaine où il veut boire; C8: ou bien il déjoue l'animal autrement.

D: L'animal reste pris; D1: et le héros continue sa route.

V. *La vengeance manquée.*

A: Les animaux se déprennent; A1: ou le plus fort parmi eux (ou le géant) se déprend et délivre l'autre (les autres) qu'il rencontre dans son chemin; A2: les animaux se racontent les mauvais tours que le héros leur a joués et vont ensemble à sa poursuite; A3: autre.

B. À l'approche des animaux, le héros (et la princesse) se cachen(nt); B1: ou le héros se réfugie dans un arbre: Cf. T. 162*; B2: ou il baisse ses culottes; B3: et s'avance vers eux à reculons.

C: Les animaux essaient de le prendre chacun à leur tour; C1: ou tous ensemble.

D: Les animaux (et le géant) croient voir dans l'anatomie du héros déculotté le piège où ils avaient été pris: Cf. T. 1159; D1: soit la fente de l'arbre; D2: le sac; D3: la perche; D4: ou autre.

E: Ou bien le héros montre simplement les objets de leur supplice; E1: une balançoire (des cordes); E2: une perche; E3: une hache; E4: une étendue d'eau; E5: ou un autre objet.

F: Les animaux ont peur et prennent la fuite; F1: le héros conduit la princesse chez son père; F2: et il l'épouse; F3: autre.

IV. — LISTE DES VERSIONS

1. Nouveau-Brunswick, Gloucester, Île Shippagan, Saint-Raphaël-sur-Mer.

AF, coll. Luc Lacourcière et Félix-Antoine Savard, enreg. 913. *La parche, la hache et la balancine.* Conté par Octave Chiasson, 61 ans, en juillet 1950.

(Forme A) I. A, A4 (Jack), A5, A6. — III. A, B, B2, C, C1 (une balancine), C2 (noisettes), D (chez le géant), D1 (il dit vouloir s'engager «pour haler du bœuf» avec le géant), F, F1, E, E1, E2, E3, E5, G, G1 (la princesse), G2, H3 («dans deux coups, colle-z-y l'cul dans l' pignon d' la maison!»), H4, H5, I, I1, I3. — IV. A, A2, B, B1 (une perdrix, dans un arbre), C, D. D1, A1, B2, B1 (des fourmis), C1, D, D1. — V. A1 (le géant), A2, B (et la princesse), C, E, E2, E3, E1, C1, E, F, F1, F2.

2. Nouveau-Brunswick, Gloucester, Île Shippagan, Saint-Raphaël-sur-Mer.

AF, coll. Luc Lacourcière et Félix- Antoine Savard, enreg. 1265. *La princesse enfermée par un géant.* Conté par Onias Ferron, 18 ans, le 1er août 1952. (Ce conteur est décédé accidentellement, en mai 1974, à l'âge de 40 ans).

(Forme A) I. A, A6 (il était «un porc fin, un fou»). — III. A, B, B2, C1 (une balancine), C4 (une hache), D (le géant). — pour pouvoir entrer dans le château, il coupe le cou à trois géants, en les incitant à passer la tête par un trou: = Motif K912, T. 304. — D1, G, G1 (la princesse), G2, H3, H5, I, I1, I3. — IV. A, A1, B («As-tu un plan pour que j' peux monter là?»), C, D, D1, A2, B2, B1 (pour atteindre un écureuil sous une souche), C1, D1. — V. A, A2, B, C, E, E2, E3, E1, C1, E, F, F1, F3 (quand d'autres hommes se présentent comme le libérateur de la princesse, le héros montre comme preuves sa hache, sa perche et sa balancine).

3. Nouveau-Brunswick, Madawaska, Sainte-Anne, chemin Sirois.

AF, coll. Hélène Bernier, enreg. H-82. *L'ours blanc.* Conté par Mme Xavier Martin (née Odélie Lizotte), 63 ans, en août 1957.

1. A, A3. — II. A2 (il y est envoyé par le roi; on dit que Tit-Jean s'est vanté de pouvoir rapporter des pommes d'une forêt où un ours blanc dévore les intrus), B4 (des câbles), B5 (un baril de mélasse et une tonne de vin). — IV. A (un), A2 (l'ours blanc), A7, B8, (le héros donne la mélasse et le vin à l'ours blanc; quand celui-ci est ivre, Tit-Jean pénètre dans la forêt), B5 (l'ours voit le héros qui s'amuse à se balancer avec des câbles attachés aux pommiers et veut faire la même chose: III. G1, G2), C8 (le héros attache l'ours avec les câbles: III. H1), D, D1 (le héros se rend chez le roi et lui remet les pommes).

Dans cette version, un épisode du T. 151 est intercalé dans le T. 531, *Ferdinand the True and Ferdinand the False,* et est complètement adapté à ce type, même dans ses détails. Dans le récit qui suit, la même informatrice conte une version intégrale du T. 151, où le géant est incité à se balancer de la même façon que l'ours blanc dans le no 3.

4. Nouveau-Brunswick, Madawaska, Sainte-Anne, chemin Sirois.

AF, coll. Catherine Jolicœur, enreg. 2020. *En haut, ça baisse.* Conté par Mme Xavier Martin (née Odélie Lizotte), 80 ans, le 15 avril 1974.

I. A, A3. — III. D (il rencontre un géant), G, G3 (le géant suggère de se balancer chez lui un jour et le lendemain, chez

Tit-Jean), G1, G2 (lendemain), H1, H5, I. — V. A1 (le géant se déprend et rencontre le renard qu'il envoie à la poursuite du héros). — IV. A, A1, C, D, D1. — V. A1. — IV. A2 (le géant envoie l'ours ensuite), B7 (fendre du bois), C2, C3, D, D1. — V. A1, C, E, E2, E1, D, D1, F.

5. Québec, Bagot, Saint-Théodore d'Acton, 7e rang.

AF. coll. Conrad Laforte, enreg. L-656. *Tit-Jean et le violon*. Conté par Delphis Daigneault, 80 ans, le 24 septembre 1959.

I. A, A3. — II. A1, B, B1, B2. — IV. A, A2, A7, B6, C2, D, D1 (tout en jouant du violon), A1, A7, B6, C4 (sac), D, D1 (en jouant toujours du violon), A5, B6, C4 (collet d'arji-boire), C5, D, D1. — V. A1 (l'ours), A2 (ils décident: «on le mangera de société»), B2 (parce qu'il «avait envie de faire la job»), D, D1, D2, D4 (collet), F.

6. Québec, Bellechasse, Saint-Camille.

AF, coll. Jean-Pierre Pichette, enreg. 866. *Le renard, l'ours et le bûcheron*. Conté par Rosaire Vermette, 71 ans, le 11 août 1978. Le conteur a appris ce récit il y a cinquante-cinq ans de son oncle, Joseph Vermette. 2 p.ms.

I. A, A7 (un bûcheron). — II. A, B. — IV. A, A2, A7, B7 (l'homme: «Avant que tu me manges, on va jouer un jeu tous les deux»), B3, C2 («Mets ta patte là-dedans là, j'ôte ma hache»), C3, D, D1. — V. A3 (un renard déprend l'ours et promet à celui-ci: «Je m'en vas courir après, moi, je vas le *poigner*»). — IV. A, A1, A7, B7 (l'homme fait un nœud coulant dans un lacet, qu'il a attaché à une branche pliée, et passe le collet dans le cou du renard; «Tiens bien ça ici, il dit, j'ai d'autres choses à faire, moi»), C5, D, D1. — V. A1 (l'ours arrive et déprend le renard), B2, D, D1, F.

7. Québec, Charlevoix, Baie-Saint-Paul, Saint-Ours.

AF, coll. Luc Lacourcière, enreg. 3552. *Les Ravages du Renard*. Conté par Mme Onésime Lavoie (née Claudia Gauthier), 71 ans, le 1er août 1958. 3 p.ms.

I. A (un gars). — II. A3 (il cherche ses volailles). — IV. A, A1 (le renard qui a mangé ses volailles), C (il lui «pique une baguette au derrière pis il pique la baguette dans l' champ. Là il était tranquille. C'était çartain!»).

Cet épisode vient clore le conte-type 124.

8. Québec, Charlevoix, Éboulements-en-Bas [Saint-Joseph-de-la-Rive].

MNO, coll. Marius Barbeau, ms no 118. *Le Lion, le renard et l'ours*. Conté par Mme Gédéon Bouchard (née Olympe Dupéré), en 1916. La date de naissance de l'informatrice est inconnue mais on sait qu'elle s'est mariée en 1876.

C'est le récit de Barbeau que nous reproduisons ci-dessus: II. — Version de Charlevoix.

9. Québec, Charlevoix, Saint-Aimé-des-Lacs.

AF, coll. Luc Lacourcière, enreg. 2142. *La craque*. Conté par Zévin Gaudreault, 81 ans, le 9 octobre 1954.

I. A. — II. A, B. — IV. A, A2, A7, B7, B3, C2, C3, D, D1. — V. A, B2, D, D1, F.

Cette version est quelque peu abrégée.

10. Québec, Chicoutimi, L'Anse-Saint-Jean.

AF, coll. Conrad Laforte, enreg. L-10. *Le diable en ours*. Conté par Auguste Boudreault, 80 ans, le 15 juillet 1954. 1 p.ms.

I. A. — II. A, B. — IV. A, A2 (le héros «sacrait des fois. ...Ça fait qu' c' qui r'ssoud? L' guiâbe. Il était en ours»), B7, B3, C2, C3 (il retire son coin), D, D1. — V. A, B2, D, D1, F.

11. Québec, Chicoutimi, L'Anse-Saint-Jean.

AF, coll. Conrad Laforte, enreg. L-14. *Les animaux parlant*. Conté par Armand Simard, 54 ans, le 17 juillet 1954.

I. A, A3 — II. A3 (il va gagner de l'argent pour faire vivre ses parents), A2 («Pour aller travailler, foulait qu'i' passe d'une forêt de six milles. Dans cette forêt-là, y avait des bêtes, des bêtes savantes qu'i' appellent, i' parlaient. I' étaient dangereuses, i' étaient ben malignes.»), B1, B3 (sac de galettes). — IV. A, A5, A7, B8 (des galettes), B6 (Tit-Jean joue du violon et le lièvre danse. Celui-ci menace de manger le héros s'il ne lui donne pas son violon. Le héros dit que le lièvre doit d'abord jouer un petit jeu), C5 (il attache un bout d'une corde au cou du lièvre et l'autre bout, à un arbre qu'il a plié), D, D1, A2, A7, B8, B6 (l'animal veut garder le violon), C2, C3, D, D1, A3, A7, B8, B6, C4, D, D1. — V. A, B2, B3, C1, D, D3, D1, D2, F.

12. Québec, Chicoutimi, L'Anse-Saint-Jean.

AF, coll. Conrad Laforte, enreg. L-258. *L'ours et la craque.* Conté par Raphaël Bernier, 25 ans, le 21 juillet 1955.

I. A, A7 («un gars pas riche»). — II. A (il s'engage chez un habitant pour bûcher du bois), B. — IV. A, A2 (un ours arrive à lui), A7 («Je suis roi de la forêt. Je t'étrangle!»), B7 (l'arbre penche mais ne tombe pas. Le héros dit à l'ours: «Si tu es si fort que ça, tu vas faire tomber mon arbre»), C2, D, D1 («le gars se sauve»), A1, C6, D, D1. — V. A1 (l'ours), A2, B2, B3, D, D1 («Regarde le craque qu'il m'a pogné la patte!»), D3 (la brimbale), (F).

13. Québec, Kamouraska, Rivière-Ouelle.

AF, coll. Hélène Bernier, enreg. H-39. *P'tit Jean, le lion, l'ours et le cochon.* Conté par Joseph Lizotte, 71 ans, en août 1956. 11 p.ms. (Cf. la vers. suivante).

(Forme A) I. A, A1, A2, A3. — III. A1 (dans la cage du lion), B, B1, B2, C, C1 (des câbles), C2 (bonbons), C3, D, D1 (il lui conte des contes), F, F1, E, E1 (cailloux dans les bonbons), E3, G, G1, H2, I (pour se rendre chez lui). — IV. A, A1, B3, C2, D, D1, A4, B4, C7, D1. — V. A1 (le roi, qui regrette d'avoir promis la main de sa fille au héros, laisse partir le lion), B1, C, E, E1, E3, E5 (un trou), F, F3 (le héros rentre chez lui pour annoncer à sa mère qu'il va épouser la princesse), (F2)

14. Québec, Kamouraska, Rivière-Ouelle.

AF, coll. Julien Dupont, enreg. 96. *Tit-Jean*. Conté par Joseph Lizotte, 78 ans, le 20 août 1963. (Cf. la vers. précédente).

(Forme A) I. A, A1, A2, A3. — III. A1, B, B1, B2, C, C1 (cordes), C2 (des avalines), C3, D, D1 (il lui conte des histoires), E, E1 (cailloux dans des bonbons), E3, F, F1, G, G1, G2, H, H1, H2, I (il s'en va chez lui). — IV. A, A1, B3, C2, D, D1, A4, B4, C7, D1. — V. A1, A2, B1, C, E, E1, E3, E4 (une rivière), F, F3 (il retourne chez lui pour annoncer à sa mère qu'il va épouser la princesse), (F2)

15. Québec, Kamouraska, Saint-Denis.

AF, coll. Julien Dupont, enreg. 36. *Tit-Jean et le lion du roi*. Conté par Mme Roger Garon (née Thérèse Raymond), 36 ans, le 25 août 1962. Appris de Mme Albert Dupont. (Cf. la vers. suivante).

(Forme A) I. A, A2, A3. — III. A1, B2, C, C1 (cordes), C2 (des avalines), C3, D (il entre dans la cage du lion), D1 (il dit qu'il a toute la nuit pour le manger), F, F1, E, E1 (avec des bonbons), G, G1, G2, H2, H1, I (il va voir sa mère pour lui raconter ce qui s'est passé), 11, 12.

16. Québec, Kamouraska, Saint-Denis.

AF, coll. Julien Dupont, enreg. 62. *Tit-Jean*. Conté par Mme Albert Dupont (née Théodora Lizotte), 66 ans, en novembre 1962. (Cf. la vers. précédente).

(Forme A) I. A, A3. — III. A1, B2, C, C1 (cordes), C2 (des avalines), C3. — IV. A, A4, B4, C7, D1, A1, B3, C2, D, D1. — III. D, D1, F, F1, E, E1 (avec des bonbons), E4, G, G2, H, H1, I. — V. A1 (le roi le détache), A2, B1, C, E, E1, E3, E4 (une fontaine), F, F1, F2 (le roi est obligé de lui donner sa fille en mariage).

17. Québec, Labelle, Mont-Laurier, Foyer Sainte-Anne.

AF, coll. Normand Lafleur et Lucien Ouellet, enreg. 109. *Le bûcheron, le loup, le renard et l'ours.* Conté par John Lauzon, 79 ans, le 19 septembre 1965. 1 p.ms.

I. A (un gars). — II. A, B. — IV. A, A3, A7, B7 (pour retirer sa hache qui est prise dans un arbre), C2, C3, D, D1, A2, A7, B8 («il lui donne son lunch dans le sac»), C4 («et lui prend la tête dans le sac»), D, D1, A1, B5 («il prend la grande parche pis i' l' prend là»), D, D1. — V. A1 (le loup), A2, B2, D, D1 (la craque), D2, D3, F.

18. Québec, Lac-Saint-Jean, Hébertville (Village).

AF, coll. Conrad Laforte, enreg. L-500. *L'ours dans la craque.* Conté par Arthur Tremblay, 75 ans, le 31 juillet 1956. 5 p.ms.

I. A1 (un gars), — II. A2 (le propriétaire promet deux mille piastres à celui qui traversera cette forêt), B1, B3, B4. — IV. A, A5 (un gros lièvre), A7, B6 (le héros lui joue un bel air de violon et le lièvre veut jouer à son tour), C4 (parce qu'il dit que le lièvre est trop «racourbillé» pour jouer et qu'il faut l'étirer), C5, D, D1, A1, A7, B6, C4 (il dit que le renard est trop élancé et qu'il faut le racourbiller dans une poche), D, D1, A2, A7, B6, C2 (il dit que l'ours a la patte trop «grouffe»), C3, D, D1. — V. A1 (l'ours), A2, B2, B3, D, D3, D2 (la poche), D1 (la craque), F.

19. Québec, Lac-Saint-Jean, Sainte-Jeanne d'Arc.

AF, coll. Conrad Laforte, enreg. L-788. *L'engagé du diable.* Conté par Joseph Trahan, 66 ans, le 29 octobre 1959.

I. A, A3. — II. A3 (ayant quitté l'emploi du diable: T. 314, il traverse un bois). — IV. A, A1, B, B1 (corneille), C, D, D1, A2, B1 (*frémilles* dans un corps d'arbre), C2 (ayant coupé une *craque* ou une fente dans l'arbre), D, D1, A6 (un gros lion: III. D), B5 (III, G, G2, H1), C5 (il attache le lion à une branche avec des câbles), D, D1. — III. I4 (le héros rencontre une jeune fille). — V. A, A2, B2, (il se met la tête entre les deux jambes), C1, D, D3 (baguette), D4 (cordes), D1 (la jeune fille se place à côté du héros; l'ours croit que le héros a toujours sa *craque* pour lui prendre la patte: Cf. T. 1159), F, F3 (le héros part avec la jeune fille; celle-ci lui a sauté au cou en voyant sa chevelure et son doigt en or: = T. 314).

Dans cette version, le T. 151 suit le T. 314, *The Youth Transformed to a Horse,* avec quelques éléments du T. 475, *The Man as Heater of Hell's Kettle.*

20. Québec, Montmorency (L'Ile d'Orléans), Saint-Jean.

Dans Raymond Létourneau, *Un visage de l'Île d'Orléans, Saint-Jean,* (Les presses de l'Éclaireur, Ltée, Beauceville, XIV - 436 p.), p. 382. L'auteur présente ce récit tel que le contait son oncle Arthur Breton, quand «lors de son aventure avec l'ours, il l'avait échappé belle».

I. A, A7 (le récit est conté à la première personne, comme fait vécu). — II. A, B. — IV. A, A2, B7, B3, C2, C3 (son coin), D, D1. — V. A, B2, D, D1, F.

21. États-Unis d'Amérique, Missouri, Old Mines.

P'tsit Jean, l'lion, l'loup pis l'eurenard. Conté par Joseph Ben Coleman, 40 ans. Recueilli entre 1934 et 1936. Dans Carrière, *Tales,* no 2, pp. 21-23.

I. A, A3. — III. D (le héros, qui s'est égaré, demande à un vieillard s'il peut passer la nuit chez lui; l'homme l'enferme dans une chambre avec un lion), D1 (le héros dit qu'il va lui montrer un jeu), G1 (il passe les doigts dans des trous qu'il avait percés dans un soliveau et il se balance), G2 (il attache la queue du lion dans les trous et celui-ci reste pris), I. — IV. A, A6, A7, B8 (pour ne pas être dévoré), B3, C2, D, D1, A2, B5, C, D, D1 (il se rend chez lui). — V. A1, A2, C, E (P'tsit Jean, qui est en train de travailler dans sa forge, perce un trou dans un boulin; il enfonce son coin dans un morceau de bois; il appointe un bois avec sa hache), F.

Version à titre de comparaison:

22. États-Unis d'Amérique, Missouri, Old Mines.

L' p'tit garçon pis l' maquois. Conté par Joseph Ben Coleman, 40 ans. Recueilli entre 1934 et 1936. Publié dans Joseph-Médard Carrière, *Tales from the French Folk-Lore of Missouri,* Evanston & Chicago, Northwestern University, 1937, vii + 354 p.), no 5, pp. 27-29.

Résumé

Un garçon tue une sauterelle d'un coup de flèche. Il se présente chez le maquois [singe] et le supplie de lui ouvrir sa porte car il fait froid. Le maquois le laisse entrer à condition qu'il ne mette pas de bourrier [saleté] dans sa nourriture.

Le garçon tient la sauterelle par-dessus la marmite du maquois et celui-ci menace de le pendre. Le maquois va chercher un câble, mais le garçon réussit à le lui ôter et à suspendre le maquois dans un grand «cotongnier» [sycomore]. Par la suite, le loup arrive et coupe le câble.

Le lendemain le garçon revient. Le maquois est parti à la chasse mais le loup est là qui prépare le dîner. Le même épisode se répète et le garçon suspend le loup dans l'arbre. Le maquois revient mais refuse de grimper aussi haut pour couper le câble.

Le jour après, c'est le maquois qui est suspendu à son tour «drétte à ras dzu loup». Le garçon prend la marmite de viande et rentre chez lui.

Motif: **(AF) K 619.4.** [11]

---

11. Carrière met en appendice à ses contes un index de motifs d'après le *Motif-Index* de Thompson (édition 1932-1935), suivi d'une longue liste de motifs non signalés par Thompson. Il classifie ses nouveaux motifs selon les subdivisions de Thompson, sans créer toutefois des cotes individuelles. Carrière a formulé en effet un nouveau motif pour le conte que nous venons de résumer. Voici sa définition qu'il a placée dans la subdivision K 500, (et que depuis nous avons précisée comme étant (AF) K619.4): «Boy who is to be hanged by animal for misdemeanor steals rope and hangs animal instead».

Conte-type 151 (151 A):
LES ANIMAUX (ET LE GÉANT) DÉJOUÉS PAR L'HOMME.

	1	2	3	4	5	6	7	8	9	10	11	12	13	14	15	16	17	18	19	20	21
Le héros se rend dans la forêt ou dans le bois pour une raison quelconque			x		x	x	x		x	x	x	x					x	x	x	x	
Ou il décide de délivrer une princesse qui est gardée par un géant	x	x																			
ou de gagner la main de la princesse en passant la nuit avec le lion du roi				x				x					x	x	x	x					
sachant que plusieurs hommes y ont perdu la vie	x	x						x					x	x							
y compris ses propres frères													x	x							
Ou bien le héros rencontre un géant ou un lion dans d'autres circonstances																					x
Il donne des cailloux (et des bonbons) à son adversaire	x												x	x	x	x			x		
tandis qu'il mange des noisettes	x														x	x					
Il joue aux cartes avec l'adversaire	x							x					x	x	x	x					
et laisse gagner celui-ci	x												x	x	x	x					
Le héros incite le géant ou le lion à se balancer	x	x	x	x				x					x	x	x	x			x		x
après qu'il s'est balancé lui-même	x	x	x	x										x	x						x
ou que la princesse s'est balancée	x	x																			
et il attache l'adversaire avec des cordes			x	x				x					x	x	x	x			x		

ou il commande à sa balançoire magique de coller l'adversaire au plafond	x	x
Le héros part	x	x
accompagné de la princesse	x	x

(suite)

Le héros part	x	x		x				x						x	x	x
accompagné de la princesse	x	x						x							x	x

Conte-type 151 (151 A) (2)

	1	2	3	4	5	6	7	8	9	10	11	12	13	14	15	16	17	18	19	20	21
Le héros rencontre un renard	x	x	x	x	x	x	x	x	x	x	x	x	x	x	x	x	x	x	x		
un ours	x	x	x	x	x	x		x	x	x	x	x				x	x	x	x	x	x
un loup											x						x				
un cochon													x	x		x					
un lièvre					x													x			
ou (et) un autre animal											x								x		
qui menace de le dévorer			x		x	x			x	x	x	x				x	x	x		x	x
Le héros prétend aider l'animal à monter dans un arbre	x	x						x											x		
à atteindre sa proie	x	x						x										x			
à étirer la patte	x	x																			
à fendre du bois									x	(x)	(x)		x	x		x				x	x
à boire dans une fontaine													x	x		x				x	x
à se balancer			x		x						x						x		x		
à jouer du violon					x						x				x			x	x		
ou il prétend avoir besoin de l'aide de l'animal				x		x			x	x		x					x				

	1	2	3	4	5	6	7	8	9	10	11	12	13	14	15	16	17	18	19	20	21
ou il donne à manger ou à boire à l'animal		x															x				x
Le héros plante un bout d'une perche dans le derrière de l'animal et l'autre bout dans la terre	x	x		x				x											x		x
il coupe la patte de l'animal	x	x		x				x													
lui fait prendre la patte dans une fente d'arbre				x	x	x	x	x	x	x	x	x	x	x		x	x	x	x	x	x
et retire sa hache				x	x	x	x	x	x	x	x						x	x			
il fait rentrer l'animal dans un piège (un sac)					x	x					x						x	x		x	
et fait revoler l'animal dans un arbre					x	x					x						x	x	x		
il fait un noeud dans la queue de l'animal et accroche sa victime dans un arbre												x									
ou il la laisse tomber dans une fontaine													x	x		x					
et il continue sa route	x	x	x	x	x	x	x	x	x	x	x	x	x	x		x	x	x	x	x	x

Conte-type 151 (151 A) (3)

	1	2	3	4	5	6	7	8	9	10	11	12	13	14	15	16	17	18	19	20	21
Les animaux se déprennent		x								x	x								x	x	
ou le plus fort d'entre eux se déprend et délivre les autres	x				x			x				x	x	x		x	x	x	x		x
et ils partent à la poursuite du héros	x				x			x	x	x	x	x	x	x		x	x	x	x	x	x
Le héros voit venir les animaux et il se cache	x	x																			

	1	2	3	4	5	6	7	8	9	10	11	12	13	14	15	16	17	18	19	20	21
monte dans un arbre													x	x		x					
ou il se déculotte						x		x	x	x	x	x						x	x	x	
et s'avance vers eux à reculons											x	x						x			
Les animaux croient voir les objets de leur supplice dans l'anatomie du héros					x	x			x	x	x	x					x	x	x		
ou celui-ci leur montre les objets mêmes		x		x				x					x	x		x					x
Les animaux se sauvent		x		x	x			x	x	x	x	x	x	x		x	x	x	x	x	x
Le héros accompagne la princesse chez son père	x	x						x						x			x				
et il épouse la princesse	x												x	x			x				

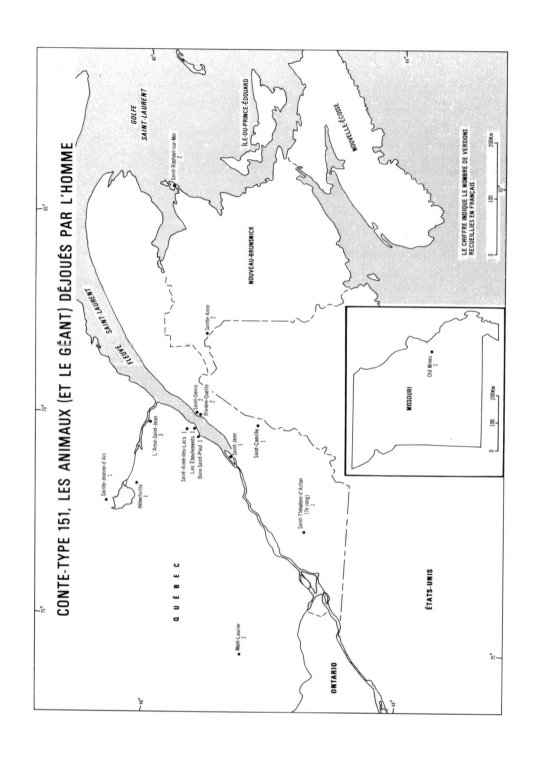

CONTE-TYPE 151, LES ANIMAUX (ET LE GÉANT) DÉJOUÉS PAR L'HOMME

QUÉBEC

ONTARIO

ÉTATS-UNIS

FLEUVE SAINT-LAURENT

GOLFE SAINT-LAURENT

NOUVEAU-BRUNSWICK

ÎLE-DU-PRINCE-ÉDOUARD

NOUVELLE-ÉCOSSE

Sainte-Jeanne-d'Arc
1

Hébertville
1

L'Anse-Saint-Jean
3

Saint-Aimé-des-Lacs 1
Les Éboulements 1
Baie-Saint-Paul 1

Saint-Denis
2
Rivière-Ouelle
2

Saint-Jean
1

Saint-Camille
1

Sainte-Aimé
2

Saint-Raphaël-sur-Mer
2

Saint-Théodore-d'Acton
(7e rang)
1

Mont-Laurier
1

MISSOURI

Old Mines
1

0   100   200Km

LE CHIFFRE INDIQUE LE NOMBRE DE VERSIONS
RECUEILLIES EN FRANÇAIS

0   100   200km

VI. — COMMENTAIRE

Il y a lieu pour ce type de distinguer une forme A qui se définit surtout par la présence de l'épisode III. Le tiers de nos versions ont cette forme.[12] Elles ne diffèrent pas des autres récits quant aux éléments de base, mais elles ont un encadrement plus complexe qui relève du conte merveilleux, de même que plusieurs traits et motifs individuels. Citons en exemple la présence d'une princesse à délivrer, d'un géant, d'une balançoire magique qui obéit à son maître, de même que certains traits du cycle de l'ogre stupide à qui le héros donne des cailloux tandis qu'il mange des noisettes (T. 1061). Le motif qui revient avec la plus grande fréquence dans la forme A c'est celui du héros qui incite le géant ou le lion à se balancer afin de l'immobiliser.

L'épisode IV, dans lequel le héros déjoue différents animaux, est commun aux deux formes de ce type. Le motif le plus répandu dans nos versions est celui de la patte d'un animal qui est prise dans une fente d'arbre (seize versions). Vient en second lieu, comme supplice, le bâton enfoncé dans le derrière d'un animal (sept versions). Les deux formes ont comme dénouement un épisode réaliste mais assez amusant, qui frise la grivoiserie. Les animaux se déprennent et veulent se venger, mais ils sont encore une fois déjoués par le héros. Ils se sauvent en voyant les objets mêmes de leur supplice (huit versions), ou en croyant les reconnaître dans l'anatomie du héros (onze versions).

Ce conte-type est assez fruste. Il présente un comique cruel, bien que cette cruauté soit quelque peu atténuée par le fait que le plus souvent le héros empale ou blesse les animaux pour sauver sa vie et aussi que les blessures infligées aux animaux ne semblent pas les handicaper de façon permanente.

---

12. Cf. la liste des versions, nos 1, 2, 8, 13, 14, 15 et 16.

Si l'on compare les versions françaises d'Amérique avec celles de la France,[13] on est frappé d'abord par la similarité entre ces deux traditions. Le cadre du récit et les motifs principaux sont identiques. Par exemple, les motifs d'inciter un lion ou un géant à se balancer et un autre animal à se faire prendre la patte dans une fente d'arbre figurent tous les deux une douzaine de fois en Amérique du Nord et en France.[14]

Cependant il y a évidemment quelques motifs qu'on a retrouvés uniquement dans l'une ou l'autre de ces traditions. La balançoire magique et le rôle joué par le géant appartiennent à la tradition canadienne, tandis que le jeu d'être «serré au maximum par des vis» n'est signalé qu'en France.

Il faut noter aussi qu'on a recueilli à peu près le même nombre de versions de ce type en français en Amérique du Nord (vingt-et-une versions) et en France (dix-sept versions). Ceci fait contraste avec plusieurs autres contes d'animaux, surtout ceux dont la survie a été assurée par l'imprimé (par exemple, le T. 124), où la France l'emporte en nombre sur le Canada. Le contraire est vrai pour la plupart des contes merveilleux car alors les versions canadiennes sont très souvent plus nombreuses que celles de la France. Que le T. 151 se retrouve avec à peu près la même fréquence chez nous et en France s'explique probablement par le fait que la structure de ce conte est aussi complexe que celle des contes merveilleux et par l'absence de parallèle publié.

Le Type 151 a été très peu étudié par les folkloristes. Il échappe à l'influence des fables et n'a pas inspiré de littérateurs. Cependant, il faut noter que la version des frères

---

13. Voir le Type 151, dans Marie-Louise Tenèze (et Paul Delarue), *Le conte populaire français,* Tome Troisième, [*Contes d'animaux*], Paris, Éditions G.-P. Maisonneuve et Larose, 1976, (xi + 507 p).

14. Notons pour mémoire que le supplice de l'animal qui est incité à se mettre dans un collet d'arjiboire ou dans un sac et qui est projeté au sommet d'un arbre (motif: AFK 1113.2) figure dans plusieurs versions canadiennes du T. 151 et aussi, sous une forme intéressante, en France. Dans un récit du renard et du loup, ayant plusieurs épisodes, le renard attache le loup «à l'arbre, qui, en se redressant, lance L. en l'air». Madame Tenèze place ce motif au Type 1051. (*Le conte populaire français,* III, p. 468).

Grimm (no 8) est assez connue. [15] Chez eux, ce récit est caracté-
risé par le fait que le protagoniste joue du violon et déjoue des
animaux qui veulent apprendre à jouer à leur tour. De cette
version vient le titre critique du catalogue international: *The
Man Teaches Bears to Play the Fiddle.*

Le motif du violon ne figure pas dans la décomposition
française de Tenèze et ne se trouve au Canada que dans trois
versions (les nos 5, 11 et 18). Ces récits canadiens ressemblent
beaucoup à la version allemande du point de vue des animaux-
victimes et aussi de leurs supplices, comme le montre le
tableau suivant:

Grimm, no 8	Canada, no 5	Canada, no 11	Canada, no 18
1. le héros:			
un joueur de violon	un joueur de violon	un joueur de violon	un joueur de violon
2. les animaux-victimes:			
un loup	un ours	un ours	un ours
un renard	un renard	un loup	un renard
un lièvre	un lièvre	un lièvre	un lièvre
3. les supplices:			
sa patte est prise dans une fente d'arbre	sa patte est prise dans une fente d'arbre	sa patte est prise dans une fente d'arbre	sa patte est prise dans une fente d'arbre
les pattes attachées à deux arbres, l'animal revole dans l'air	id.: il est pris dans un collet d'arjiboire	l'animal est enfermé dans un sac	l'animal est pris dans un piège et revole en haut d'un arbre
une corde au cou, l'animal est incité à courir autour d'un arbre	pris dans un sac, l'animal est suspendu dans un arbre	une corde au cou, l'animal revole en haut d'un arbre	pris dans une poche, l'animal est suspendu dans un arbre

Ce qui différencie les versions canadiennes de l'allemande est le dénouement. Chez les Grimm, le joueur de vio-

---

15. Jacob et Wilhelm Grimm, *Les Contes: Kinder-und Hausmärchen,* Texte français
et présentation par Armel Guerne, Paris, Flammarion, [C 1967], 1973, 1039 p. (Collection
«L'Âge d'or», dirigée par Henri Parisot).

lon a la vie sauve quand les animaux vengeurs sont mis en fuite par un bûcheron qui leur montre sa hache. Au Canada, c'est l'anatomie du héros qui rappelle aux animaux les objets de leur supplice et qui leur fait peur.

Le thème de l'animal incité à se faire prendre la patte dans une fente d'arbre constitue la trame du T. 38, *Claw in Split Tree*. Dans le T. 1159, *The Ogre Wants to Learn to Play,* c'est un géant ou le diable qui est victime de cette même ruse. Ce type contient aussi l'épisode de l'adversaire qui est effrayé par l'anatomie du héros (ou de sa femme).

Notre version no 10, *Le diable en ours,* est particulièrement intéressante car elle réunit les types 151 et 1159. L'animal est en réalité le diable.

Cette monographie du conte des *Animaux* (et du *Géant*) *déjoués par l'homme* ne représente qu'un seul des cent quarante-six contes-types différents (totalisant au delà de cinq cent cinquante-deux versions) qui doivent figurer au tome spécial des *Contes d'animaux*, dans notre *Catalogue raisonné du conte populaire français en Amérique du Nord* que j'ai préparé de longue main avec l'assistance constante et experte du Dr Margaret Low, dont il me plait de souligner ici l'habileté dans le traitement complexe des types et motifs à identifier ou à créer.

VII. — APPENDICE

Liste des motifs[1] et des contes-types[2] cités

1. Les motifs précédés du signe (AF) ont été créés d'après des thèmes qui figurent dans des contes français d'Amérique du Nord (et le plus souvent dans d'autres traditions) mais qui n'ont pas été relevés par d'autres compilateurs de Motif-Index.

Les autres motifs sont traduits de l'anglais d'après le *Motif-Index* de Stith Thompson (*Motif-Index of Folk-Literature,* A Classification of Narrative Elements in Folktales, Ballads, Myths, Fables, Mediaeval Romances, Exempla, Fabliaux, Jest-Books and Local Legends, Revised and Enlarged Edition, Bloomington, Indiana, Indiana University Press, 6 vol., 1955-1958).

MOTIFS

J 17. L'animal apprend à craindre l'Homme. Malgré l'avertissement de la part d'un autre animal, un animal s'approche de l'homme et reçoit une balle de fusil.

(AF) K 63.1. Le héros fait manger au géant (au lion) des cailloux melangés à des bonbons.

K 619.3. Pour se débarrasser de ceux qui le poursuivent, le fourbe entraîne ses ennemis à jouer un jeu qui cause leur mort.

(AF) K 619.4. Le garçon qui doit être pendu par un animal pour un certain méfait vole la corde et pend l'animal à sa place.

K 912. À mesure qu'ils entrent dans une maison, des voleurs (géants) ont l'un après l'autre le cou coupé.

K 1110. Tromperies qui incitent un animal (être humain) à se blesser — divers.

K 1111. La dupe est incitée à mettre sa patte (main) dans une fente d'arbre (un coin, un étau).

K 1111.0.1. L'homme prétend apprendre à l'animal (au géant, à l'ogre) à jouer du violon; la patte (main) de la dupe reste prise dans une fente d'arbre.

(AF) K 1113.2. L'homme incite l'animal à se mettre dans un collet d'arjiboire (piège à menu gibier) qui projette l'animal au sommet d'un arbre.

(AF) K 1113.3. L'Homme enfonce le bout d'une perche dans le derrière d'un animal et plante l'autre bout dans la terre. L'animal reste empalé.

(AF) K 1113.4. L'homme incite un gros animal (géant) à se balancer dans une balançoire (magique). Par la suite, l'homme attache son captif au plafond ou bien la balançoire magique se colle d'elle-même au plafond.

K 1710. Gros animal (ou ogre) intimidé.

(AF) K 1755.2. Un animal se sauve quand il croit voir dans l'anatomie d'un homme la perche (l'arbre) par laquelle (dans lequel) il a été suspendu.

(AF) K 1755.3. Un animal se sauve quand il croit voir dans l'anatomie d'un homme la fente où sa patte est restée prise.

(AF) K 1755.4. Un animal se sauve quand il croit voir dans l'anatomie d'un homme le sac où il a été enfermé par l'homme.

S 143.2. Abandon dans un grand arbre.

CONTES-TYPES

2. Les chiffres correspondent aux contes-types d'Antti Aarne et de Stith Thompson, *The Types of the Folktale,* (Second Revision, Helsinki, Suomalainen Tiedeakatemia, Academia scientiarum Fennica, 1961). Les titres anglais sont ceux de Thompson.

Type 38: *Claw in Split Tree. La patte du loup (de l'ours) prise dans une fente d'arbre.*

Types 124: *Blowing the House In. Le loup (le renard) menace d'abattre les cabanes.*

Types 162*: *The Man Punishes the Wolf. L'homme punit le loup.*

Type 304: *The Hunter. Le chasseur adroit.*

Type 314: *The Youth Transformed to a Horse. Le petit Teigneux.*

Type 475. *The Man as Heater of Hell's Kettle. Le chauffeur du diable.*

Type 531: *Ferdinand the True and Ferdinand the False. La Belle aux cheveux d'or.*

Type 1051. *Bending a Tree. Plier un arbre*

Type 1061. *Biting the stone. Mordre des cailloux.*

Type 1159. *The Ogre Wants to Learn to Play. L'Ogre (géant) qui veut apprendre à jouer (du violon).*

Luc Lacourcière

Index général

A

Abeille (l'), 160.
Albergatti, Vazza, marquise d', 131.
Académie de chirurgie, 100, 101.
Acadie, 104, 247, 258.
Association catholique, voir: Jeunesse étudiante catholique et Jeunesse ouvrière catholique.
Action catholique et l'*Action sociale*, 211.
Action française de Montréal, 221, 224, 226.
Action missionnaire (ligue d'), 253.
Ailleboust, gouverneur, 30 et suiv.
Alary, Zénon, 225.
Albany, 162.
Albion, presse, 161.
Alerte!, 228.
Allemagne, 217, 260.
Allet, Antoine d', p.s.s., 8, 27-59.
Allouez, Claude, s.j., 32, 49.
Allsopp, seigneur, 162.
Ameau, S., notaire, 78.
Ancquetin, Elie, 91.
Anglais, 149.
Angleterre, voir: Grande-Bretagne.
Ango de Maizerets, abbé Louis, 63, 70.
Animaux (et le Géant) déjoués par l'homme, 263-294.
Anseau, Benjamin, 95.
Anse-des-Mères, 147.
Anse-Saint-Jean, 278-279.
Antonio, cardinal, 64.
Archives de folklore (AF), 264, 265, 275-281.
Arles, Henri d', 16.
Arnaud, Antoine, 27-59.
Arnoux, André, 108-113.
Association canadienne-française pour l'avancement des sciences (ACFAS), 253.
Association catholique de la jeunesse canadienne-française (ACJC), 212, 214, 222, 252, 254.
Association des Scouts du Canada (ASC), 235, 258.
Aubert, Jacques, 82, 83, 84; Antoinette, 82.
Aubert de la Chesnaye, Charles, 84.
Aubin, N.-A., 148, 155, 161.

Aubuchon, Jacques, 90.
Audet, Louis-Philippe, 7, 11-15.
Audet, Jacqueline, 14.
Audet, Mgr Lionel, 14.
Augustin, saint, 155.

B

Badelart, Martin, 99-112.
Badelart, Philippe, 99, 101.
Badelart, Philippe-Louis, 8, 113-124.
Baden-Powell, Robert, 210, 217, 218, 226, 231, 236, 238, 239, 240, 241, 244, 251, 260.
Bagot, comté de, 277.
Baie-Saint-Paul, 277.
Baillargeon, abbé Noël, 62, 63, 65, 69.
Baldwin, Robert, 204.
Balillas, 216, 245.
Barbeau, Marius, 9, 263-266, 272, 278.
Barthélemy, M., p.s.s., 48, 49, 50.
Basse-Ville, 147, 148.
Bathurst, 229.
Batiscan, seigneurie, 84.
Baudoux, Maurice, 229.
Baune, Gilette, 90, 94.
Beauce, comté de, 264, 265.
Beaulieu, André, 143.
Beaulieu, Joseph, 239.
Beaulieu, Maurice, 225, 228, 249.
Beaulieu, Paul, 241.
Beaupré, seigneurie, 67.
Beckwith, sœur, 177.
Becquet, Romain, notaire, 77, 79.
Bédard, Pierre, 159.
Bédard, Thomas-Laurent, 118.
Beecher, Lyman, 172.
Bel, Jean-Denis, 15.
Bélanger, Oscar, 225.
Bélanger, Paul, 228.
Bélanger, Vincent, 229.
Belgique, 216, 239, 241.
Belle, Denise, 15.
Bellechasse, comté de, 277.
Bellemare, Eudore, 230.
Bellet, François, 159.
Bennett, Edward, 150.
Bennett, John, 154.

Table des matières

Achevé d'imprimer à Montmagny
par les travailleurs des ateliers Marquis Ltée
en décembre 1983

15 ⁰⁰